het grote boek met de heerlijkste salades en koude schotels

het grote boek met de heerlijkste

salades en koude schotels

met een kleurenfoto van elk gerecht

christian teubner/annette wolter

CULINAIRE
BOEKERIJ

zomer & keuning - ede/antwerpen

Oorspronkelijke titel: *Kalte Köstlichkeiten wie noch nie*
Vertaling en bewerking: *Hennie Franssen*
Tekeningen: *Ingrid Schütz*

De auteurs

Christian Teubner was vroeger meester-banketbakker. Maar al vele jaren is hij een begenadigd gastronomisch fotograaf. In zijn 'Studio für Lebensmittelfotografie' ontstaan de fraaiste opnamen, en uit zijn proefkeuken komen de recepten voor verleidelijke nieuwe gerechten. Het werk van Christian Teubner is in heel Europa een begrip – of het nu om boeken, affiches, films of tijdschriften gaat, steeds herkent men zijn meesterhand.

Annette Wolter is een van de bekendste kookboekenschrijfsters uit het Duitse taalgebied. Al meer dan vijftien jaar zijn koken en huishouden bij haar in deskundige handen. Annette Wolter begon als redactrice van vrouwenbladen. Tegenwoordig is zij expert op het gebied van de keuken, schrijfster van succesvolle kookboeken en meervoudig prijswinnares van de 'Gastronomische Akademie' uit de Duitse Bondsrepubliek.

De bewerkster

Hennie Franssen begon als lerares Huishoudkunde aan verschillende instellingen voor Lager Beroepsonderwijs. Tegenwoordig geeft zij kook- en bakcursussen aan volwassenen bij een instituut voor maatschappelijke voorlichting. Hennie Franssen vertaalde en bewerkte verschillende kookboeken en schreef zelf 'Hollandse Pot' en 'Een broodje met'.

2e druk

ISBN 90 210 1354 1

© 1980 Gräfe und Unzer GmbH, München
© 1984 Nederlandse uitgave:
   Zomer & Keuning Boeken B.V., Ede

Woord vooraf

Twee jaar lang hebben wij recepten voor dit boek uitgezocht, geprobeerd, gekookt, gegarneerd en gefotografeerd en nu kan het eindelijk verschijnen: Het grote boek met de heerlijkste salades en koude schotels. Voor de eerste keer een boek waarin de beste en origineelste recepten worden beschreven en gefotografeerd, zodat u elk gerecht toch zelf kunt maken zonder speciale vakkennis.

De koude keuken – een essentieel onderdeel van onze eetcultuur – wint meer en meer aan betekenis. Hij kreeg door onze manier van leven, de voedingspsychologische kennis en de culinaire ideeën van de grote meester-koks volledig nieuwe impulsen. Kwaliteit, versheid en eenvoud van de gebruikte ingrediënten zijn tegenwoordig het hoogste gebod. Dit ging vaak ten koste van de versiering. In deze zin is de koude keuken in onze tijd een onontbeerlijk onderdeel van het dagelijks eetplan, van verzorgde gastvrijheid en van grote feestelijkheden.

Bij de keuze van de recepten hebben wij ons afgevraagd, bij welke gelegenheden koude gerechten worden geserveerd, welke basisingrediënten vaak worden gebruikt en welke worden gereserveerd voor speciale gelegenheden. Uit het antwoord op deze vragen ontstond de volgorde van de hoofdstukken: belegde broodjes, sandwiches of smørrebrød als volledige maaltijd of als hapje, bereid uit eenvoudige ingrediënten, maar toch nooit alledaags of kleurloos, salades als vers bijgerecht, als volledige maaltijd, als party-gerecht of als exclusieve smullerij, perfect opgemaakte bordjes, een gezonde of exquise maaltijd op een bordje, variaties met ei en groenten met fijne vullingen – overal kunt u zien hoe het traditionele eens anders kan worden opgediend.

U vindt in dit boek voor feestdagen en feesten de fijnste pasteien en terrines – privileges van de haute cuisine – die dank zij een nauwkeurige beschrijving en kleurenfoto's elke huisvrouw en elke ambitieuze hobbyist zeker zullen lukken. Behalve bijzondere recepten voor vis en zeevruchten vindt u beschrijvingen van een stijlvolle krab- en oestermaaltijd en van recepten voor kreeft en getruffeerde langoest. Eenvoudig tot pretentieus zijn de ideeën voor koude schotels met worst, ham, gebraden vlees en kaas. Smulpartijen met exotische vruchten, gerechten in aspic (garnalen, vis, gevogelte, groente en wild) alsook eenvoudige gerechten in gelei herinneren u aan de vele, vaak ongebruikte mogelijkheden van de koude keuken. Ten slotte vinden gastheer en gastvrouw nog originele ideeën voor fijn hartig gebak en fijne soepen voor middernacht.

Een groot buffet kan zonder veel hoofdbreken lukken, of het nu een kinderfeestje, champagne-ontbijt, eenvoudig buffet, Zwitsers etentje, oudejaarspartij op zijn Frans, 'smörgås-bord', Deens, Italiaans, klassiek of groot koud buffet is. De verschillende ideeën voor al deze gelegenheden zullen zelfs de meest verwende smulpaap tevredenstellen. Behalve vele traditionele recepten die tot het onvermijdelijke repertoire van de koude keuken behoren, vindt u nog talrijke moderne recepten met het devies: zo goed en eenvoudig mogelijk. Alle gerechten in dit boek voldoen aan de hoge eisen van de fijnproever en wat garnering betreft aan de eisen van de moderne keuken.

Opdat alles zal lukken vertellen wij in de aanvullende tekst uitvoerig over de verschillende basisingrediënten. Enkele tekeningen maken de basisrecepten van de koude keuken begrijpelijk en helpen eraan mee de garneerideeën te volgen.

En het lexicon van de koude keuken maakt het boek tot complete raadgever voor alles wat met de koude keuken samenhangt.

Het omvangrijke register zorgt ervoor dat u alle informatie vlug kunt vinden.

Veel plezier bij het koken, klaarmaken en genieten. En ook een rijke waardering wensen u de auteurs.

Christian Teubner
en
Annette Wolter

> **Als het niet anders is aangegeven, zijn de recepten berekend voor 4 personen.**

Inhoud
Deel 1: recepten

Deel 2: algemeen

Heerlijke broodjes

Broodje ham en ei

Voor 1 persoon:
*$1^1/_2$ theel. boter,
50 g rauwe ham,
1 snufje kerriepoeder,
1 sneetje bruinbrood,
1 hardgekookt ei,
$1^1/_2$ theel. fijngehakte tuinkruiden,
1 eetl. mayonaise,
een takje peterselie.*

Vermeng de boter met de kleingesneden ham en de kerrie, besmeer het brood ermee. Snijd
het ei in plakjes, leg ze op het
brood. Roer de kruiden door de
mayonaise, schep dat op het ei
en garneer met de peterselie.

Broodje met kaassalade

Voor 1 persoon:
*$1^1/_2$ theel. boter,
1 sneetje volkorenbrood,
2–3 blaadjes andijvie,
75 g Edammer kaas,
$^1/_2$ hardgekookt ei,
4 gepelde walnoten,
$1^1/_2$ theel. fijngesneden bieslook,
1 eetl. mayonaise,
$^1/_2$ eetl. yoghurt,
een snufje zout, een snufje peper,
een paar blauwe druiven.*

Beboter het brood, leg er de in
reepjes gesneden andijvie op.
Snijd de kaas en het ei in blokjes, hak 3 walnoten klein. Vermeng dit alles met het bieslook
tot en met de peper. Leg de salade op het brood. Garneer met
walnoot en druiven.

Broodje paprika en worst

Voor 1 persoon:
*$1^1/_2$ theel. boter,
1 sneetje bruinbrood,
$^1/_2$ groene en $^1/_2$ rode paprika,
1 kleine ui,
75 g boterhamworst,
1 eetl. olie, $^1/_2$ eetl. azijn,
$^1/_2$ eetl. fijngehakte peterselie,
een snufje zout,
een snufje peper.*

Beboter het brood. Snijd de
groene paprika in ringen, de
rode in blokjes. Snijd de ui in
ringen en de worst in reepjes.
Leg de paprikaringen op het
brood. Vermeng de overige ingrediënten met de olie, de azijn,
de peterselie, het zout en de peper en verdeel het over het
brood.

Salamisneetje met eiersla

Voor 1 persoon:
*$1^1/_2$ theel. boter,
1 sneetje bruinbrood,
6 dunne plakjes salami,
1 blaadje sla,
1 hardgekookt ei,
3 champignons, $^1/_2$ tomaat,
$^1/_2$ eetl. mayonaise,
1 eetl. zure room,
een paar druppels citroensap,
een snufje zout, een snufje peper.*

Beboter het brood en schik er de
plakjes salami op. Leg het slablaadje op de salami. Hak het ei
en de champignons klein, snijd
de tomaat in blokjes en vermeng
alles met de mayonaise, de zure
room, het citroensap, het zout
en de peper. Leg de salade op
het slablaadje.

Heerlijke broodjes

Groen mosselsneetje

Voor 1 persoon:
1¹/₂ theel. boter,
1 sneetje wittebrood,
¹/₂ kleine ui,
¹/₂ doosje tuinkers,
5 mosselen (uit blik of pot).

Beboter het brood. Hak de ui fijn en strooi hem op het brood. Knip de tuinkers met een schaar van de bodem en leg een dikke laag op de ui. Leg de uitgelekte mosselen in het bedje van tuinkers.

Broodje met gefileerde forel

Voor 1 persoon:
1¹/₂ theel. boter,
1 sneetje wittebrood,
1 plak gerookte forelfilet,
2 dunne parten suikermeloen,
¹/₂ eetl. slasaus,
1¹/₂ theel. roze peperkorrels.

Rooster het brood heel licht, laat het afkoelen en beboter het. Snijd de forelfilet door en leg de twee stukken op het brood. Schil de meloen, haal de pitten eruit en leg ze op de filet. Schep slasaus op de meloen en strooi er de peperkorrels over.

Allgauer-sneetje

Voor 1 persoon:
1¹/₂ theel. boter,
1 sneetje wittebrood,
een paar blaadjes sla,
1 kleine tomaat,
¹/₂ kleine, groene paprika,
75 g Emmentaler kaas,
¹/₂ eetl. citroensap,
¹/₂ theel. mosterd,
een snufje zout, een snufje peper,
1 eetl. olie,
een takje peterselie.

Beboter het brood en leg er reepjes sla op. Snijd de tomaat, de paprika en de kaas in blokjes. Roer een sausje van het citroensap, de mosterd, het zout, de peper en de olie en schep dit door tomaat, paprika en kaas. Schep de salade als een bergje op de sla. Garneer het broodje met peterselie.

Aarhus-sneetje

Voor 1 persoon:
1¹/₂ theel. boter,
1 sneetje wittebrood,
¹/₂ hardgekookt ei,
1 eetl. remouladesaus,
1 tomaat,
³/₄ theel. witte peper,
2 reepjes gaffelbitter,
³/₄ theel. kaviaar.

Beboter het brood. Maak de eierdooier fijn en roer er de remouladesaus door, vul het eiwit ermee. Snijd de tomaat in plakken, schik deze op het brood, strooi er peper over en leg de gaffelbitter erop. Garneer het ei met de kaviaar en zet het midden op het broodje.

Heerlijke broodjes

Vegetarisch broodje

Voor 1 persoon:
1/2 kopje diepvrieserwtjes en -worteltjes,
1 eetl. olie, 1 eetl. sherry-azijn,
een snufje zout, een snufje peper,
1/2 eetl. fijngehakte peterselie,
1 1/2 theel. boter,
1/2 theel. scherpe mosterd,
1 sneetje volkorenbrood,
2 blaadjes rode sla,
1/2 eetl. zure room.

Kook de groente gaar, laat ze uitlekken en vermeng ze met de olie, de azijn, het zout, de peper en de peterselie. Roer de boter en de mosterd door elkaar. Smeer het op het brood en leg er de sla op. Schep de groente op de sla en garneer met de zure room.

Champignon- sneetje

Voor 1 persoon:
70 g champignons,
1/2 eetl. citroensap, 1/2 eetl. olie,
een snufje zout, een snufje peper,
1 sneetje wittebrood,
1/2 teen knoflook,
2 theel. boter,
1/2 hardgekookt ei,
1/2 eetl. fijngehakte tuinkruiden.

Snijd de champignons in dunne plakjes en vermeng ze met het citroensap, de olie, het zout en de peper. Wrijf een kant van het brood in met knoflook. Verhit 1 theelepel boter, bak het brood er even in, laat het afkoelen en besmeer het met boter. Schep de champignonsalade op het brood. Hak ei klein en strooi ei en kruiden over de salade.

Parma-broodje

Voor 1 persoon:
1 1/2 theel. boter,
1 sneetje boerenbruin,
4 plakken parma-ham (fijne rau- we ham),
vers gemalen peper,
1 eetl. slasaus,
1 verse vijg.

Beboter het brood. Leg de plak- ken ham naast elkaar op een plank en strooi er peper over. Rol de plakken op en leg ze op het brood. Schep de slasaus op de ham. Snijd de vijg in plakken en schik deze dakpansgewijs op de ham.

Knäckebröd met asperges

Voor 1 persoon:
2 eetl. olie, 1 eetl. wijnazijn,
een mespunt gemberpoeder,
10 gare asperges,
1 1/2 theel. boter,
1 sneetje knäckebröd,
1/2 hardgekookt ei,
1 eetl. zure room,
geraspte schil van 1/4 sinaasap- pel, 1 eetl. Cointreau,
1/2 plak sinaasappel.

Roer de olie, de azijn en de gem- berpoeder door elkaar en mari- neer de asperges hier 30 minu- ten in. Beboter het brood, leg er de uitgelekte asperges op. Hak het ei klein, roer het door room met schil en Cointreau. Schep de saus op de asperges en gar- neer met de sinaasappel.

Heerlijke broodjes

Broodje
koud vlees

Voor 1 persoon:
1¹/₂ theel. boter,
1 sneetje bruinbrood,
1 blaadje sla,
2 plakjes gare varkens-
fricandeau,
1 augurk, 1 piri-piri.

Beboter het brood, leg er het
blaadje sla en de plakjes vlees
op. Snijd een waaiertje van de
augurk en garneer het brood
met augurk en piri-piri.

Kwarksneetje

Voor 1 persoon:
1¹/₂ theel. boter,
1 sneetje bruinbrood,
1 blaadje sla,
2 eetl. magere kwark,
1 eetl. koffieroom,
een snufje zout,
³/₄ theel. geraspte mierikswortel,
¹/₂ eetl. fijngehakt bieslook,
1 plak gekookte ham.

Beboter het brood, leg het slablaadje erop. Roer de kwark en
de overige ingrediënten tot en
met bieslook door elkaar en
schep het kwarkmengsel op de
sla. Snijd de ham in blokjes en
strooi deze over de kwark.

Sneetje haring

Voor 1 persoon:
1 sneetje wittebrood,
¹/₂ eetl. mayonaise,
1 blaadje sla,
1 haring (in stukjes),
1 eetl. yoghurt,
een paar druppels tabasco,
een snufje zwarte peper,
¹/₈ hardgekookt ei,
1 takje dille.

Besmeer het brood met de
mayonaise, leg er het slablaadje
en de stukjes haring op. Roer de
yoghurt en de tabasco door elkaar, schep hem op de haring.
Bestrooi de saus met peper en
garneer hem met het partje ei en
het takje dille.

Broodje met
salamihoedjes

Voor 1 persoon:
1¹/₂ theel. boter,
1 sneetje bruinbrood,
1 blaadje sla,
5 dunne plakjes salami,
1 kleine groene peper,
5 champignons.

Beboter het brood, leg er de sla
en de salamihoedjes op. Snijd
het pepertje in ringen. Garneer
elk hoedje met 1 champignon en
1 peperringetje.

Heerlijke broodjes

Sneetje 'noorderlicht'

Voor 1 persoon:
1 eetl. boter,
1 sneetje volkorenbrood,
de bovenkant van een sesambol-
  letje,
¹/₄ komkommer,
een snufje zout, een snufje peper,
6–8 dunne plakjes salami,
een takje peterselie.

Beboter het brood en het halve
broodje. Snijd de ongeschilde
komkommer in dunne plakjes,
strooi er zout en peper op. Leg
de helft van de komkommer op
het volkorenbrood, leg daarop
de plakjes salami en bedek deze
met de rest van de komkommer.
Leg er een paar blaadjes peterselie op en bedek het geheel met
het halve broodje.

Tip

Dit verfrissende en voed-
zame broodje is ideaal
proviand voor een zo-
merse wandeling. Wikkel
het broodje in plastic- of
aluminiumfolie. Even
voedzaam en dorstles-
send is de volgende variatie: vervang de komkom-
mer door schijfjes appel
en de salami door koud
varkensvlees dat u met
mierikswortel bestrijkt.

Western-broodje

Voor 1 persoon:
1 broodje,
1¹/₂ theel. boter,
¹/₂ hoekje smeerkaas,
1 blaadje sla,
2 plakken cornedbeef,
1 hardgekookt ei,
¹/₂ augurk.

Snijd het broodje doormidden,
bestrijk de beide helften eerst
met boter en dan met smeerkaas. Leg op de onderste helft
het blaadje sla met daarop de
cornedbeef. Snijd het ei in plakjes, schik deze op het vlees.
Snijd de augurk in smalle reepjes, leg deze naast het ei. Bedek
het broodje met de bovenste
helft.

Tip

Het broodje ziet er leuker
uit als u het beleg over
beide broodhelften ver-
deelt en het broodje
openlaat. Maar als u het
broodje als lunchpakket
gebruikt, moet u het wel
dichtvouwen en in plas-
tic- of aluminiumfolie
verpakken.

Pinwheels

Voor 6 personen:
1 wit casinobrood,
250 g tonijn uit blik,
1 kleine ui,
2 eetl. geraspte mierikswortel,
3 eetl. koffieroom,
$^1/_2$ theel. zout, $^1/_2$ theel. peper,
3 eetl. boter,
6 cocktailtomaten,
een beetje tuinkers.

Snijd de korst van het brood en
snijd het brood in de lengte in
zes sneden. Leg de sneden
brood tussen vetvrij papier en
rol ze met de deegrol dunner uit.
Rol ze dan in de lengte op, net
als een Swiss roll. Laat de tonijn
uitlekken en haal hem los. Schil
de ui, hak hem fijn. Maak van
tonijn, ui, mierikswortel, room,
zout en peper met de mixer een
romig mengsel. Proef of het

goed op smaak is. Besmeer de
sneden brood eerst met boter en
daarna met de tonijncrème, en
rol ze weer op. Wikkel de zes
rolletjes in vetvrij papier en
daarna in aluminiumfolie. Laat
ze 1 uur in de koelkast rusten.
Snijd voor het opdienen elk rolletje in plakjes en schik deze op
een bordje. Leg midden op de
pinwheels een cocktailtomaat
en een toefje tuinkers.

Zondagsbroodje

Voor 1 persoon:
125 g varkenshaas,
$^1/_2$ theel. zout,
een snufje zwarte peper, een
*   snufje scherp paprikapoeder,*
1 eetl. braadvet,
$1^1/_2$ theel. boter,
2 sneetjes wit casinobrood,
1 blaadje sla,
1 hardgekookt ei,
1 kleine ui,
1 stukje rode paprika (uit een
*   pot),*
1 eetl. koffieroom,
2 eetl. zure room,
$1^1/_2$ theel. kerriepoeder,
een mespunt zout, een mespunt
*   witte peper,*
1 takje dille.

Wrijf de varkenshaas in met
zout, peper en paprikapoeder.
Verhit het braadvet, bak de var-

kenshaas rondom bruin. Braad
hem dan op een laag vuur in
10 minuten gaar. Haal het vlees
uit de pan, laat het afkoelen.
Beboter een sneetje brood, leg
er de sla op. Snijd het koude
vlees in even dikke plakken,
schik deze op de sla. Pel het ei
en hak het fijn. Schil de ui, snijd
hem in blokjes. Snijd de paprika
in blokjes. Vermeng ei, ui en paprika met room, zure room,
kerrie, zout en peper.
Schep de saus op het vlees en leg
het andere sneetje brood erop.
Garneer de sandwich met het
takje dille.

Newyorkse sandwich

Voor 1 persoon:
2 sneetjes boerenbruin,
$^1/_2$ pakje verse roomkaas,
6 plakjes gerookte zalm,
$^1/_2$ rode ui.

Besmeer het brood met een dikke laag roomkaas. Vouw de
plakken zalm dubbel, leg drie
plakken zalm op elk sneetje
brood. Schil de ui, snijd hem in
ringen. Leg de uieringen op de
zalm.

Tip

Als uieringen op een
sandwich u niet zo aan-
spreken, vermeng de
roomkaas dan met mie-
rikswortel. Vermeng af-
hankelijk van de scherpte
1–1$^1/_2$ theelepel met de
kaas en besmeer het
brood ermee. Laat de
uieringen weg.

Club-sandwich

Voor 1 persoon:
2 sneetjes casinobrood,
1 groot blad sla,
1 plak leverpastei,
1sneetje volkorenbrood,
1 eetl. slasaus,
1 plak gekookte ham,
1 plak belegen kaas,
1 bos radijs.

Rooster het casinobrood goudgeel. Was de sla, laat hem goed
uitlekken. Beleg één snee brood
met de leverpastei. Besmeer het
volkorenbrood met de slasaus,
leg het op de leverpastei. Leg de
plak ham op het volkoren-
brood, daarop de sla en ten slotte de kaas. Bedek het geheel met
geroosterd brood. Snijd de
sandwich met een scherp mes
schuin door, zodat twee driehoeken ontstaan. Steek in elke
driehoek een satepen. Was de
radijsjes, droog ze en geef ze bij
de club-sandwich.

Sandwich/smørrebrød

Smørrebrød-favorieten

Steeds voor 1 persoon:

Broodje tong
1 sneetje bruinbrood,
1¹/₂ theel. boter,
1 blad kropsla,
50 g gesneden gerookte tong,
1 hardgekookt ei,
2 gevulde olijven,
¹/₂ theel. groene peper.

Besmeer het brood met boter.
Schik er de sla, de tong, de plakjes ei, de olijven en de peperkorrels op.

Reders-ontbijt
1 sneetje bruinbrood,
1 eetl. boter,
2 gerookte forelfilets,

1 ei, ¹/₂ eetl. koffieroom,
een snufje zout, een snufje peper,
¹/₂ theel. fijngehakte peterselie.

Beboter het brood met de helft
van de boter, leg er de forel op.
Klop het ei met de room, het
zout en de peper. Maak er met
de rest van de boter een roerei
van, schep dit op de forel en
garneer met peterselie.

Snack voor de baron
1¹/₂ theel. boter,
1 rond sneetje wittebrood,
1 blad kropsla,
2 plakken fijne pâté,
1 plakje ontbijtspek.

Beboter het brood, leg er de sla
en de plakken pâté op. Bak het
spek knapperig bruin, laat het
even afkoelen en leg het op de
pâté.

Rosbiefbroodje
1¹/₂ theel. boter,
1 sneetje bruinbrood,
1 blad kropsla,
2 plakken koude rosbief,
¹/₈ hardgekookt ei,
1 piri-piri, ³/₄ theel. geraspte
*   mierikswortel, peterselie.*

Beboter het brood. Leg er de sla
en de rosbief op. Garneer met
het partje ei, de piri-piri, de mierikswortel en de peterselie.

Haringrolletjes op brood
1¹/₂ theel. boter,
1 sneetje wit casinobrood,
1 blad kropsla,
2 halve haringen,
¹/₂ ui, 4–5 kappertjes.

Beboter het brood, leg er de sla
en de opgerolde haringen op.
Snijd de ui in ringen. Garneer
de haringrolletjes met de uieringen en de kappertjes.

Melkers-sneetje
1¹/₂ theel. boter,
1 sneetje knäckebröd,
1 grote tomaat,
een snufje zout, een snufje peper,
1 plak blauwe aderkaas (30 g),
1 gepelde walnoot.

Beboter het brood, leg er plakken tomaat op en bestrooi deze
met zout en peper. Snijd de plak
kaas doormidden, leg hem op
de plakken tomaat en garneer
met de walnoot.

Sandwich/smørrebrød

Sandwich rosbief

Voor 1 persoon:
2 dunne sneetjes bruinbrood,
2 eetl. slasaus,
6 plakjes koude rosbief,
2 hardgekookte eieren,
$^1/_2$ augurk.

Besmeer het brood dik met sla-saus. Vouw de rosbief in de lengte dubbel, leg de plakjes dakpansgewijs op de sneetjes brood. Pel de eieren, snijd ze in plakken. Snijd ook de augurk in plakken. Leg op elk sneetje drie plakken ei en drie plakjes augurk.

Tip
Deze sandwich rosbief is ook lekker met geroosterd brood. Meng in dat geval 2–3 theelepels bosbessengelei door de slasaus en laat de augurk weg.

Lunch-broodje

Voor 1 persoon:
1 sneetje casinobrood,
1 blaadje sla,
1 eetl. slasaus,
1 tomaat,
$^1/_2$ eetl. kleingesneden bieslook,
2 dunne plakjes ontbijtspek.

Rooster het brood. Was de sla goed, dep hem droog. Besmeer de koude toost dik met slasaus, leg de sla erop. Was de tomaat, droog hem en snijd hem in plakken. Schik deze op de sla. Bestrooi de tomaat met bieslook. Bak het spek in de koekepan knapperig, laat het op keukenpapier uitlekken en afkoelen. Leg de plakjes spek op de sandwich.

Aalborger broodje

Voor 1 persoon:
2 eieren,
¹/₂ eetl. gemengde, fijngehakte
*   kruiden,*
een snufje zout,
een snufje witte peper,
1¹/₂ eetl. boter,
1 sneetje bruinbrood,
1 blad kropsla,
65 g gerookte paling,
1 dunne plak gerookte zalm.

Klop de eieren los met de kruiden, het zout en de peper. Smelt
1 eetlepel boter in de koekepan,
voeg de eieren toe en laat deze
op een laag vuur tot roerei stollen. Laat het roerei iets afkoelen. Besmeer het brood met de
overgebleven boter, leg er het
gewassen, goed uitgelekte slablad op en snijd het door. Verdeel het afgekoelde roerei over

de twee broodhelften. Ontvel de
gerookte paling, haal de stukjes
vis van de graat en leg ze op het
ene halve broodje. Rol de zalm
op en leg hem op het andere
broodje.

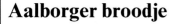

Tip
Vanzelfsprekend kunt u
het roerei ook garneren
met andere gerookte vis.

Broodje 'dank voor het gewas'

Voor 1 persoon:
1¹/₂ theel. boter,
1 sneetje bruinbrood,
1 blaadje kropsla,
1 kleine ui,
50 g rodekool uit een pot,
een paar druppels citroensap,
een snufje zout, suiker en witte
*   peper,*
2 kleine plakken gaar koud
*   varkensvlees,*
1 eetl. stijfgeslagen slagroom,
1¹/₂ theel. scherpe mosterd,
¹/₂ theel. grofgemalen of stuk-
*   gestoten witte peperkorrels.*

Beboter het brood, leg er de gewassen, goed uitgelekte sla op.
Schil de ui en snijd hem in heel
kleine blokjes. Vermeng de rodekool met het citroensap en de

helft van de uien, maak hem
dan pittig op smaak met het
zout, de suiker en de peper.
Schep een bergje rodekool op de
sla. Maak rolletjes van het varkensvlees en schik ze op het
brood. Schep de slagroom en de
mosterd door elkaar, doe dat in
de slagroomspuit met gekarteld
mondje en spuit het in de vlees-
rolletjes. Strooi de overgebleven
ui en de peper over de vleesrol-
letjes.

Sandwich/smørrebrød

Fijnproevers-sneetje

Voor 1 persoon:
*1 blad kropsla,
1¹/₂ theel. boter,
1 sneetje boerenbruin,
100 g gare kippeborst,
1 halve perzik uit blik,
1 eetl. mayonaise,
een beetje peterselie.*

Was de sla, dep hem droog. Beboter het brood, leg de sla erop. Haal het vel van de kip, snijd haar in dunne plakken en schik deze dakpansgewijs op de sla. Laat de perzik uitlekken, snijd hem in dunne partjes en schik ook deze dakpansgewijs op de kip. Spuit met het kartelvormige spuitmondje twee toefjes mayonaise op de perzik. Was de peterselie, laat hem uitlekken en

hak hem fijn. Strooi de peterselie op de mayonaise.

Tip
Als er sappige, verse perziken te koop zijn, moet u die beslist nemen. Dompel de perzik even in kokend water en pel hem. Snijd hem doormidden, haal de pit eruit en verdeel hem in plakjes.

Deens broodje

Voor 1 persoon:
*1¹/₂ theel. boter,
1 sneetje wit casinobrood,
1 blad kropsla,
1 plak Tilsiter kaas (30 g),
2 sardines in olie uit blik,
¹/₂ ui,
2 grote plakken tomaat,
een snufje zout, een snufje grofgemalen peper,
¹/₂ eetl. geraspte Emmentaler kaas.*

Verhit de boter in de koekepan en bak het brood aan beide kanten goudbruin. Laat het afkoelen. Was de sla en dep hem droog. Leg de sla en de plak kaas op het brood. Laat de sardines uitlekken. Schil de halve ui en hak hem heel fijn. Leg de sardines op de kaas, leg er de plakken tomaat op. Strooi de

ui, het zout en de peper over de tomaat en tot slot de geraspte kaas.

Tip
Gebruik als variatie eens ansjovisfilets in plaats van sardines.

Sneetjes en canapés

Kerrie-perzik met kaascrème

4 stevige, halve gele perziken
   (vers of uit blik),
250 g verse roomkaas (Mon
   Chou),
2¹/₂ theel. mild paprikapoeder,
6 eetl. melk,
¹/₂ theel. zout,
¹/₂ theel. witte peper,
1 glas port (10 cl),
4 eetl. mild kerriepoeder,
4 vierkante sneetjes volkorenbrood,
¹/₂ eetl. olie,
¹/₂ bos peterselie.

Dompel 2 verse perziken even in
kokend water, pel ze. Snijd ze
doormidden, haal de pit eruit.
Laat de perzik uit blik uitlekken.
Roer de kaas tot room met het

paprikapoeder, de melk, het
zout, de peper en de port. Snijd
de halve perziken doormidden.
Leg de kerriepoeder op een plat
bord en wentel er de perziken
door, zodat ze met een gelijkmatig laagje kerrie bedekt zijn.
Doe de kaascrème in de spuitzak met grof spuitmondje en
spuit op elke perzik een rozet.
Snijd de korst van het brood en
snijd de sneden doormidden.
Spuit midden op het brood een
toef crème. Zet de perziken hierop. Bestrijk de zijkanten van de
perziken met olie, zodat zij
glanzen. Garneer de rozetten
met een toefje peterselie.

Gerookte paling met zachte vulling

1 stuk gerookte paling (het middenstuk van 20 cm lang),
een paar blaadjes kropsla,
2 sneetjes bruinbrood,
5 gevulde olijven,
20 kleine champignons,
2 eetl. zilveruitjes (uit een pot),
2 eetl. magere kwark (20%),
1 eetl. olie,
1 eetl. tomatenketchup,
³/₄ theel. zwarte peper,
³/₄ theel. suiker,
1 eetl. wijnazijn,
1 zure appel.

Verdeel de paling in vier even
lange stukken. Snijd met een
scherp mes aan beide kanten het
vel langs de graat los en haal het
eraf, haal de graat eruit. Was de
sla en laat hem uitlekken. Be-

kleed een schotel met de sla.
Snijd de sneetjes brood doormidden, snijd ze bij in de lengte
van de paling en leg een stuk paling op elk stukje brood. Leg het
brood op de sla. Maak plakjes
van de olijven. Maak de champignons schoon, was ze, dep ze
droog en snijd ze in dunne plakjes. Laat de uitjes uitlekken, hak
ze fijn. Vermeng de kwark met
de olie, de ketchup, de peper, de
suiker en de azijn. Schil de appel, snijd hem in vieren, haal het
klokhuis eruit en rasp hem grof.
Vermeng de appel, de olijven,
de champignons en de uitjes met
de kwark. Verdeel de salade
over de stukjes paling.

Sneetjes en canapés

Driehoekjes met vleessalade

4 sneetjes bruinbrood of rog-
gebrood,
2 eetl. boter of margarine,
2 eetl. kwark (20%),
1¹/₂ theel. mild paprikapoeder,
¹/₂ theel. zout,
¹/₂ theel. witte peper,
200 g vleessalade (uit een doos-
je),
1 tomaat,
8 gevulde olijven, ¹/₂ bos dille.

Snijd de korstjes van het brood
en snijd het brood in driehoekjes van gelijke grootte. Roer de
boter of margarine tot room en
meng er de kwark, het paprikapoeder, het zout en de peper
door. Doe de kwarkcrème in
een spuitzak met gekarteld
spuitmondje en spuit een rand

kwark op de broodjes. Leg midden op elk broodje een bergje
vleessalade. Was de tomaat,
droog hem en snijd hem in achten. Leg op elk bergje vleessalade een part tomaat. Snijd de
olijven in plakjes, was en droog
de dille. Garneer elk broodje
met wat plakjes olijf en een toefje dille.

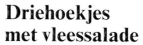

Tip

Als u niet zo van vleessalade houdt, kunt u ook
garnalen-, kippe- of een
fijne groentesalade, met
een fijne mayonaisesaus
aangemaakt, gebruiken.

Hamrolletjes à la Hawaii

3 eetl. mayonaise,
2 eetl. kwark (20%),
1 eetl. wijnazijn,
¹/₂ theel. zout, ¹/₂ theel. peper,
¹/₂ theel. suiker,
2 schijven ananas (uit blik),
3 hardgekookte eieren,
4 grote plakken gekookte ham
*   (150 g),*
2 sneetjes volkorenbrood,
3 theel. boter,
¹/₂ bos peterselie, 1 tomaat.

Roer de mayonaise met de
kwark, de azijn, het zout, de peper en de suiker tot een romig
mengsel. Laat de ananas uitlekken en snijd hem in kleine stukjes. Hak de eieren klein, meng
de eieren en de ananas door de
mayonaise.

Snijd alle randjes vet van de
plakken ham en snijd elke plak
middendoor. Snijd de korstjes
van het volkorenbrood, beboter
het brood en verdeel elk sneetje
in vieren. Strijk een laag ana-
nas-eiersla op elke plak ham en
rol hem dan op. Leg op elk
stukje brood een hamrolletje.
Was de peterselie, dep hem
droog. Was de tomaat, droog
hem en snijd hem in achten.
Haal het vruchtvlees er met een
lepel uit. Garneer elk hamrolletje met een partje tomaat en een
toefje peterselie.

Canapés voor een grote partij

Voor telkens 6 canapés:

Wild-dukaten

3 sneetjes casinobrood,
3 theel. boter,
_$^1/_4$ sellerieknol, $^1/_2$ appel,_
1 plak ananas (uit blik),
2 augurken,
2 eetl. mayonaise,
1 eetl. koffieroom,
een snufje zout, een snufje suiker,
een paar druppels citroensap,
12 dunne plakjes gebraden
_   reerug,_
6 gepelde walnoten.

Steek met een uitsteekvormpje
zes rondjes uit het brood en beboter deze. Schil de sellerie
knol, rasp hem fijn. Schil de appel, haal het klokhuis eruit en

rasp hem fijn. Snijd de ananas
in stukjes en de augurken in heel
dunne reepjes. Vermeng de
mayonaise met de room, het
zout, de suiker, het citroensap
en de geraspte en gesneden ingrediënten. Leg een bergje sla
op elk rondje. Schik op elke canapé twee stukjes reerug en garneer met een halve walnoot.

Canapé à l'Alsacienne

3 sneetjes casinobrood,
3 theel. boter,
100 g ganzeleverpâté, met truffel
_   (uit blik),_
_$^1/_2$ kleine sinaasappel,_
3 eetl. maderagelei (recept
blz. 224).

Snijd het brood in zes rechthoekjes. Smelt de boter in de
koekepan en bak er het brood
aan één kant in, laat het afkoelen. Leg op elk stukje brood één
plak ganzelever en één partje

sinaasappel. Snijd de maderagelei in blokjes, schik deze naast
de sinaasappel.

Prinselijke canapé

3 sneetjes casinobrood,
5 theel. boter,
3 plakken koud, gaar varkens-
_   vlees,_
_$^1/_4$ banaan, $^1/_2$ plak ananas,_
3 eetl. mayonaise,
_$1^1/_2$ theel. milde kerriepoeder,_
een snufje witte peper.

Snijd de sneetjes brood schuin
door, zodat zes driehoekjes ontstaan. Beboter de driehoekjes.
Snijd de plakjes vlees schuin
door en verdeel de banaan in zes
schijfjes. Leg op elke canapé een
plakje vlees, een schijfje banaan
en 3 stukjes ananas. Roer de
mayonaise, de kerrie en de peper door elkaar en spuit op elke
canapé een toef mayonaise.

Canapé Alberta

3 sneetjes casinobrood,
5 theel. boter,
100 g gefileerde, gerookte zalm,
_$^1/_2$ ui,_
_$1^1/_2$ theel. groene peperkorrels_
_   (uit een pot)._

Snijd het brood doormidden,
zodat zes rechthoeken ontstaan
en beboter deze. Leg er de gefileerde zalm en de uieringen op.
Garneer elke canapé met een
paar peperkorrels.

Canapé à la Champagne

Voor 12 canapés:
3 sneetjes casinobrood,
5 theel. boter of margarine,
12 plakken Lachsschinken (pekelham),
$^1/_2$ suikermeloen,
12 partjes mandarijn (vers of uit blik).

Snijd de sneetjes brood in vieren, zodat twaalf vierkantjes ontstaan. Beboter ze. Leg op elk stukje brood een dubbelgevouwen plakje ham. Haal de pitten uit de meloen en schep er met een mokkalepeltje balletjes uit. Schik de meloenballetjes en de partjes mandarijn op de ham.

Canapé met zalmtartaar

Voor 6 canapés:
6 sneetjes casinobrood,
6 theel. boter,
2–3 voorjaarsuien,
300 g gesneden, gerookte zalm,
1 citroen, $^1/_2$ bosje dille.

Steek zes grote rondjes uit het brood, beboter ze. Blancheer de groene bladen van de voorjaarsuien. Leg op elk rondje brood een stukje ui. Draai de zalm door de grove schijf van de vleesmolen, leg een bergje van deze tartaar op de ui en garneer met een schijfje citroen en een takje dille.

Scampi-canapé

Voor 6 canapés:
12 diepvriesscampi,
3 sneetjes casinobrood,
$^1/_4$ selderieknol,
een paar druppels citroensap,
een snufje zout,
een snufje witte peper,
2 eetl. boter, $^1/_2$ bosje dille.

Laat de scampi ontdooien. Steek met een vormpje zes rondjes uit het brood. Rasp de selderie grof en vermeng hem met het citroensap, het zout en de peper. Beboter de rondjes brood, leg er de geraspte selderie op. Houd 6 takjes dille achter, snijd de rest klein en bestrooi er de randen van de broodjes mee. Leg midden op elk broodje 2 scampi en een takje dille.

Canapé met kaviaar

Voor 6 canapés:
3 sneetjes casinobrood,
5 theel. boter,
4 hardgekookte eieren,
2 eetl. mayonaise,
1 eetl. zure room,
1 eetl. kleingehakte peterselie,
$^1/_2$ theel. scherpe mosterd,
$^1/_2$ theel. geraspte mierikswortel,
een snufje zout, een snufje suiker,
6 eetl. keta-kaviaar.

Snijd zes rechthoekjes van het brood, besmeer ze met boter. Verdeel 1 ei in plakjes en hak 3 eieren klein. Vermeng mayonaise tot en met de suiker met het kleingehakte ei. Smeer een laagje eiersla op het brood. Leg er middenop 1 plakje ei bestrooid met kaviaar.

Pikante broodsmeerseltjes

Gember-honingkwark

250 g kwark (20%),
1 eetl. melk,
3 eetl. slagroom,
1 bolletje gekonfijte gember,
5 bigarreau's,
3 eetl. honing.

Roer de kwark en de melk door elkaar. Klop de slagroom licht op en schep hem door de kwark. Snijd de gember en de Franse vruchtjes klein en roer ze met de honing door de kwark.

Appelkwark

500 g kwark (20%),
$^1/_4$ l slagroom,
2 zure appels,
1 grote ui,
$^3/_4$ theel. zout.

Roer de kwark en de slagroom in een grote schaal door elkaar. Was de appels, droog ze en snijd ze in vieren. Haal het klokhuis eruit en rasp de appels met schil grof. Schil de ui en snijd hem heel fijn. Schep de appels en de ui door de kwark en maak hem op smaak met zout.

Kruidenkwark

250 g kwark (20%),
3 eetl. melk,
$^1/_2$ bos van elk: bieslook, dille en
*   peterselie,*
1 kleine ui,
1 teen knoflook,
$^1/_2$ theel. zout,
een flinke snuf vers gemalen wit-
te peper.

Roer de kwark en de melk in een schaal door elkaar. Was de kruiden, laat ze goed uitlekken en hak of snijd ze klein. Schil de ui en de knoflook en rasp ze fijn. Roer de kruiden, de ui, de knoflook, het zout en de peper door de kwark en maak hem pittig op smaak.

Vitaminekwark

250 g kwark (20%),
5 eetl. melk,
1 kleine rode paprika,
1 middelgrote augurk,
1 kleine ui,
$^1/_2$ bos radijs,
$^1/_2$ theel. tabasco,
$^1/_2$ theel. zout.

Roer de kwark en de melk door elkaar. Was de paprika, snijd hem door, haal de zaadlijsten eruit en snijd hem in blokjes. Verdeel ook de augurk in kleine blokjes. Schil de ui en rasp hem fijn. Was de radijs en hak hem klein. Schep de paprika, de augurk, de ui en de radijs door de kwark. Maak op smaak met de tabasco en het zout.

Pikante broodsmeerseltjes

Smeerseltje van blauwe kaas

200 g blauwe kaas,
100 g gesneden salami,
3 kleine zure augurken,
10 zilveruitjes (uit een pot),
4 walnoten,
1¹/₂ theel. geraspte mieriks-
*   wortel,*
1 eetl. yoghurt,
3 eetl. mayonaise,
een snufje zout,
5 druppels tabasco.

Prak de kaas in een grote kom met een vork fijn. Snijd de plakjes salami in dunne reepjes. Verdeel de augurken in heel kleine blokjes. Laat de zilveruitjes uitlekken en hak ze klein. Hak ook de walnoten. Vermeng al deze ingrediënten met de mieriks-wortel, de yoghurt, de mayonaise, het zout en de tabasco. Maak de kaas goed op smaak.

Eiersmeerseltje

5 hardgekookte eieren,
200 g zachte boter,
¹/₂ rode paprika,
1 kleine ui,
³/₄ theel. zout,
van elk een snufje: selderiezout,
*   witte peper, kerriepoeder en*
*   cayennepeper.*

Snijd de eieren door en haal de eierdooiers eruit. Roer de eier-dooiers en de boter door elkaar in een schaal. Snijd het eiwit in blokjes. Was de paprika, schil de ui. Snijd beide in heel kleine blokjes. Schep de blokjes eiwit, paprika en ui door het dooier-mengsel. Maak op smaak met het zout, het selderiezout, de peper, de kerriepoeder en de cayennepeper.

Mengsel met Emmentaler kaas

1 dikke plak Emmentaler
*   (250 g),*
maïskolfjes (uit een pot),
10 gevulde olijven,
¹/₂ teen knoflook,
van elk 2 takjes: dille, bieslook,
*   peterselie en rozemarijn,*
200 g zachte boter,
1¹/₂ theel. groene peper (uit een
*   pot),*
¹/₂ theel. zout.

Snijd de kaas in heel kleine blokjes. Hak de maïskolfjes en de olijven heel klein, schil de knoflook en druk hem door de pers. Was en droog de kruiden en snijd ze fijn. Roer de boter tot room. Vermeng de blokjes kaas met de genoemde ingrediënten, de peperkorrels en het zout. Maak het mengsel goed op smaak en laat het 1–2 uur af-gedekt in de koelkast rusten.

Tip

Wij hebben deze smeer-seltjes zacht van smaak gehouden. Als u van scherper, zouter of zuur-der houdt, kunt u de mengsels pittiger maken.

Party-brood luilekkerland

Voor 8 personen:
1 groot stokbrood,
4 eetl. mayonaise,
1 kleine krop sla,
250 g gesneden hamworst,
1 wortel,
1 tak bleekselderie,
1 bos radijs,
1 ui,
2 eetl. wijnazijn,
4 eetl. olie,
¹/₂ theel. zout,
¹/₂ theel. witte peper,
1 eetl. fijngehakte peterselie,
4 eieren,
1 kopje diepvrieserwten,
200 g gesneden salami,
1 dikke plak Emmentaler kaas
(100 g)
1 eetl. mayonaise,
2 eetl. yoghurt,

van elk ¹/₂ theel.: zout, witte
peper en mild paprikapoeder,
een paar takjes dille en peter-
selie.

Snijd het brood in de lengte
door en haal een deel van het
broodkruim eruit. Bestrijk de
binnenkant van het brood met
mayonaise. Pluk de sla, was
hem en laat hem goed uitlekken.
Leg de sla op beide broodhelften. Verdeel de plakjes worst in
smalle reepjes. Schrap de wortel, was hem en snijd hem in
reepjes ter dikte van een lucifer.
Snijd de selderie en radijs in
plakjes en de ui in ringen. Doe
de reepjes worst en wortel, de
plakjes selderie en radijs en de
uieringen in een schaal. Roer de
azijn, de olie, het zout, de peper
en de peterselie door elkaar.
Schep de saus door het worst-
groentemengsel. Zet de eieren
op met kokend water en laat ze

in 10 minuten hard koken. Laat
ze onder koud water schrikken,
pel ze en laat ze afkoelen. Blancheer de erwten 5 minuten in
een zeef in kokend water, laat ze
uitlekken en afkoelen. Snijd de
plakjes salami in smalle reepjes
en de kaas in blokjes. Doe de
reepjes salami, de erwten en de
blokjes kaas in een schaal. Roer
de mayonaise, de yoghurt, het
zout, de peper en het paprikapoeder door elkaar. Schep de
yoghurtsaus door het salami-
mengsel. Vul het ene halve stokbrood met het worst-groente-
mengsel en de andere helft met
het salami-kaasmengsel. Snijd
de eieren in achten en leg de
partjes tussen de salades. Garneer de broden met de kruiden.

Tip

Maak de salades voor
een feestelijk avondje bijtijds klaar. Vlak voor het
feest begint hoeft u de
broden dan alleen nog
maar te vullen. De sla-
blaadjes voorkomen het
vochtig worden van het
brood. Wikkel de broden
luchtig in huishoudfolie
en leg ze op een koele
plaats tot u ze gaat ge-
bruiken.

Verrassende broodjes

Mozaïekbrood

1 boerenbruin (500 g) van een
    dag oud,
200 g zachte boter,
4 hardgekookte eieren,
1 gare wortel,
100 g champignons (uit blik),
200 g gekookte ham,
1 voorjaarsui,
1 eetl. kappertjes,
³/₄ theel. van elk: selderiezout,
    zout en witte peper,
25 gevulde olijven.

Snijd aan één kant het kapje
van het brood. Snijd het brood
met een lang, scherp mes 1 cm
rondom de korst in en hol het
uit. Roer de boter romig in een
schaal. Pel de eieren, snijd ze
door. Druk de eierdooiers door
de zeef en roer ze door de boter.
Snijd het eiwit in blokjes. Snijd
ook de wortel in blokjes. Laat

de champignons uitlekken en
verdeel ze ook in blokjes. Hak
de ham, de ui met het groen en
de kappertjes klein. Schep alle
gesneden ingrediënten met het
selderiezout, het zout en de peper door de eierboter. Snijd de
olijven in plakjes en schep deze
ook door de boter. Schep het
mengsel met een eetlepel in het
brood. Druk het goed aan, zodat er geen ongevulde ruimten
zijn. Zet het kapje weer tegen
het brood. Wikkel het brood in
aluminiumfolie en laat het geheel een paar uur in de koelkast
intrekken.

Illustere broodjes

Voor 6 personen:
6 puntbroodjes,
250 g roomkwark (40%),
2 druppels tabasco,
1 borrelglas witte wijn,
¹/₂ theel. zout, ¹/₂ theel. witte
    peper, 1 eetl. gemengde, klein-
    gehakte kruiden,
50 g rauwe en 50 g gekookte
    ham,
¹/₂ groene paprika,
1 augurk,
50 g gaar kippevlees,
2–3 champignons (uit blik),
25 g pistachenoten,
¹/₂ eetl. mosterdfruit,
1 gemberbolletje,
2 eetl. sherry,
2 eetl. augurkennat.

Snijd een derde deel van elk
broodje en hol ze daarna uit.
Verdeel de kwark over twee

schalen. Vermeng de ene helft
van de kwark met de tabasco,
de witte wijn, het zout, de peper
en de kruiden. Snijd de rauwe
ham in blokjes. Was de paprika
en snijd de paprika en de augurk ook in blokjes. Vermeng
de ham, de paprika en de augurk met de kruidenkwark.
Hak de gekookte ham, het kippevlees, de champignons, de
pistachenoten, het mosterdfruit
en de gember klein en meng alles met de sherry en het augurkennat door de andere helft van
de kwark. Vul met elk kwarkmengsel drie broodjes. Zet het
afgesneden gedeelte weer tegen
de broodjes en wikkel ze in aluminiumfolie. Laat het geheel
een paar uur in de koelkast intrekken.

Rijkeluishapjes

200 g zachte boter,
$^1/_2$ theel. zout,
1 snufje witte peper,
$1^1/_2$ theel. citroensap,
1 doosje tuinkers,
75 g gepelde walnoten,
10 cocktail-volkorenrondjes,
een mespunt van elk: selderiezout, knoflookpoeder en
   gemberpoeder,
2 druppels tabasco,
3 stukken rode paprika (uit een
   pot),
10 cocktail-pompernikkelrond-
   jes,
$^1/_2$ bos peterselie.

Roer de helft van de boter met
het zout, de peper en het citroensap tot room. Knip de
tuinkers met een schaar van de
bodem, spoel hem af in een zeef
en laat hem uitlekken. Hak de

walnoten klein. Besmeer het
volkorenbrood met de kruidenboter en bestrooi de randen met
tuinkers. Leg de gehakte walnoten er midden op. Roer het selderiezout, de knoflookpoeder,
de gemberpoeder en de tabasco
door de andere helft van de boter. Laat de paprika uitlekken
en snijd hem in blokjes. Doe de
gekruide boter in de spuitzak
met gekarteld spuitmondje en
spuit een krans boter op de
plakjes pompernikkel. Vul de
holte met blokjes paprika. Was
de peterselie, droog hem en garneer de blokjes paprika met een
toefje peterselie.

Driehoekjes
met gerookte vis

1 bos bieslook,
100 g zachte boter of margarine,
1 eetl. geraspte mierikswortel,
een mespunt knoflookpoeder,
$^1/_2$ theel. zout,
4 sneden roggebrood of graham-
   brood,
400 g gerookte heilbot,
2 stevige tomaten,
$^1/_2$ bos dille,
grof gemalen zwarte peper.

Was het bieslook, laat het uitlekken en snijd het klein. Roer
de boter of margarine tot room
met de geraspte mierikswortel,
de knoflookpoeder, het zout en
het bieslook. Bestrijk de sneetjes
brood met de kruidenboter en
snijd ze schuin door, zodat driehoekjes ontstaan. Haal het vel

en de graten van de vis en snijd
ze in stukjes ongeveer ter grootte van de driehoekjes brood.
Leg op elk stukje brood een
stukje vis. Was de tomaten,
droog ze en snijd ze in plakken.
Was de dille en droog hem. Leg
op elk stukje heilbot een plakje
tomaat en 1 takje dille. Strooi
de peper op de tomaat voor u
het brood opdient.

Kaaspennen

*500 g Edammer kaas in 1 cm
  dikke plakken,*
50 g gesneden salami,
24 gevulde olijven,
1/2 bos peterselie,
2 kleine stevige tomaten.

Snijd de kaas in even grote
blokjes. Rol de plakjes salami
op. Prik steeds 1 salamirolletje,
1 olijf en een toefje peterselie op
een cocktailprikker op de helft
van de kaasblokjes.
Was de tomaten, droog ze en
snijd ze in achten. Prik een partje tomaat met een olijf op de
blokjes kaas. Steek de overgebleven kaasblokjes steeds om en
om met olijven op pennen. Garneer elk stokje met een takje peterselie.

Gevulde tomaten

4 tomaten,
8 eetl. gare rijst,
1 eetl. slasaus,
1 eetl. koffieroom,
*1 eetl. gemengde, kleingehakte
  kruiden,*
1 eetl. geraspte kaas,
*een snufje zout, een snufje witte
  peper, 6 gevulde olijven.*

Was de tomaten, droog ze, snijd
er een derde deel als kapje af en
hol de tomaten uit. Vermeng de
rijst met de slasaus, de room de
kruiden en de kaas. Maak het
mengsel op smaak met zout en
peper. Snijd de olijven in plakjes, schep ze door de rijst, vul de
tomaten met het mengsel en zet
er de kapjes weer op.

Kerrieballetjes

2 uien,
1/2 bos peterselie,
500 g gemengd gehakt,
2 eieren,
2 eetl. paneermeel,
3 theel. mild kerriepoeder,
3/4 theel. zout,
1/2 theel. zwarte peper.
Om te frituren:
1 l olie.
Om te garneren:
*partjes mandarijn, marasquin-
  kersen, witte druiven, Roquefort-kaas, gevulde olijven, piri-
  piri, maïskolfjes (uit een pot),
  een paar schone blaadjes sla.*

Schil de uien, snijd ze klein en
hak ze met het hakmes fijn. Was
de peterselie, droog hem en hak
hem ook. Vermeng het gehakt
met de uien, de peterselie, de
eieren, het paneermeel, de ker-

rie, het zout en de peper. Maak
het vlees pittig op smaak af en
maak er met vochtige handen
balletjes van. Verhit de olie in
de frituurpan tot 170 °C. Bak
steeds een paar balletjes tegelijk
in 5–8 minuten goudbruin in de
hete olie. Haal ze er met een
schuimspaan uit en laat ze uitlekken op keukenpapier. Snijd
alle garneringen in stukjes.
Steek de kerrieballetjes op een
pen met vruchten, kaas en
groenten. Was en droog de sla
en schik de kerrieballetjes erop.

Pittige snacks

Voor de augurkjes met peper-
ham:
*10 smalle, dunne reepjes Lachs-
schinken (pekelham),*
³/₄ theel. grofgemalen peper,
10 augurkjes.
Voor de dadels met kaascrème:
10 dadels,
1 hardgekookt ei,
1 puntje volvette smeerkaas,
2 eetl. koffieroom,
*³/₄ theel. van elk: kleingesneden
dillegroen en fijngehakte pimpernel.*
Voor olijven in een jasje van
spek:
*10 vliesdunne plakjes ontbijt-
spek,*
10 gevulde olijven.

Bestrooi de plakken ham met
peper. Rol steeds 1 augurk in
een plakje ham en zet het met
een cocktailprikker vast.
Snijd de dadels in de lengte
open, haal de pit eruit. Snijd het
ei doormidden. Druk de eierdooier door de zeef, voeg de
kaas en de room toe en roer het
tot een romig mengsel. Roer de
kruiden erdoor. Doe de crème
in een spuitzak met een fijn
spuitmondje en spuit de crème
in de dadels. Zet de dadels, tot
u ze opdient, op een koele
plaats.
Bak de plakjes spek aan beide
kanten tot ze glazig zijn. Laat ze
op keukenpapier uitlekken,
wikkel in elk plakje spek 1 olijf.
Steek ze met een prikker vast.
Bak de ingepakte olijven nog
even om en om in de koekepan
tot ze knapperig zijn.

Wildballetjes

500 g champignons,
100 g gekookte ham,
1 bos peterselie,
3 eetl. boter, 9 eetl. bloem,
¹/₈ l melk, 4 eierdooiers,
600 g wildvlees,
3 eetl. madera,
een snufje zout,
¹/₂ theel. zwarte peper,
1¹/₂ theel. gemalen piment,
2 eieren, 100 g paneermeel.
Om te frituren:
1 l olie.

Maak de champignons schoon,
snijd een stukje van het steeltje
af. Hak de ham en de peterselie
klein. Verhit 2 eetlepels boter in
een diepe pan. Voeg 3 eetlepels
bloem toe en laat deze lichtbruin worden. Voeg er de melk
bij gedeelten bij en laat de saus
onder voortdurend roeren 10
minuten zachtjes koken. Laat
de saus iets afkoelen en roer er
de eierdooiers door. Haal het
vel en de zenen uit het wildvlees,
draai het twee keer door de fijnste schijf van de vleesmolen.
Meng het vlees, de saus, de
ham, de peterselie, 2 eetlepels
bloem, de rest van de boter, de
madera, het zout, de peper en de
piment tot een soepel deeg.
Wikkel met vochtige handen
telkens 1 champignon in een jasje van wilddeeg, druk het goed
aan. Wentel de wildballetjes een
voor een eerst in de rest van de
bloem, daarna in losgeklopt ei
en tot slot in het paneermeel.
Verhit de olie in de frituurpan
tot 180 °C. Bak de balletjes er
rondom bruin en knapperig in
6–8 minuten.

Lekker hierbij is: cumberland-
saus of vossebessencompote.

Geliefde hapjes

Garnalen-croquetten

200 g gepelde garnalen (eventueel uit diepvries of blik),
30 g boter,
4 eetl. bloem,
$^1/_8$ l melk,
$1^1/_2$ theel. citroensap,
$^3/_4$ theel. zout,
$^1/_2$ theel. witte peper,
1 eetl. fijngehakte peterselie.
Om te bestuiven:
bloem,
1 ei,
1 kopje paneermeel.
Om te frituren:
1 l olie.

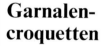

Indien het diepvriesgarnalen
zijn: haal ze uit de doos en laat
ze toegedekt ontdooien. Hak ze
klein. Smelt de boter in een diepe pan. Roer er 2 eetlepels

bloem door en laat dit even
kleuren. Voeg telkens scheutjes
melk toe en laat de saus onder
voortduren roeren koken, tot
hij dik en gebonden is. Voeg er
de garnalen, het citroensap, het
zout, de peper en de peterselie
bij en laat de saus al roerend
zachtjes koken tot een stevig
mengsel ontstaat. Laat de gar-
nalenmassa afkoelen. Rol op
een met bloem bestoven plank
een lange rol van het mengsel.
Snijd er steeds stukjes af en
vorm daar croquetten van. Rol
deze eerst door de rest van de
bloem, daarna door het los-
geklopte ei en tot slot door het
paneermeel. Verhit de olie in de
frituurpan tot 170°C en bak de
croquetten in 6–8 minuten
rondom goudbruin. Laat ze op
keukenpapier uitlekken en afkoelen.

Gefrituurde kaasblokjes

300 g belegen Goudse kaas in
plakken van 2 cm dik,
125 g gesneden gerookt, gekookt
buikspek,
2 eieren,
2 eetl. bloem,
1 kopje paneermeel.
Om te frituren:
1 l olie.
Voor de saus:
$1^1/_4$ dl yoghurt,
$^3/_4$ theel. zout,
een snufje selderiezout,
$^1/_2$ theel. gemalen groene peper,
een mespunt gemberpoeder,
3 eetl. gemengde, fijngehakte
kruiden: peterselie, bieslook,
dille, lavas, een beetje rozemarijn en salie.

Snijd de kaas in blokjes van

2 cm. Wikkel elk blokje in een
plakje spek, steek dit met een
cocktailprikker vast. Klop de
eieren los. Wentel de kaasblokjes eerst door bloem, dan door
losgeklopt ei en tot slot door paneermeel. Verhit de olie in de
frituurpan tot 180°C en bak de
blokjes rondom goudbruin in
4–6 minuten. Laat ze op keukenpapier uitlekken en afkoelen. Roer in een schaal de yoghurt, het zout, het selderiezout,
de gemberpoeder en de kruiden
door elkaar. Geef de kruidensaus apart bij de kaasblokjes als
dipsaus.

Schilderij van dips

Voor het garneren van
50–60 dips:
400 g verse roomkaas (Mon Chou),
6 eetl. zure room,
$1/3$ theel. zout,
$1/3$ theel. kerriepoeder,
een snufje suiker,
$1/2$ eetl. tomatenketchup,
$3/4$ theel. mild paprikapoeder,
100 g zachte boter,
$1 1/2$ theel. milde mosterd,
een paar blaadjes kropsla,
50 g van elk: blauwe aderkaas, Emmentaler kaas en gesneden, gerookte tong.
Om te garneren:
garnalen, kaviaar, plakjes zalm, plakjes salami, tomaten, augurk, piri-piri en vruchten naar keuze.

Roer de roomkaas luchtig met de zure room en verdeel hem in drie porties. Laat één portie ongekruid. Vermeng één portie met de kerrie en de suiker en de laatste met de ketchup en het paprikapoeder. Roer de boter en de mosterd door elkaar en besmeer er de dips mee. Was de sla en laat hem goed uitlekken. Scheur er stukjes af en leg deze op de dips. Snijd de beide kaassoorten in blokjes. Leg een blokje kaas of een plakje tong op de dips. Spuit de drie verschillende crèmesoorten op de crackers. Garneer de crackers met de verschillende ingrediënten, zoals op de foto te zien is.

Pikante zoute vlinders

Voor 40 stuks:
600 g diepvriesbladerdeeg,
50 g geraspte pistachenoten,
3 theel. grof zout,
60 g geraspte Gruyère,
1/2 theel. witte peper.

Laat het bladerdeeg ontdooien. Rol er twee lappen van 20 × 30 cm van. Strooi over één lap de pistachenoten en 1¹/₂ theelepel zout, druk het iets aan met de deegroller. Sla de beide korte kanten naar het midden, zo, dat ze midden op de deeglap 2 cm van elkaar af liggen. Vouw de lap nog eens dubbel en snijd hem in 1 cm brede repen. U krijgt dus twintig vierdubbel gevouwen reepjes. Leg deze niet te dicht bij elkaar op een omgespoelde bakplaat. Laat ze 15 minuten rusten. Verwarm de oven voor op 220°C. Bak de vlinders 8–12 minuten op de middelste richel, laat ze afkoelen. Verwerk de tweede deeglap op dezelfde manier, maar bestrooi hem met geraspte kaas, het overgebleven zout en de peper.

Om te garneren:
5 hardgekookte eieren,
4 ansjovisfilets,
120 g zachte boter,
10 zwarte olijven,
250 g ganzeleverpastei met truffel,
400 g verse roomkaas,
7 eetl. koffieroom,
van elk een snufje: zout, witte peper, gemberpoeder,
75 g keta-kaviaar,
24 aspergepunten,
6 plakken Lachsschinken (pekelham),
6 piri-piri, 2 eetl. zure room,
1/3 theel. zout,
1¹/₂ theel. mild paprikapoeder,
4 blokjes rode paprika.

Snijd de eieren in vieren, haal de dooiers eruit. Leg op 10 pistachevlinders twee kwarten eiwit. Hak de ansjovisfilets fijn en roer ze door de boter. Druk de eierdooiers door de zeef en roer ze door de ansjovisboter. Spuit midden tussen de eiwitten een rozet crème. Garneer met 1 zwarte olijf. Leg op de andere helft van de pistachevlinders steeds twee halve plakken ganzeleverpastei.
Roer 160 g verse roomkaas, 4 eetlepels room, het zout, de peper en de gemberpoeder door elkaar. Spuit de kaascrème op 6 kaasvlinders. Vul elk rozet met kaviaar.
Rol 4 aspergepunten in elk plakje ham en leg op 6 kaasvlinders een hamrolletje. Roer 100 g roomkaas luchtig met de rest van de room en spuit een toef naast het aspergerolletje. Garneer met een piri-piri. Roer de overgebleven roomkaas luchtig met de zure room, het zout en het paprikapoeder. Spuit een flinke toef op 4 kaasvlinders, leg daarop 4 andere kaasvlinders. Spuit op de bovenste vlinder een toefje kaascrème en garneer met een blokje paprika.

Geliefde hapjes

Zebra's

200 g verse roomkaas (Mon Chou),
3 eetl. koffieroom,
³/₄ theel. zout,
een snufje witte peper,
1¹/₂ theel. scherpe mosterd,
een mespunt saffraan,
1 hardgekookte eierdooier,
³/₄ theel. tomatenpuree,
¹/₂ theel. mild paprikapoeder,
een paar druppels citroensap,
een snufje suiker,
1 eetl. gemengde, fijngehakte kruiden,
250 g zwart roggebrood.

Roer de roomkaas romig met de room en het zout. Verdeel hem in vier porties. Roer door het eerste deel de witte peper en de mosterd. Roer door het tweede deel de saffraan. Druk de eierdooier door een zeef en roer hem door de kaas. Roer door het derde deel de tomatenpuree en het paprikapoeder. En vermeng het laatste deel met het citroensap, de suiker en de kruiden. Bestrijk de sneden roggebrood afwisselend met de vier soorten kaascrème. Stapel de plakjes op elkaar. Leg een plank op het roggebrood, zodat de plakjes niet kromtrekken, en laat ze 1 uur in de koelkast rusten. Snijd de stapeltjes brood voor het opdienen met een scherp mes in vierkantjes of driehoekjes.

Tuc
met kruidenkwark

1 grote wortel, wat zout,
250 g kwark (20%),
3 eetl. koffieroom,
1¹/₂ theel. citroensap,
³/₄ theel. zout,
een mespunt cayennepeper,
een mespunt suiker,
¹/₂ kleine ui,
2 eetl. gemengde, kleingehakte kruiden: kervel, bieslook, peterselie en dille,
24 tucs,
24 piri-piri,
¹/₂ bos peterselie.

Schrap de wortel, was hem en kook hem 20 minuten in een beetje water met zout. Roer de kwark luchtig met de room, het citroensap, het zout, de cayennepeper en de suiker. Schil de ui en rasp hem boven de kwark. Schep de kruiden door de ui en de kwark. Doe de kwark in de spuitzak met gekarteld spuitmondje en spuit een slinger op elke tuc. Laat de wortel uitlekken en iets afkoelen. Snijd hem in 24 plakjes. Maak met een uitsteekvormpje bloempjes van de wortel of snijd ze met een mes in model. Garneer elke tuc met een wortelbloempje en een piri-piri. Was de peterselie, laat hem uitlekken en garneer de tuc ermee.

Leverworst op crackertjes

250 g grove leverworst,
1 eierdooier,
1 ui,
$^1/_2$ rode paprika,
2 kleine augurken,
4 gevulde olijven,
$^1/_2$ teen knoflook,
een snufje witte peper,
$^3/_4$ theel. mild paprikapoeder,
$^1/_2$ bos peterselie,
een paar blaadjes verse citroen-
    melisse,
12 crackertjes,
2 hardgekookte eieren.

Doe de leverworst in een schaal en vermeng hem met de eier-dooier. Schil de ui en snijd hem klein. Haal de zaadlijst uit de paprika, was en droog hem en snijd hem in blokjes. Hak de au-

gurken en olijven klein. Pel de knoflook, snijd hem grof en druk hem dan met een mes fijn. Meng de ui, de paprika, de au-gurken, de olijven, de knoflook, de peper en het paprikapoeder door de leverworst. Was de kruiden, laat ze uitlekken. Houd een paar blaadjes peterse-lie en citroenmelisse achter. Hak de rest klein en meng dat door de leverworst. Strijk een laag leverworstmengsel op de crackers. Pel de eieren. Snijd er twaalf partjes van. Garneer elke cracker met een partje ei en een blaadje peterselie of citroen-melisse.

Leverkaasrolletjes

2–3 middelgrote wortelen,
wat zout,
4 plakken niet te dun gesneden
    leverkaas,
1 eetl. mosterd,
1 eetl. geraspte mierikswortel,
2 grote zure augurken,
1 rode paprika,
8 zilveruitjes (uit een pot).

Was en schrap de wortelen, snijd ze in even dunne, lange re-pen en kook deze in een beetje water met zout in 6 minuten gaar. Giet de wortelen af, spoel ze af met koud water en laat ze op een theedoek afkoelen. Snijd de plakken leverkaas in de leng-te door, bestrijk ze eerst met mosterd en verdeel er vervol-gens de mierikswortel op. Snijd vier ronde plakjes van de augur-ken. Verdeel de rest van de au-

gurken in lange, dunne reepjes. Snijd de paprika in de lengte door, haal de zaadlijst eruit, was hem en snijd hem eveneens in lange, dunne reepjes. Leg af-wisselend reepjes wortel, au-gurk en paprika op de plakjes leverkaas en rol ze op. Zet ze met een cocktailprikker vast. Laat de zilveruitjes uitlekken. Steek op elk rolletje een cock-tailprikker met een plakje au-gurk en een uitje.

Tip
U kunt de plakken lever-kaas ook vullen met een fijne groentesalade.

Gebakken Roque-fort-sneetjes

4 sneetjes wit casinobrood,
3 theel. boter of margarine,
8 plakken rauwe ham,
100 g Roquefort (Franse blauwe kaas),
1/2 rode en 1/2 groene paprika.

Verwarm de oven voor op 250°C. Snijd de sneetjes brood door. Verhit de boter of margarine in een grote koekepan en bak de stukjes brood aan beide kanten goudbruin. Haal het brood uit de pan en laat het op een rooster afkoelen. Leg op elk stukje brood een plakje ham en daarop een stukje Roquefort. Leg de broodjes op de bakplaat en laat ze even in de oven bakken. De kaas moet wel smelten, maar mag beslist niet kleuren.

Haal de broodjes uit de oven en laat ze op een rooster afkoelen. Haal de zaadlijsten uit de beide paprikahelften, was ze en snijd ze in heel dunne reepjes. Garneer elk broodje met rode en groene paprika.

Tip

U kunt in plaats van ham ook dun gesneden varkensfricandeau of kalfsrollade op het brood doen.

Toscaanse crostini

100 g Mozzarella (1 zakje),
8 sneden wit casinobrood,
2 tenen knoflook,
1/2 bos peterselie,
35 g ansjovisfilets,
2 eetl. kappertjes, 6 eetl. olijfolie,
1/3 theel. witte peper,
1 pot zwarte olijven.

De Mozzarella-kaas zit in een zakje in een pekeloplossing. Haal de kaas uit de pekel, droog hem en snijd hem in niet te dunne plakken. Snijd de korstjes van het brood en snijd het door. Pel de knoflook, hak hem grof en plet hem. Was de peterselie, laat hem uitlekken en hak hem fijn. Pureer de ansjovisfilets met de kappertjes en de knoflook in de blender of druk het door een zeef, zodat een smeerbaar mengsel ontstaat. Roer de pe-terselie en 4 eetlepels olijfolie door het mengsel. Kruid de ansjovispasta met liefst versgemalen peper. Verwarm de oven voor op 250°C. Besmeer de helft van de stukjes brood met de pasta, leg er een plakje kaas op en leg er de overgebleven stukjes brood op. Besprenkel de crostini rondom met de rest van de olie, leg ze op de bakplaat en laat ze in een paar minuten in de hete oven goudbruin worden. Keer ze een keer om. Haal de crostini uit de oven, laat ze iets afkoelen en geef ze met de olijven.

Uitgelezen cocktailhapjes

Party-broodjes

500 g wit casinobrood,
2 ansjovisfilets,
1 augurk, 1 kleine ui,
¹/₂ groene paprika,
300 g tartaar,
1 eierdooier, 2 eetl. madera,
³/₄ theel. zout,
een mespunt van elk: zwarte
   peper, scherp paprikapoeder
   en knoflookpoeder,
1 eetl. kleingehakte kruiden,
110 g blauwe aderkaas,
100 g zachte boter,
1 eierdooier, 2 eetl. koffieroom,
een snufje van elk: zout, witte
   peper en saliepoeder,
70 g gehakte walnoten,
70 g gehakte pistachenoten,
een paar gevulde olijven.

Snijd het brood in de lengte in
zes even dikke plakken, snijd de
korstjes eraf. Druk de ansjovisfilets fijn. Hak de augurk, de ui
en de paprika klein. Vermeng de
tartaar met de kleingehakte ingrediënten, de eierdooier, de
madera, het zout, de zwarte peper, het paprikapoeder, de
knoflookpoeder en de kruiden.
Smeer een dikke laag van dit
mengsel op twee sneden brood.
Vermeng de kaas met de boter,
de eierdooier, de room, de kruiden en de walnoten. Smeer een
laag van dit mengsel op twee
sneden brood. Leg op het brood
met tartaar een snee brood met
kaasmengsel en daarop een on-
besmeerde snee brood, bestrijk
het rondom met kaascrème en
bestrooi het met pistachenoten.
Snijd het brood in gelijke stukjes en garneer deze met de door-
gesneden olijven.

Gerookte paling
op eiergelei

¹/₈ l melk,
6 eieren,
¹/₂ theel. zout, ¹/₂ theel. mild
   paprikapoeder,
een mespunt witte peper,
een mespunt nootmuskaat,
2 eetl. boter,
300 g gerookte paling,
een paar blaadjes krulandijvie,
3 theel. olie,
1¹/₂ theel. wijnazijn,
een snufje zout, een snufje peper,
6 sneetjes wit casinobrood.

Verwarm de oven voor op
130 °C. Klop de melk door de
eieren met het zout en de specerijen. Bestrijk een kleine cakevorm met de helft van de boter.
Vul de vorm met het eimengsel.
Zet de vorm in een voor de helft
met heet water gevulde au-bain-
marie-vorm. Zet deze in de
voorverwarmde oven en laat het
eimengsel in 30–40 minuten
stollen. Laat de eiergelei afkoelen. Dompel de vorm even in
heet water en keer de gelei.
Snijd hem in twaalf rechthoeken van ongeveer 4 cm breed.
Haal het vel van de paling en
snijd de stukjes van de middengraat. Snijd de paling in stukjes
van 4 cm. Was de andijvie en
scheur hem in stukjes. Roer de
olie, de azijn, het zout en de peper door elkaar. Schep de saus
door de andijvie. Snijd de sneetjes brood doormidden, rooster
ze en beboter ze met de rest van
de boter. Leg er de salade op.
Leg daarop de eiergelei en de
paling.

Uitgelezen cocktailhapjes

Hamrolletjes met mierikswortelroom

8 plakken gekookte, gerookte
   ham (200 g),
1 beker slagroom (2 dl),
$^1/_2$ theel. zout,
1 eetl. verse geraspte mierikswortel, 1 eetl. sinaasappelsap,
$^1/_2$ sinaasappel, 8 gevulde olijven.

Leg de plakken ham naast elkaar op een plank. Klop de
slagroom heel stijf met het zout,
schep er de mierikswortel en het
sinaasappelsap door. Bestrijk
de plakken ham tot de helft met
deze room, houd wat room achter. Rol de plakken ham op.
Schep de overgebleven mierikswortelroom met een theelepel in
de grote opening van de plakken en schik ze op een schaal.

Was de sinaasappel, droog hem
en snijd hem ongeschild in dunne plakken. Snijd de plakken
door en garneer er de schotel
mee. Snijd de olijven door en leg
ze op de hamrolletjes.

Tip

Als u geen verse mieriks-
wortel in huis heeft, kunt
u ook mierikswortel uit
een potje gebruiken. U
moet de slagroom dan
wel goed op smaak ma-
ken, omdat mierikswor-
tel uit een pot veel min-
der geurig is.

Rosbief met aspic en ganzelever-pastei

300 g rosbief,
$^3/_4$ theel. zout
$^1/_2$ theel. witte peper,
50 g boter,
8 sneetjes casinobrood,
maderagelei (recept blz. 224),
150 g ganzeleverpastei met truffel (uit blik).

Verwarm de oven voor op
250°C. Haal alle velletjes en zenen van de rosbief. Wrijf hem in
met zout en peper en leg hem in
de braadslee. Smelt de boter in
de koekepan en schenk hem
over het vlees. Braad de rosbief
op de middelste richel in de
voorverwarmde oven. Haal het
vlees na 15 minuten uit de oven
en laat het afkoelen. Steek met

een uitsteekvormpje acht rondjes uit de sneden brood en rooster deze. Snijd de rosbief in acht
even dikke plakken en glans ze
met maderagelei. Snijd de ganzeleverpastei in acht even dikke
plakken, leg deze op de plakken
rosbief en leg beide dan op het
geroosterde brood. Serveer bij
deze rosbief een lichte salade
naar keuze (uit het hoofdstuk
over salades in dit boek).

Tartaarhapje

1 bos gemengde kruiden: peter-
selie, bieslook, wat rozemarijn
en tijm,
¹/₂ kleine ui,
1 kleine augurk,
¹/₂ rode paprika,
3 theel. kappertjes,
350 g tartaar,
2 eierdooiers, ³/₄ theel. zout,
een snufje knoflookpoeder,
1¹/₂ theel. mild paprikapoeder,
een snufje zwarte peper,
2 eetl. cognac,
8 sneden casinobrood,
6 theel. boter of margarine,
1 hardgekookt ei,
4 zwarte olijven,
een beetje peterselie.

Was de kruiden, laat ze uitlekken en snijd ze fijn. Schil de ui
en hak ui en augurk klein. Snijd
de zaadlijst uit de paprika, was

en droog hem en hak hem klein.
Hak de kappertjes eveneens.
Doe alle kleingehakte ingrediënten bij het vlees, en ook de
eierdooiers, het zout, de knoflookpoeder, het paprikapoeder,
de peper en de cognac. Vermeng
alles goed. Laat het vleesmeng-
sel even toegedekt in de koelkast intrekken.
Steek met een uitsteekvormpje 8
rondjes uit het brood en rooster
deze aan beide kanten. Besmeer
de rondjes met boter of margarine. Pel het ei en snijd het in
achten. Smeer de tartaar op de
broodjes en garneer elk hapje
met een partje ei, een halve olijf
en een toefje peterselie.

Broodje met garnalentartaar

200 g gepelde garnalen (even-
tueel uit diepvries of blik),
2 sjalotten, 1 bosje dille,
1 citroen,
1–2 eetl. olijfolie,
1¹/₂–3 theel. citroensap,
een flinke snuf zout en witte
peper,
4 sneden zwart roggebrood,
3 theel. boter of margarine.

Haal de diepvriesgarnalen uit
de verpakking en laat ze toegedekt ontdooien. Haal de garnalen uit blik los, spoel ze af en
laat ze uitlekken. Schil de sjalotten en hak ze fijn. Was de dille,
dep hem droog. Houd 8 takjes
achter, snijd de rest klein. Was
de citroen onder heet water,
droog hem en snijd uit het mid-

denstuk 8 flinterdunne plakjes.
Hak de garnalen fijn. Vermeng
ze goed met de sjalotten, de
kleingesneden dille, de olie, het
citroensap, het zout en de peper.
Snijd de sneetjes roggebrood in
de lengte door en beboter ze.
Verdeel de garnalentartaar op
de broodjes en garneer elk
broodje met een schijfje citroen
en een takje dille.

Tip

U kunt deze garnalentar-
taar ook serveren op ge-
roosterde rondjes witte-
brood en deze dan met
keta-kaviaar garneren.

Scholrolletjes
à la palais

8 diepvriescholfilets,
50 g jonge sperziebonen,
wat zout
$^1/_2$ bos peterselie,
een mespunt witte peper,
$^3/_4$ theel. gedroogde dragon,
sap van $^1/_2$ citroen,
$^1/_8$ l witte-wijngelei (recept
blz. 224),
8 sneetjes wittebrood,
1 kleine tomaat,
$^1/_8$ l slagroom,
een snufje zout, een snufje suiker
5 druppels citroensap,
$^1/_2$ theel. kerriepoeder.

Laat de scholfilets toegedekt
ontdooien. Maak de bonen
schoon, was ze en kook ze in
een half kopje water met zout in
10 minuten gaar. Laat ze op een

theedoek uitlekken en afkoelen.
Was de peterselie, dep hem
droog en snijd hem klein. Bestrooi de scholfilets met de peterselie, de peper en de dragon.
Leg de afgekoelde bonen op de
visfilets, rol ze op en steek ze
met een cocktailprikker vast.
Breng 1 l water met zout en citroensap aan de kook en pocheer er de visrolletjes 15 minuten in op een laag vuur. Haal de
rolletjes uit de bouillon, laat ze
afkoelen en bestrijk ze met de
wijngelei. Steek acht rondjes
van ongeveer 8 cm ∅ uit het
brood, rooster ze en leg er de
scholrolletjes op. Pel de tomaat,
haal de pitten eruit en snijd hem
in blokjes. Klop de slagroom
stijf, schep er het zout, de suiker, het citroensap en de kerrie
door. Spuit een rozet op de
broodjes en garneer deze met
een stukje tomaat.

Roquefort-
schuitjes

120 g gekookte ham,
$^3/_4$ ui, 8 gevulde olijven,
1 eetl. olie,
8 zoute zandgebak-schuitjes
(kant en klaar gekocht of zelf
gebakken volgens recept
blz. 220),
200 g Roquefort-kaas,
100 g zachte boter,
2 eierdooiers,
8 halve, gepelde walnoten.

Snijd de ham in blokjes. Schil de
ui en snijd hem ook in blokjes.
Hak de olijven. Verhit de olie in
de koekepan en smoor ui en
ham glazig. Haal de blokjes
ham en ui uit de olie en laat ze
afkoelen. Vermeng ze met de
olijven. Verdeel het mengsel
over de schuitjes. Maak de

Roquefort met een vork fijn.
Vermeng de boter en de eierdooiers bij gedeelten met de
kaas en roer hem dan tot room.
Doe het kaasmengsel in een
spuitzak met gekarteld spuitmondje en spuit hem op het
hammengsel in de schuitjes.
Garneer elk schuitje met een
halve walnoot.

Tip

U kunt de hamvulling en
de kaascrème in de koel-
kast bewaren. Haal de
kaascrème er wel bijtijds
uit, zodat hij romig is als
u hem gaat spuiten.

Franse hors d'oeuvre

Ham-mousse

Voor 6 personen:
300 g gekookte ham,
2 dl blanke saus,
6 blaadjes gelatine,
6 eetl. vleesbouillon,
een flinke snuf zout,
een flinke snuf witte peper,
$^{1}/_{4}$ l slagroom,
$^{1}/_{4}$ l witte-wijngelei (recept
blz. 224),
2 hardgekookte eieren,
6 blokjes tomaat,
6 takjes kruiden (bijv. dille,
peterselie of kervel),
6 vormpjes met een inhoud van
1 dl.

Snijd de ham klein en draai hem door de fijnste schijf van de vleesmolen. Pureer de gemalen ham met de blanke saus in de mixer. Week de gelatine in koud water. Verhit de bouillon. Knijp de gelatine uit en los hem op in de bouillon. Roer de warme gelei door de ham-mousse. Druk de massa door de zeef en kruid hem met zout en peper. Klop de slagroom stijf en roer een kwart deel door de hammassa. Schep de rest van de slagroom met een metalen lepel door de mousse. Schenk een dun laagje wijngelei in de vormpjes en laat deze opstijven. Snijd zes plakjes uit het middenstuk van de eieren. Maak een garnering volgens het voorbeeld op de foto van de eieren, de blokjes tomaat en de kruiden op de wijngelei. Strijk de ham-mousse daaroverheen en laat hem in de koelkast iets stevig worden. Vul de vormpjes helemaal met de overgebleven gelei en laat ze een paar uur in de koelkast staan.

Tomaten-mousse

Voor 6 personen:
300 g tomaten,
50 g tomatenketchup,
2 eetl. tomatesap,
40 g tomatenpuree,
een snufje van elk: zout, suiker
en cayennepeper,
3 blaadjes gelatine,
3 eetl. bouillon, $^{1}/_{4}$ l slagroom,
$^{1}/_{4}$ l witte-wijngelei (recept
blz. 224),
6 vormpjes met een inhoud van
1 dl.

Pel de tomaten, haal de pitten eruit en snijd ze in blokjes. Verdeel de blokjes tomaat in twee porties. Druk één portie blokjes door de fijne zeef. Vermeng hem dan met de ketchup, het tomatesap, de tomatenpuree, het zout, de suiker en de cayennepeper. Week de gelatine in koud water. Verhit de bouillon. Knijp de gelatine goed uit en los hem op in de bouillon. Roer de warme gelei met de garde door het tomatenmengsel. Klop de slagroom stijf, klop een kwart deel met de garde door het tomatenmengsel. Schep de rest van de slagroom er met een metalen lepel door. Schep de tweede portie tomatenblokjes door de tomatenmousse. Schenk een dunne laag wijngelei in de vormpjes en laat deze opstijven. Schep de tomaten-mousse op de gelei en laat hem even stevig worden in de koelkast. Vul de vormpjes dan volledig met de overgebleven gelei. Laat de tomatenmousse helemaal stevig worden door hem een paar uur in de koelkast te zetten. Dompel de vormpjes voor het opdienen even in heet water en stort ze.

Roomeieren met lofsalade

1 tomaat,
6 hardgekookte eieren,
200 g zachte boter,
³/₄ theel. zout,
een snufje witte peper,
¹/₈ l slagroom, 3 theel. kaviaar,
1 middelgrote struik witlof,
1 eetl. kruidenazijn, 2 eetl. olie,
³/₄ theel. suiker, ¹/₂ theel. zout,
³/₄ theel. van elk: fijngehakte ui,
*   peterselie en fijngehakte dille.*

Leg de tomaat even in kokend water, pel hem en snijd hem in blokjes. Pel de eieren en snijd ze in de breedte door. Druk de eierdooiers door een zeef in een kom. Roer de dooiers met de boter tot room. Maak de eiboter op smaak met zout en peper en zet hem op een koele plaats.

Klop de slagroom stijf en schep er de kaviaar door. Vul de eiwitten met de kaviaar-room. Doe de eiboter in de spuitzak met fijn spuitmondje en spuit een toef op de kaviaar-room. Garneer elke rozet met een blokje tomaat. Snijd de bittere punt uit het struikje lof. Snijd het lof in reepjes, was deze en laat ze even uitlekken. Roer de azijn, de olie, de suiker, het zout, de stukjes ui, de peterselie en de dille door elkaar. Schenk de saus over het lof en schep hem door. Verdeel de sla over vier bordjes. Zet op elk bordje 3 gevulde eieren.

Gegarneerde oesters

200 g haricots verts,
1 struik bleekselderie,
wat zout,
1 kleine tomaat,
8 artisjokhartjes (uit blik),
100 g blauwe aderkaas,
50 g veldsla,
4 eetl. sherry-azijn,
¹/₂ theel. zout,
een mespunt witte peper,
4 eetl. walnotenolie,
8 oesters,
wat citroensap.

Maak de bonen schoon, snijd grote bonen door. Snijd het groen van de bleekselderie en snijd hem in heel fijne reepjes. Blancheer de bonen 2 minuten op een zeef in ³/₄ dl flink kokend water met zout. Dompel ze

daarna direct in koud water en laat ze op een theedoek uitlekken. Blancheer de selderie ook 2 minuten, dompel hem in ijskoud water en laat hem uitlekken. Was de tomaat, droog hem, snijd hem door en haal de pitten eruit. Verdeel de tomaat in smalle reepjes. Laat de artisjokharten uitlekken en snijd ze in vieren. Haal de randjes van de kaas en snijd hem in vier dunne plakken. Was de veldsla goed en laat hem uitlekken. Schik de bonen, de reepjes selderie en tomaat, de artisjokhartjes, de veldsla en de plakjes kaas op vier bordjes. Roer de azijn, het zout, de peper en de olie door elkaar. Sprenkel de saus over de verschillende ingrediënten. Open de oesters, besprenkel ze met citroensap en leg ze op de bordjes.

Gevulde sardines

Voor 6 personen:
36 verse sardines,
1 bos peterselie,
2 tenen knoflook,
5 eieren,
6 eetl. geraspte Pecorino (scha-
*   pekaas) of bergkaas,*
1¹/₂ theel. zout,
5 eetl. paneermeel.
Voor de vorm:
boter,
18 laurierblaadjes.
Om te bestrooien:
2 eetl. paneermeel.
Om op de vis te leggen:
2 eetl. boter in kleine stukjes.

Snijd de sardines aan de buik-
kant zo open dat de rug nog aan
elkaar zit. Snijd de koppen en
de staarten eraf. Spoel de visjes
van buiten en van binnen af met
koud water en dep ze droog.

Was de peterselie, laat hem uitlekken en hak hem klein. Schil
de knoflook, snijd hem grof en
plet hem. Vermeng de eieren
met de geraspte kaas, het zout,
de peterselie, de knoflook en het
paneermeel. Vul de sardines met
het eiermengsel en druk ze iets
tegen elkaar. Beboter een langwerpige vuurvaste schaal en leg
er de sardines naast elkaar in.
Leg om de twee sardines een
laurierblad. Bestrooi de sardines met paneermeel en verdeel
er de klontjes boter op. Verwarm de oven voor op 220°C en
bak de sardines 15–20 minuten.
Geef de sardines warm of koud
met geroosterd wittebrood.

Antipasti-schotel

2 courgettes, 2 aubergines,
1¹/₂ theel. citroensap,
³/₄ theel. zout, 2 koppen olijfolie,
³/₄ theel. of 1 takje vers van elk:
*   gedroogde tijm, oregano en*
*   basilicum,*
3 grote stukken rode paprika
*   (uit een pot),*
1 pot ingemaakt eekhoorntjes-
*   brood (250 g),*
een paar blaadjes kropsla,
een beetje peterselie,
12 olijven.

Was de courgettes en de aubergines, droog ze, snijd ze in
heel dunne plakken en leg deze
in een schaal. Vermeng het citroensap met het zout, de olie en
de fijngewreven droge of kleingehakte verse kruiden. Schenk
deze saus over de plakjes groente. Marineer deze 4 uur toe-

gedekt op kamertemperatuur.
Laat de paprika en het eekhoorntjesbrood uitlekken. Haal
de courgette en de aubergine uit
de marinade. Verhit de koekepan en bak de schijfjes er aan
beide kanten 1–2 minuten in.
Haal ze uit de pan en laat ze op
keukenpapier uitlekken en afkoelen. Was de sla en de peterselie en laat ze uitlekken. Leg de
slabladen op een schaal. Snijd
de stukjes paprika doormidden.
Schik de plakjes courgette en
aubergine en de stukjes paprika,
de olijven en het eekhoorntjesbrood op de slabladjes. Garneer de schotel met peterselie.

43

Antipasti uit Italië

Siciliaanse sla met 'frutti di mare'

400 g diepvriesinktvis,
125 g diepvriesscampi,
1 ui,
$^1/_2$ teen knoflook,
$^1/_2$ theel. zout,
$^1/_8$ l witte wijn,
125 g verse blauwe mosselen,
1 kleine wortel, $^1/_2$ ui,
$^1/_{16}$ l witte wijn,
2 peperkorrels, $^1/_2$ theel. zout,
1 kleine krop sla.
Voor de slasaus:
1 sjalot,
3 tenen knoflook,
$^1/_2$ bos peterselie,
6 eetl. olijfolie,
sap van 1 citroen,
$^3/_4$ theel. zout,
een snufje witte peper.

Laat de inktvis en de scampi apart toegedekt ontdooien. Schil voor de inktvis de ui en snijd hem grof. Pel de knoflook, snijd hem klein en plet hem met het zout. Vermeng de ui, het knoflookzout, de wijn en 1 glas water in een grote pan. Snijd de kop van de inktvis af en gooi hem weg. Snijd ook de tentakels eraf. Trek de dunne buitenste slijmlaag van de inktvis. Snijd de vis in de lengte open. Haal er het zeeschuim en de ingewanden uit en gooi ze weg. Was de vis heel goed onder koud stromend water. Verdeel hem in stukjes van ongeveer 5 cm groot. Breng het kookvocht aan de kook, doe er de stukjes inktvis in en laat ze op een laag vuur in de gesloten pan in ongeveer 30 minuten gaar koken. Schrap voor de mosselen de wortel en snijd hem klein. Snijd de halve ui in achten. Vermeng de wortel, de ui,

de wijn, 1 glas water, de peperkorrels en het zout in een pan en breng het aan de kook. Sorteer de mosselen, borstel ze schoon onder koud stromend water en verwijder de baard. Doe de mosselen (gebruik alleen gesloten mosselen) in het kokende vocht. Laat ze op een hoog vuur in een gesloten pan 10 minuten koken. De mosselen zijn gaar als alle schelpen open zijn gegaan. Neem de pan dan van het vuur en laat de mosselen in het kookvocht afkoelen. Schud de stukjes inktvis op een zeef, laat ze uitlekken en afkoelen. Maak de sla schoon, was de losse bladen en laat ze goed uitlekken. Bekleed een schotel met de slabladen. Schil de sjalot en de knoflook en hak ze klein. Snijd de peterselie fijn. Roer de olie, het citroensap, het zout, de peper, de sjalot, de knoflook en de peterselie door elkaar. Vermeng

de scampi en de inktvis en leg ze op de sla. Laat de mosselen uitlekken en leg de geopende schalen ook op de sla. Besprenkel het geheel met de slasaus. Bedek de schaal met huishoudfolie en laat het geheel 10 minuten intrekken.

Feestelijke entrees

Groentejulienne in artisjokbodems

Voor 6 personen:
6 artisjokbodems uit blik,
150 g worteltjes,
100 g prinsessenbonen,
wat zout,
1 eierdooier,
een mespunt witte peper,
een snufje suiker,
5 eetl. olijfolie,
1 eetl. kwark (20%),
$1^1/_2$ theel. middelscherpe mosterd,
$1^1/_2$ theel. wijnazijn,
een paar takjes kervel,
een paar takjes basilicum,
5 blaadjes dragon.

Laat de artisjokbodems uitlekken. Was de worteltjes en de prinsessenbonen, maak ze schoon en snijd ze in heel smalle reepjes. Breng in twee kleine pannen $^1/_4$ l water met een snufje zout aan de kook. Kook de worteltjes en de bonen apart in 4 minuten gaar in het kokende water met zout. Giet de groente vervolgens af, laat haar goed uitlekken en afkoelen. Verdeel de bonen en de worteltjes over de artisjokbodems. Roer de eierdooier uit met de peper en de suiker. Voeg de olie druppelsgewijs toe terwijl u voortdurend met een garde roert. Roer er tot slot de kwark, de mosterd en de azijn door. Hak de kruiden klein en schep ze door de slasaus. Leg op elke gevulde artisjokbodem 1 eetlepel slasaus.

Palmhartjes in een jasje van ham

400 g palmharten (uit blik),
1 eetl. azijn,
$1^1/_2$ theel. citroensap,
4 eetl. olijfolie,
een mespunt zout,
een mespunt witte peper,
een paar blaadjes basilicum,
2 ansjovisfilets,
8 plakken rauwe ham,
1 eetl. groene peper (uit een pot),
3 eetl. slagroom,
4 eetl. mayonaise.

Laat de palmharten uitlekken. Roer de azijn, het citroensap, de olie, het zout en de peper goed door elkaar. Was het basilicum, laat het uitlekken en snijd het fijn. Hak de ansjovisfilets. Roer het basilicum en de ansjovis door de saus. Schep de palmharten door de saus en laat ze 1 uur afgedekt bij kamertemperatuur intrekken. Keer de palmharten wel van tijd tot tijd. Leg de plakken ham naast elkaar op een plank. Laat de palmharten uitlekken en rol ze in de plakken ham. Prik de ham met een cocktailprikker vast en leg de hamrolletjes op een schaal. Hak de peperkorrels fijn. Klop de slagroom op en vermeng hem met de mayonaise en de peperkorrels. Geef deze pepermayonaise apart bij de palmhartjes in een jasje van ham.

Krabcocktail

100 g bleekselderie,
350 g krab (uit blik of uit de diepvries),
8 artisjokharten (uit een pot),
2 sinaasappels, een snufje zout,
1 borrelglas cognac,
1 eetl. citroensap,
1/2 bos dille,
4 blaadjes mint,
8 blaadjes kropsla,
3 eetl. mayonaise,
3 eetl. slagroom,
een mespunt selderiezout,
een mespunt cayennepeper,
4 plakjes truffel (of iets vervangends).

Was de selderie, snijd hem in plakjes, blancheer deze 5 minuten en laat ze afkoelen. Laat de krab uitlekken, verdeel het vlees in stukjes en ontdoe het van harde, beenachtige deeltjes. Verdeel de artisjokharten in vieren. Schil 1 sinaasappel, haal de vliesjes van de partjes en snijd ze door. Vermeng de plakjes selderie, de krab, de artisjokharten en de stukjes sinaasappel met het zout, de cognac en het citroensap en laat het 30 minuten toegedekt intrekken. Snijd de kruiden fijn. Laat de krabcocktail uitlekken. Bekleed vier cocktailglazen met blaadjes sla en verdeel de cocktail daarin. Roer de mayonaise, de slagroom, het selderiezout, de cayennepeper en de kruiden door elkaar en schenk de saus over de cocktail. Garneer de cocktails met één plak sinaasappel en één plakje truffel.

Garnalencocktail

400 g gepelde garnalen (eventueel uit blik of uit de diepvries),
2 tomaten,
2 schijven ananas (uit blik),
8 gevulde olijven,
3 eetl. olie,
1 eetl. wijnazijn,
1 eetl. citroensap,
een flinke snuf van elk: zout, witte peper en suiker,
1 citroen,
1/2 kleine krop sla,
4 takjes dille.

Haal de garnalen uit de verpakking en laat ze toegedekt ontdooien. Pel de tomaten, snijd ze door, haal de pitten eruit en verdeel de tomaten in reepjes. Snijd de uitgelekte ananas in stukjes. Snijd de olijven doormidden. Vermeng de garnalen, de tomaten, de ananas en de olijven in een schaal. Roer de olie, de azijn, het citroensap, het zout, de peper en de suiker goed door elkaar. Schep de saus door de cocktail. Laat de garnalencocktail toegedekt 1–2 uur in de koelkast intrekken. Maak de cocktail voor het serveren nog eens goed op smaak af. Was de citroen onder heet water, droog hem en snijd uit het middelste deel vier dunne plakjes. Maak de sla schoon, was hem, slinger hem droog en scheur de bladen in stukjes. Schep de slablaadjes voorzichtig door de cocktail. Verdeel de cocktail over vier glazen. Garneer elke cocktail met een schijfje citroen en een takje dille.

Feestelijke entrees

Kipcocktail

400 g gaar kippevlees,
1 kleine suikermeloen,
2 stevige tomaten,
100 g champignons,
3 theel. citroensap,
$^1/_8$ l yoghurt,
1 eetl. fijngehakte tuinkruiden,
$^1/_2$ theel. zout,
$^1/_2$ theel. witte peper,
een snufje selderiezout,
$^3/_4$ theel. mild paprikapoeder
1 hardgekookt ei.

Snijd het kippevlees in blokjes. Snijd de meloen door, haal er met een lepel de pitten uit en steek er met een aardappelboor balletjes uit. Pel de tomaten, snijd ze in achten en haal de pitten eruit. Was de champignons, maak ze schoon, snijd ze in dunne plakjes en besprenkel deze met 1$^1/_2$ theelepel citroensap.

Vermeng het kippevlees, de meloenballetjes, de stukjes tomaat en de plakjes champignon losjes in een schaal. Roer de yoghurt, de kruiden, het zout, de peper, de rest van het citroensap, het selderiezout en het paprikapoeder door elkaar. Schenk de saus over de cocktail en laat hem 1 uur in de koelkast intrekken. Maak de kipcocktail voor het opdienen nog eens goed op smaak en verdeel hem over vier cocktailglazen. Snijd het ei in achten en garneer elke cocktail met twee partjes ei.

Avocadococktail

1 limoen,
2 avocado's,
4 eetl. olijfolie,
1$^1/_2$ theel. middelscherpe mosterd,
1$^1/_2$ theel. versgeraspte mierikswortel,
5 eetl. yoghurt,
een paar druppels tabasco.

Zet vier cocktailglazen in het diepvriesvak. Was de limoen met warm water, droog hem en snijd uit het middelste stuk vier flinterdunne schijfjes. Snijd de avocado's met een scherp mes overlangs tot de pit in, haal de helften met een draaiende beweging van elkaar los en haal de pit eruit. Schil de avocado's dun en snijd ze in blokjes van gelijke grootte, besprenkel deze direct met wat ci-

troensap uit de limoen. Roer de olie, de mosterd, de mierikswortel, de yoghurt en de tabasco door elkaar. Vul de gekoelde glazen met de blokjes avocado en schep de dressing erover. Snijd de schijfjes limoen tot de helft in en garneer elke avocadococktail met een limoenrozet.

Tip

Avocado's en garnalen zijn qua smaak zo goed te combineren, dat u deze cocktail voor feestelijke gelegenheden heel goed kunt garneren met een paar garnalen.

47

Kasseler pastei

Voor de deegkorst:
350 g bloem,
150 g boter of margarine,
1 eierdooier,
1 dl lauw water,
³/₄ theel. zout.
Voor de vulling:
750 g gare casseler rib zonder
been,
3 eetl. boter, 3 eetl. bloem,
¹/₄ l vleesbouillon,
1 eierdooier, 1¹/₂ theel. zout,
¹/₂ theel. witte peper,
een snufje nootmuskaat,
1 eiwit.
Voor de vorm:
1 eetl. boter of margarine.
Om te bestrijken:
1 eierdooier.

Zeef de bloem boven een grote
plank. Verdeel de boter of margarine in stukjes op de bloem.
Maak in het midden een kuiltje
en doe daar de eierdooier, het
water en het zout in. Kneed alle
ingrediënten vlug door elkaar
tot een zandtaartdeeg. Wikkel
het deeg in aluminiumfolie of
vetvrij papier en leg het 2 uur in
de koelkast. Snijd voor de vulling de casseler rib in stukjes en
draai die vervolgens twee keer
door de fijnste schijf van de
vleesmolen. Smelt de boter in
een grote pan, voeg de bloem
toe en laat dit mengsel onder
voortdurend roeren goudbruin
worden. Voeg bij gedeelten de
bouillon erbij en laat de saus al
roerend 5–7 minuten koken.
Neem de pan van het vuur.
Roer de eierdooier los en roer
hem door de saus. Maak de saus
op smaak met het zout, de peper
en de nootmuskaat. Roer het
vlees door de saus. Klop het eiwit stijf en schep het door de
saus. Verwarm de oven voor op
240 °C. Verdeel het deeg in drie
delen. Rol een deel op de met
bloem bestoven tafel uit tot een
ronde lap. Leg de rest weer even
in de koelkast. Beboter een
springvorm van 26 cm ∅. Bekleed de bodem met het deeg,
snijd het met een mes langs de
rand af. Bewaar de deegresten.
Prik de bodem met een vork in.
Rol een tweede deel van het
deeg uit tot een lange, gelijkmatige reep, bekleed hier de rand
van de vorm mee. Druk het
deeg van de rand en de bodem
goed tegen elkaar. Doe de vulling in de pastei, strijk de bovenkant glad. Rol het overgebleven
deeg uit tot een lap die even
groot is als de springvorm, leg
die over de vulling en snijd de
overhangende randen af. Druk
de rand van de kap goed tegen
de zijrand. Prik de kap op verschillende plaatsen met een satepen in. Klop de eierdooier los
en bestrijk de kap ermee. Rol de
restjes deeg dun uit. Snijd er
blaadjes en halvemaantjes uit.
Vorm een dunne rol voor op het
midden van de pastei. Bestrijk
de garneringen met eierdooier,
leg ze op de pastei en bestrijk de
bovenkant met de rest van de
eierdooier. Bak de pastei 60–70
minuten in de voorverwarmde
oven. Laat de pastei dan eerst
15 minuten in de vorm afkoelen
en laat hem op een taartrooster
helemaal koud worden.

Pastei in een deegkorst

Gehaktpastei

Voor de deegkorst:
250 g bloem, 100 g boter,
1¹/₂ theel. zout, 1 ei.
Voor de vulling:
2 uien, 150 g champignons, 1 bos
peterselie,
40 g boter,
500 g rundergehakt,
100 g gekookte en 100 g rauwe
ham,
1 sneetje brood, 1 ei,
1 borrelglas brandewijn,
1¹/₂ theel. zout,
een mespunt van elk: peper,
nootmuskaat en marjolein,
³/₄ theel. geraspte citroenschil,
1 eierdooier.

Maak een zandtaartdeeg van de
ingrediënten voor het deeg (blz.
48). Hak voor de vulling de
uien, de champignons en de peterselie fijn. Smoor de uien en
de champignons in de boter.
Voeg de peterselie en het gehakt
toe en laat het stoven tot alle
vocht verdampt is. Snijd de ham
in blokjes. Week het brood,
knijp het uit en vermeng het met
de ham, het ei, de brandewijn,
het zout, de specerijen, de marjolein, de citroenschil en het gehakt. Verwarm de oven voor op
200 °C. Rol het deeg uit tot twee
lappen, leg de vulling op de ene
lap, leg de andere eroverheen en
druk de randen stevig aan. Prik
de bovenste lap op een paar
plaatsen in. Snijd versieringen
uit de restjes deeg. Bestrijk het
brood en de garnering met eierdooier, leg de garnering op het
brood. Bak het brood 60–75 minuten in de oven.

Leverpasteitjes

Voor de vulling:
250 g kippelevers,
150 g varkenslever,
350 g rugspek en 350 g vers spek,
geraspte schil van ¹/₂ sinaas-
appel,
3 theel. mild paprikapoeder,
³/₄ theel. geplette groene peper-
korrels (uit een pot),
een mespunt van elk: gemberpoe-
der, piment en basilicum,
³/₄ theel. rozemarijn,
1 laurierblad,
1 borrelglas cognac,
40 g wittebrood zonder korst,
50 g sjalotten, 1 teen knoflook,
4 eetl. koffieroom, 1 eiwit,
¹/₄ l portgelei (recept blz. 224).

Maak een briochedeeg volgens
het recept op blz. 220. Bekleed
er twaalf briochevormpjes mee,
vul deze, leg er een dekseltje op
met in het midden een gat en
bak de pasteitjes. Snijd voor de
vulling de kippelevers, de varkenslever en het spek in dunne
reepjes. Voeg de sinaasappelschil, de specerijen, de kruiden
en de cognac toe. Leg er dunne
sneetjes wittebrood op. Snijd de
sjalotten in blokjes en plet de
knoflook, strooi beide over het
brood. Roer de room en het eiwit door elkaar en schenk het
over het brood. Marineer alles
toegedekt 1 uur. Pureer het
mengsel vervolgens in de mixer
en vul er de deegbakjes mee.
Verwarm de oven op 220 °C.
Bak de pasteitjes 20–25 minuten
op de tweede richel van onderaf.
Schenk de portgelei in de afgekoelde pasteitjes.

Paddestoelterrine

200 g kalfshaas,
50 g sjalotten, 1 eetl. boter,
50 g wittebrood zonder korst,
1 eiwit, 3 eetl. koffieroom,
³/₄ theel. zout,
een snufje van elk: witte peper,
* gemberpoeder en piment,*
800 g gemengde paddestoelen,
3 eetl. olie, 1 eetl. boter,
50 g sjalotjes in blokjes,
¹/₂ teen knoflook,
2 dl geleiige kippebouillon,
³/₄ theel. van elk: basilicum,
* tijm, salie en komijn,*
een snufje zout, 2 dl slagroom,
100 g truffel in blokjes.
Voor de vorm: boter.

Snijd het vlees in blokjes. Hak de sjalotjes, fruit ze in de boter, doe ze met het in blokjes gesneden brood bij het vlees. Roer het eiwit, de room, het zout en de specerijen door elkaar. Schenk het mengsel over het brood en laat alles toegedekt 12 uur in de koelkast intrekken. Snijd de paddestoelen klein. Bak ze even in de olie, doe ze in een zeef en vang het uitlekkende vocht op. Smelt de boter, fruit er de sjalotjes en de gehakte knoflook in. Blus met het paddestoelvocht en de kippebouillon. Voeg de kruiden toe en laat alles inkoken tot het dikvloeibaar is. Schenk het vocht door een zeef bij de paddestoelen. Vermeng alles goed en laat het 12 uur toegedekt in de koelkast intrekken. Pureer het kalfsvleesmengsel, koel het goed, roer het met de slagroom tot een glanzend mengsel. Schep paddestoelmassa en truffels door de vleesfarce en vul een beboterde terrinevorm ermee. Laat de terrine au bain-marie in 50 minuten gaar worden (zie blz. 223).

Terrine van konijn

2¹/₂ kg konijn,
400 g varkens-rugspek,
³/₄ theel. van elk: zout, groene
* peperkorrels (uit een pot) en*
* piment,*
1¹/₂ theel. tijm, 1¹/₂ theel. klein-
* gehakte lavas,*
500 g kalfsbenen,
3 eetl. olie, 1 ui,
100 g selderie, 100 g wortel,
15 witte peperkorrels,
1 konijnelever, 30 g boter,
1 borrelglas cognac,
1 teen knoflook,
2 sjalotten in blokjes,
een mespunt kardemom,
400 g vers spek,
2 eieren, 200 g gekookte ham,
100 g champignons,
450 g dun gesneden vers spek.

Snijd de rug uit de konijntjes. Snijd 400 g konijnevlees en het varkensvlees in reepjes. Vermeng het met de specerijen en kruiden en marineer het 12 uur. Maak ¹/₄ l fond van de benen, de rest van het konijnevlees, de olie, de groenten en vijf peperkorrels (zie blz. 222). Bak de lever en de rugjes in de boter aan, blus met de cognac. Kook de fond met de knoflook, de sjalotten en de kardemom in tot een kopje vloeistof, zeef hem. Draai het vlees en het in blokjes gesneden spek twee keer door de vleesmolen. Vermeng het met de eieren, de fond en de in blokjes gesneden lever, ham en champignons. Bekleed een terrinevorm met plakjes spek en vul hem met de vleesfarce en de rug. Laat hem in 70 minuten au bain-marie gaar worden (zie blz. 223).

Terrines voor verwende mensen

Kalfsvleesterrine

300 g kalfshaas,
200 g mager varkensvlees,
250 g vers spek,
1¹/₂ theel. zout,
³/₄ theel. van elk: gedroogde,
groene peper, basilicum, salie
en tijm,
50 g wittebrood zonder korst,
1 eiwit, 6 eetl. room,
30 g boter, 2 sjalotten,
200 g kalfslever,
1 borrelglas cognac, 1 borrelglas
Cointreau, ³/₄ theel. zout,
1 teen knoflook,
een mespunt gemberpoeder,
een mespunt kardemom,
¹/₈ l koffieroom, 30 g boter,
200 g champignons,
een snufje zout,
2 eetl. fijngehakte peterselie,
120 g gekookte ham,
400 g dun gesneden vers spek.

Snijd het kalfs- en varkensvlees
en het spek in plakjes. Kruid het
met het zout, de peper en de gedroogde kruiden. Leg er sneetjes wittebrood bovenop. Roer
het eiwit en de room door elkaar en schenk het over het
brood. Marineer het vlees en het
spek zeker 12 uur toegedekt in
de koelkast. Maak een farce van
het gemarineerde vlees en de
overige ingrediënten tot en met
de ham precies volgens de aanwijzingen op blz. 222. Bekleed
een aardewerk vorm van ongeveer 1,2 l inhoud met de plakjes spek, vul hem met de farce,
bekleed deze ook met plakjes
spek en sluit de schaal. Laat
hem in 50 minuten au bain-marie in de oven gaar worden
(blz. 223).

Wildterrine

400 g rug of bout van een wild
zwijn,
300 g mager varkensvlees,
1 ui, 30 g boter,
3 theel. zout,
1¹/₂ theel. van elk: kruiden voor
wildfarce, tijm en basilicum,
¹/₂ theel. rozemarijn,
1 laurierblad, 8 jeneverbessen,
³/₄ theel. groene peper,
1 teen knoflook,
40 g droog roggebrood,
1 eiwit, 3 eetl. koffieroom,
100 g kalfslever,
300 g vers spek,
30 g truffels (of iets vervan-
gends),
350 g dun gesneden vers spek,
1 takje gedroogde rozemarijn en
1 takje gedroogde tijm,
4 laurierblaadjes,
6 jeneverbessen.

Snijd het vlees in reepjes en
meng deze. Schil de ui, snijd
hem in ringen en fruit deze in de
gesmolten boter. Doe ze met het
zout, de kruiden, de peper en de
knoflook op het vlees. Wrijf het
roggebrood erboven fijn. Roer
het eiwit en de room door elkaar, schenk het over het vlees
en marineer het 12 uur, terwijl
het toegedekt is. Maak van het
vlees en de overige ingrediënten
tot en met de truffels een farce
volgens het recept van de boe-
renterrine op blz. 52, doe hem in
de met spek beklede terrinevorm en leg er plakjes spek op.
Leg de kruiden, de laurierblaadjes en de jeneverbessen op het
spek. Laat de terrine au bain-
marie in 50–60 minuten gaar
worden in de oven (zie blz. 223).

Boerenterrine

2 konijneboutjes (of haze-
    boutjes),
400 g mager varkensvlees,
200 g vers spek,
$2^1/_2$ theel. zout,
$^3/_4$ theel. vers gemalen zwarte
    peper,
een mespunt nootmuskaat,
5 jeneverbessen,
1 laurierblad,
1 eetl. gedroogde, gemengde
    kruiden: marjolein, tijm, salie
    en bonekruid,
1 borrelglas cognac,
2 eieren,
250 g gerookte varkensbuik,
300 g dun gesneden vers spek,
3 laurierblaadjes,
8 jeneverbessen.
Om te bestrijken:
1 eetl. boter,
100 g reuzel.

Voor deze terrine heeft u een
aardewerk vorm met deksel van
ongeveer 1,2 l inhoud nodig.
Snijd de konijne- of hazeboutjes
los en haal het vel eraf en de zenen eruit. Verdeel het konijnevlees, het varkensvlees en het
verse spek in blokjes. Vermeng
deze in een schaal met het zout,
de peper, de nootmuskaat, de
jeneverbessen, het laurierblad,
de kruiden en de cognac. Dek
de schaal af en marineer het
vlees op z'n minst 12 uur in de
koelkast. Pureer het gemarineerde vlees en de kruiden in
kleine gedeelten in de mixer. Zet
het gepureerde vlees weer 2–3
uur op een koele plaats. Roer
het vlees en de eieren zeker 10
minuten flink door elkaar. Snijd
het zwoerd van de varkensbuik,
snijd het vlees in blokjes en
meng deze door de vleesfarce.
Proef de farce en maak hem zo
nodig op smaak af. Bekleed de

vorm met aaneengesloten plakjes spek en doe de vleesfarce
erin. Strijk de bovenkant glad,
leg er de jeneverbessen en laurierblaadjes op. Beboter een
stuk vetvrij papier en leg dit op
het vlees. Verwarm de oven op
200 °C. Leg het deksel op de terrine en laat haar au bain-marie
in de oven in 1 uur gaar worden
(zie blz. 223). Het water in het
bad mag beslist niet koken; het
mag op z'n hoogst 80 °C zijn.
Het vlees krimpt tijdens het
gaar worden iets in. Haal de terrine na 1 uur uit de oven en laat
haar afkoelen. Smelt de reuzel
en schenk hem tussen de rand
van de farce en de terrine. Laat
de reuzel stollen. Op deze manier is de terrine 14 dagen houdbaar in de koelkast.

Tip

Leest u, voor u aan een
pastei of een terrine be-
gint, eerst de uitvoerige
werkbeschrijving op blz.
220–223!

Lichte salades

Mosselsalade met taugé

200 g verse taugé,
200 g pikant ingemaakte mosse-
    len (uit een pot),
100 g mixed pickles uit een pot,
$^1/_2$ rode paprika uit een pot,
2 zoetzure augurken,
1 eetl. sojasaus,
1 eetl. citroensap,
$^1/_2$ theel. peper, $^1/_2$ theel. suiker.

Was de taugé onder koud stromend water en laat hem in een
zeef uitlekken. Laat de mosselen
ook uitlekken, vang het nat op.
Laat het gemengde tafelzuur
uitlekken en snijd de grote stukken kleiner. Snijd de paprika in
blokjes en de augurken in dunne
plakjes. Vermeng al deze ingrediënten losjes in een grote
schaal. Roer het mosselnat, de

sojasaus, het citroensap, de peper en de suiker door elkaar en
maak de sla hiermee aan.

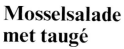

Tip

Niet iedereen houdt van
mosselen. Daarom kunt
u ze in deze salade ook
vervangen door garna-
len. Gebruik dan in
plaats van mixed pickles
een grofgeraspte zure ap-
pel.

Schotel van gemengde sla

$^1/_2$ struik andijvie,
1 tak bleekselderie,
3 middelgrote, stevige tomaten,
1 rode ui,
150 g sperziebonen,
10 gevulde olijven,
1 hardgekookt ei,
4 eetl. olijfolie,
2 eetl. sherry-azijn,
5 eetl. koude kippebouillon
    zonder vet,
$^1/_2$ teen knoflook,
$^3/_4$ theel. zout,
$^1/_2$ theel. gemalen groene peper,
2 eetl. gemengde, kleingehakte
    kruiden: peterselie, dille en
    hysop.

Haal de bladen van de andijvie
los van elkaar, was ze en laat ze
goed uitlekken. Bekleed een

schotel met de bladen. Was de
selderie en de tomaten en snijd
ze in plakken. Schil de ui, snijd
hem in dunne ringen. Maak de
sperziebonen schoon, blancheer
ze 8 minuten in kokend water en
laat ze uitlekken. Snijd de olijven in plakjes en het ei in achten. Schik alle ingrediënten op
de andijviebladen. Roer de olie,
de azijn en de kippebouillon
door elkaar. Pel de knoflook en
pers hem in de slasaus. Meng
ook zout, peper en kruiden door
de slasaus. Sprenkel de saus
over de sla. Laat de sla 10 minuten afgedekt in de koelkast intrekken.

Paprikasalade

4 middelgrote groene, rode en
   gele paprika's,
1 ui, 1 teen knoflook,
$1^1/_2$ theel. zout,
4 eetl. wijnazijn, 8 eetl. olie,
3 takjes verse pimpernel,
1 takje peterselie,
$^3/_4$ theel. witte peper.

Snijd met een scherp mes het
steeltje uit de paprika's. Was de
paprika's en verdeel ze in heel
dunne ringen. Haal de pitten en
de witte zaadlijsten uit de paprikaringen. Snijd de ui ook in heel
dunne ringen. Snijd het knof-
lookteentje doormidden en
wrijf met de snijvlakken de slabak goed in. Leg paprika- en
uieringen losjes in de schaal.
Roer het zout door de azijn,
meng er vervolgens de olie door.
Schenk de saus over de salade.

Vermeng hem luchtig en laat het
geheel toegedekt een halfuur bij
kamertemperatuur intrekken.
Snijd de blaadjes van de kruiden grof en strooi ze vlak voor
het opdienen over de salade.
Maal de peper grof over de sla.

Tip

Als u nog geen pepermo-
len bezit, moet u er zo
snel mogelijk een gaan
kopen. Plet tot die tijd de
peperkorrels voor de sla
in een vijzel of met de
deegrol tussen vetvrij papier.

Bleekselderie-
wortelsalade

4 middelgrote wortelen (ongeveer 300 g),
2 takken bleekselderie (ongeveer
   150 g),
$^1/_2$ citroen,
een mespunt suiker,
$^3/_4$ theel. groene peperkorrels
   (uit een pot), $1^1/_2$ theel. zout,
$^1/_2$ potje zure room.

Borstel de wortelen onder koud
stromend water schoon, schrap
ze eventueel en rasp ze op de
rauwkostschaaf in lange reepjes. Stroop de blaadjes van de
selderie, was de stengels en snijd
ze in dunne plakjes. Vermeng de
geraspte wortel en de plakjes
bleekselderie in een slakom.
Pers de citroen uit en sprenkel
het sap over de groente. Strooi

er suiker over en meng de salade
luchtig. Plet de peperkorrels
met een vork en roer ze met het
zout door de zure room. Schenk
de saus over de sla en schep hem
pas aan tafel erdoor.

Tip

Als u een hele struik
bleekselderie moet kopen
en u dus veel overhoudt,
snijd dan ook de overge-
bleven selderie in dunne
plakjes. U kunt er bij
voorbeeld een rijstsoep
pittig mee maken. Strooi
op het laatst het fijn-
gesneden selderieblad
over de soep.

Lichte salades

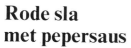

Rode sla met pepersaus

3 kropjes rode sla,
$^1/_2$ krop sla,
1 gele paprika,
1 rode ui,
1 dl yoghurt,
1 dl koffie- of slagroom,
$^3/_4$ theel. zout,
$^3/_4$ theel. selderiezout,
4 blaadjes basilicum,
1 eetl. groene peperkorrels (uit een pot).

Was de slablaadjes goed in koud water en laat ze uitlekken. Bekleed een slakom met de blaadjes kropsla. Doe de rode sla in een andere schaal. Was de paprika, snijd het steeltje eruit en snijd hem in heel dunne ringen, haal de pitten en de zaadlijsten eruit. Schil de ui en verdeel hem in ringen. Roer de yoghurt, de room, het zout en het selderiezout door elkaar. Was het basilicum en snijd het fijn. Meng de rode sla met de paprika, de uieringen, de slasaus, het basilicum en de peperkorrels. Laat het een paar minuten intrekken. Schik de aangemaakte sla dan op de kropsla.

Tip
De typische smaak van de rode sla komt extra sterk uit, als u de stronk van één of twee blaadjes fijnwrijft en door de slasaus schept.

Tomatensalade uit de Balkan

800 g stevige tomaten,
100 g schapekaas,
1 kleine ui,
2 blaadjes citroenmelisse,
2 blaadjes pepermunt,
1 teen knoflook,
20 zwarte olijven,
1 eetl. citroensap,
2 eetl. wijnazijn,
$1^1/_2$ theel. zout,
$^1/_2$ theel. zwarte peper,
8 eetl. olijfolie,
1 hardgekookt ei.

Was de tomaten, droog ze en snijd ze in plakken. Brokkel de schapekaas grof. Schil de ui en snijd hem klein. Hak de kruiden grof. Snijd de knoflook doormidden en wrijf met de snijvlakken een liefst grote slakom in. Doe de tomaat, de kaas, de gesneden ui en de olijven in de schaal en strooi de kruiden erover. Roer het citroensap, de azijn en het zout zolang tot het zout helemaal is opgelost. Meng er de peper en de olie door. Sprenkel de saus over de salade en laat hem toegedekt 30 minuten bij kamertemperatuur intrekken. Snijd het ei in achten. Vermeng de sla vlak voor het opdienen losjes met twee vorken en garneer hem met de partjes ei.

Lichte salades

IJsbergsla
in portsaus

1 kleine krop ijsbergsla,
$^1/_2$ komkommer,
125 g champignons,
4 stevige tomaten,
2 hardgekookte eieren,
6 eetl. olie,
$1^1/_2$ eetl. wijnazijn,
$^1/_8$ l port,
een flinke snuf zout,
een flinke snuf witte peper,
$^1/_2$ bosje dragon,
1 bakje tuinkers.

Maak de ijsbergsla schoon, was hem en laat hem uitlekken. Scheur hem in grove stukken. Was de ongeschilde komkommer, snijd hem in de lengte door, haal de zaadlijst eruit en snijd hem in plakjes. Maak de champignons schoon, was ze, droog ze op keukenpapier en snijd ze in vieren; verdeel grote paddestoelen in achten. Was de tomaten, droog ze en snijd ze in vieren. Pel de eieren en snijd ze in achten. Roer de olie, de azijn, de port, het zout en de peper door elkaar. Schep de saus voorzichtig door alle ingrediënten en schik de salade op een schaal. Was de dragon, laat hem uitlekken en hak hem. Knip de tuinkers van de bodem, spoel hem af in een zeef met koud water en laat hem uitlekken. Strooi de dragon en de tuinkers over de salade.

Veldsla
met sinaasappels

300 g veldsla of ezelsoren,
2 sinaasappels,
4 eetl. olie,
2 eetl. wijnazijn,
$^3/_4$ theel. zout,
3 eetl. zure room,
1 theel. citroensap,
2 eetl. cognac,
$1^1/_2$ theel. groene peperkorrels
(uit een pot).

Maak de veldsla schoon, was hem in een zeef onder koud stromend water, zorg dat al het zand van de blaadjes af is en laat hem uitlekken. Schil de sinaasappels, haal het witte vlies zorgvuldig weg. Haal de vliesjes met een dun, scherp mes van de sinaasappelpartjes. Doe de veldsla in een schaal. Roer de olie, de azijn en het zout door elkaar. Schep de marinade door de veldsla en laat hem toegedekt een paar minuten intrekken. Doe de sla in een slakom en garneer hem met de sinaasappelpartjes. roer de zure room, het citroensap, de cognac en de licht geplette peperkorrels door elkaar. Schep de pepersaus midden op de sla.

Lichte salades

Rode sla
met spinazie

1 middelgrote krop rode sla,
200 g jonge spinazie,
1 kleine pot artisjokhartjes,
2 uien,
$^1/_2$ teen knoflook,
1 hardgekookt ei,
5 eetl. olijfolie,
3 eetl. wijnazijn,
$^3/_4$ theel. zout,
$^1/_2$ theel. witte peper.

Haal de buitenste bladen van de
rode sla, snijd de nerven eruit en
rasp deze op de rauwkost-
schaaf. Haal de andere bladen
los van elkaar, was ze en laat ze
uitlekken. Zoek de spinazie uit,
snijd lange steeltjes eraf. Was de
spinazie onder koud stromend
water en laat hem uitlekken.
Laat de artisjokhartjes uitlekken en snijd ze door. Schil de ui
en verdeel hem in dunne ringen.
Wrijf een slakom goed in met
een half teentje knoflook. Doe
de rode sla, de spinazie en de artisjokharten losjes in de kom.
Strooi de uieringen erover. Pel
het ei en hak het klein. Roer de
olie, de azijn, het zout, de peper
en de geraspte slanerven door
elkaar. Schenk de saus over de
sla en schep hem er voorzichtig
door. Strooi het kleingehakte ei
over de sla.

Bonte voorjaars-
salade

1 krop sla,
100 g jonge spinazie,
$^1/_2$ bos van elk: dragon, dille en
*   peterselie,*
1 zure appel,
1 rettich, 1 ui,
2 hardgekookte eieren,
$^1/_2$ kop witte wijn ($^1/_{16}$ l),
2 eetl. olie,
2 eetl. wijnazijn,
1$^1/_2$ theel. citroensap,
1 eetl. suiker,
$^3/_4$ theel. zout,
$^1/_2$ theel. witte peper.

Maak de sla schoon, scheur de
bladen in kleinere stukjes, was
ze en sla ze droog. Doe ze in een
grote schaal. Zoek de spinazie
uit, was hem ook met koud water en laat hem uitlekken. Was
de kruiden, laat ze uitlekken en
snijd ze klein. Was de appel,
droog hem en snijd hem met
schil in vieren. Haal het klokhuis eruit en verdeel de appel
met schil in plakjes. Schil de rettich als het nodig is, was hem en
snijd of schaaf hem in dunne
plakjes; snijd deze doormidden.
Verdeel de ui in dunne ringen.
Pel de eieren en snijd ze in achten. Roer de witte wijn, de olie,
de azijn, het citroensap, de suiker, het zout en de peper door
elkaar. Doe de spinazie, de ui,
de rettich en de appel bij de sla,
schenk de saus erover en schep
alles luchtig door elkaar. Strooi
de kruiden over de sla en garneer hem met de partjes ei.

Lichte salades

Salade van rauwe champignons

350 g champignons,
75 g gepelde garnalen (eventueel
*   uit blik),*
1 eetl. wijnazijn,
1 eetl. citroensap,
3 eetl. olie,
$^1/_2$ theel. zout,
$^1/_2$ theel. witte peper,
een snufje suiker,
2 eetl. sherry,
$^1/_2$ bos peterselie,
$^1/_2$ bos bieslook.

Maak de champignons schoon, was ze, laat ze op keukenpapier uitlekken en snijd ze in dunne plakjes. Spoel de garnalen uit blik even af onder koud water en laat ze uitlekken. Vermeng garnalen en gesneden champignons in een schaal. Roer de azijn, het citroensap, de olie, het zout, de peper, de suiker en de sherry door elkaar. Schep de saus door de salade. Laat de champignonsalade 30 minuten afgedekt in de koelkast intrekken. Was de kruiden, laat ze uitlekken en snijd ze fijn. Schep ze vlak voor het opdienen door de salade.

Tip
U kunt de garnalen in de salade vervangen door fijne gekookte ham, die u in blokjes snijdt. Als u van een iets zachtere sla-saus houdt, kunt u de azijn vervangen door appel- of ananassap.

Aspergesalade

350 g asperges,
$^3/_4$ theel. zout,
1 suikerklontje,
3 tomaten,
4 hardgekookte eieren,
5 eetl. olie,
3 eetl. wijnazijn,
$^1/_2$ theel. zout,
een snufje witte peper,
$^1/_2$ bos peterselie.

Schil de asperges met een dun-schiller van boven naar beneden en snijd er de houtachtige on-derste stukken af. Breng royaal water aan de kook met het zout en de suiker in een brede lage pan. Leg de asperges erin e. laat ze toegedekt op een laag vuur in 20–30 minuten (afhankelijk van de dikte van de asperges) ko-ken. Snijd de tomaten aan de onderkant kruisgewijs in, schenk er kokend water over, pel ze, snijd ze door en haal de pitten eruit; verdeel het vrucht-vlees in blokjes. Haal de asper-ges uit de pan, spoel ze af met koud water en laat ze op een theedoek uitlekken. Snijd de as-perges vervolgens in stukjes van ongeveer 3 cm. Pel de eieren en snijd ze in achten. Schik de as-perges, de parten ei en de blok-jes tomaat op een schotel. Roer de olie, de azijn, het zout en de peper door elkaar. Sprenkel de saus over de salade en laat hem toegedekt 20 minuten in de koelkast intrekken. Was de pe-terselie, laat hem uitlekken, snijd hem fijn. Strooi hem vlak voor het opdienen over de as-pergesalade.

Lichte salades

Komkommer-salade op moderne wijze

1 komkommer,
4 eetl. yoghurt,
1 eetl. wijnazijn,
1 teen knoflook,
1 kleine ui,
$^1/_2$ bos dille,
$^3/_4$ theel. zout,
een mespunt zwarte peper.

Was en droog de komkommer. Snijd de ongeschilde komkommer in plakken van $^1/_2$ cm dik, verdeel deze plakken in gelijke, smalle reepjes. Doe de komkommerreepjes in een schaal. Roer de yoghurt en de azijn door elkaar. Pel de knoflook en pers hem, roer hem door de yoghurtsaus. Schil de ui, rasp

hem bij de yoghurtsaus. Was de dille, laat hem uitlekken. Houd een takje achter, snijd de rest fijn. Roer het zout, de peper en de dille door de yoghurtsaus, meng hem door de komkommer. Garneer de salade met het takje dille.

Tip

U kunt alleen de voorjaars- en kaskomkommers met schil gebruiken. Zomers moet u de schil van de komkommer, die dan veel dikker en grover is, verwijderen; hij is dan beter verteerbaar.

Selderiesalade

1 grote selderieknol (400 g),
1 citroen,
3 eetl. olijfolie,
1 eetl. wijnazijn,
$^1/_2$ theel. zout, $^1/_2$ theel. suiker,
$^1/_2$ doosje tuinkers.

Borstel de selderieknol af onder koud stromend water en schil hem met een mes. Was hem nog eens goed en laat hem uitlekken. Verdeel de selderie dan in handzame stukken en rasp deze op de rauwkostschaaf in dunne reepjes. Snijd de citroen door en pers hem uit. Vermeng het citroensap en de selderie in een schaal, zodat de selderie niet verkleurt. Roer de olie, de azijn, het zout en de suiker door elkaar. Schep de saus door de salade en laat deze toegedekt 20 minuten op kamertemperatuur

intrekken. Knip de tuinkers van de bodem, was hem in een zeef onder koud stromend water en laat hem uitlekken. Strooi de tuinkers voor het opdienen over de selderiesalade.

Tip

Als u de rauwe selderie te zwaar vindt, kunt u de geschilde en gewassen hele knol 20–30 minuten zachtjes laten koken in water met zout. Laat hem vervolgens afkoelen en snijd hem in dunne reepjes.

Nouvelle cuisine

Paddestoelensalade in een krans van tomaten

50 g gedroogde morieljes,
6 stevige tomaten,
1¹/₂ theel. zout,
2 eetl. citroensap,
6 eetl. olie,
200 g champignons,
150 g eekhoorntjesbrood,
1 ui,
1 teen knoflook,
8 blaadjes basilicum,
¹/₂ theel. witte peper.

Week de morieljes 2–3 uur in lauw water. Was en droog de tomaten, snijd ze in dunne plakken en schik ze op een platte schaal. Roer ³/₄ theelepel zout, 1 eetlepel citroensap en 2 eetlepels olie door elkaar, sprenkel het over de tomaten en laat het geheel 20 minuten toegedekt intrekken. Maak de paddestoelen schoon, was en droog ze. Verdeel de champignons in plakjes en het eekhoorntjesbrood in stukjes. Snijd de morieljes in de lengte door. Schil de ui, snijd hem in stukjes en pers deze. Pel de knoflook en druk deze door de pers bij het uiensap. Was het basilicum en laat het uitlekken. Roer het overgebleven zout met de rest van het citroensap, de peper, de overgebleven olie en het uien-knoflooksap door elkaar. Leg op vier bordjes een rand van plakjes tomaat, vermeng de paddestoelen en leg ze in het midden. Schenk de saus over de paddestoelen. Garneer de salades met basilicum.

Appelsalade met kwarteleieren

¹/₂ krop ijsbergsla,
3 theel. citroensap,
¹/₂ theel. zout,
¹/₄ teen knoflook,
2 eetl. cognac,
1 eetl. olie,
2 zure appels,
1 bos radijs,
¹/₂ theel. droge groene peper,
¹/₂ bos peterselie,
8 blaadjes dragon,
2 eetl. dragonazijn,
³/₄ theel. zout,
12 kwarteleieren (uit een pot).

Was de sla, laat hem uitlekken, slinger hem droog in een theedoek en snijd hem in reepjes van 1 cm breed. Roer het citroensap en het zout door elkaar. Plet de knoflook en roer hem met de cognac en de olie door het citroensap. Schep de saus door de ijsbergsla en laat hem 15 minuten toegedekt intrekken. Schil de appels, snijd ze door, haal de klokhuizen eruit en snijd ze in reepjes. Maak de radijzen schoon, was ze en snijd ze ook in reepjes. Plet de peperkorrels in de vijzel. Was de kruiden, laat ze uitlekken en snijd ze fijn. Roer de peper, de kruiden, de dragonazijn en het zout door elkaar. Schep de saus door de reepjes appel en radijs. Leg op vier bordjes een krans van ijsbergsla, leg de appelsla in het midden. Leg op elk bordje 3 kwarteleieren.

Bonensalade met garnalen

*150 g gepelde garnalen (even-
tueel uit diepvries of blik),
200 g haricots verts,
wat zout,
2 citroenen,
2 sjalotten,
1/2 bos peterselie,
3 bladjes pepermunt,
3 blaadjes basilicum,
3 eetl. wijnazijn,
3/4 theel. zout,
ruim een borrelglas sherry,
4 eetl. olijfolie,
een mespunt cayennepeper.*

Haal de diepvriesgarnalen uit
de verpakking en laat ze toegedekt ontdooien. Spoel garnalen uit blik even af en laat ze uitlekken. Was de Franse sperziebonen, snijd de uiteinden eraf.

Breng 3/4 l water met zout aan
de kook. Blancheer de bonen 8
minuten in een frituurmandje.
Dompel ze in ijskoud water en
laat ze op een theedoek uitlekken en afkoelen. Was de citroenen met warm water, droog ze
en snijd ze in vliesdunne plakjes.
Schil de sjalotten, hak ze fijn.
Was de kruiden, laat ze uitlekken en snijd ze fijn. Roer de
azijn, het zout, de sherry, de
olie, de cayennepeper, de sjalotten en de kruiden door elkaar.
Leg een krans van schijfjes citroen op vier bordjes, schik er
de sperziebonen en de garnalen
op. Sprenkel de kruidensaus erover.

Kippeborst in een bedje van sla

*1 l bouillon van schenkel,
2 stukken kippeborst,
3 middelgrote wortelen,
wat zout,
1 kopje gedopte erwten,
2 kroppen rode sla,
1/2 theel. zout, 1/2 theel. peper,
4 eetl. zure room,
1 1/2 theel. citroensap,
1 eetl. brandewijn,
een snufje zout,
een snufje witte peper.*

Breng de bouillon aan de kook,
laat de kippeborst in de gesloten
pan in 15 minuten gaar worden.
Haal de kip eruit en laat haar
afkoelen. Borstel de wortelen
schoon onder koud stromend
water en schrap ze als het nodig
is, snijd ze in de lengte in smalle

reepjes. Breng 3/4 l water met
zout aan de kook, blancheer de
reepjes wortel en de erwten
3 minuten in de zeef. Dompel ze
vervolgens in ijskoud water en
laat ze op een theedoek uitlekken en afkoelen. Haal de sla van
de stronk, was de bladen, laat ze
uitlekken en slinger ze droog in
een theedoek. Schik een krans
van rode sla op vier bordjes.
Snijd de kippeborst in plakken,
schik deze met de reepjes wortel
en de doperwten op de sla.
Strooi er zout en peper over.
Roer de zure room, het citroensap, de brandewijn, het zout en
de witte peper door elkaar.
Schenk de roomsaus over het
kip-groentemengsel.

IJsbergsla met versierde eieren

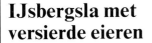

4 eieren,
1 krop ijsbergsla,
³/₄ dl yoghurt,
2 eetl. mayonaise,
2 eetl. middelscherpe mosterd,
³/₄ theel. citroensap,
¹/₂ theel. zout,
¹/₂ theel. witte peper,
¹/₂ rode paprika,
8 gevulde olijven,
50 g Deense kaviaar.

Kook de eieren hard in 10–12 minuten, laat ze onder koud water schrikken, pel ze en laat ze afkoelen. Haal de lelijke bladen van de ijsbergsla, snijd de stronk kort af en snijd de krop in vieren. Was de kwarten sla goed en laat ze uitlekken. Roer de yoghurt, de mayonaise, de mosterd, het citroensap, het zout en de peper door elkaar. Haal de zaadlijsten en de pitten uit de paprika en was hem. Verdeel de paprika in blokjes. Snijd de olijven door. Schep wat mosterddressing over elke kwart sla en strooi er paprikablokjes over. Snijd de eieren doormidden, garneer ze met kaviaar en schik ze naast de kwarten sla.

Tip
U kunt in plaats van gegarneerde eieren ook gevulde eieren bij de sla geven. Het recept ervoor vindt u in het hoofdstuk 'Eieren, geraffineerd geserveerd' op blz. 104–105.

Tonijnsalade

400 g tonijn (uit blik),
18 gevulde olijven,
1 kop zilveruitjes,
1 kop rode biet (uit een pot),
4 eetl. mayonaise,
1¹/₄ dl yoghurt of zure room,
¹/₂ theel. zout,
³/₄ theel. mild paprikapoeder,
3 eetl. tomatenketchup,
1 hardgekookt ei,
4 takjes dille.

Haal de tonijn uit het blik en laat hem goed uitlekken. Haal hem met twee vorken uit elkaar en doe hem in een schaal. Snijd 10 olijven in heel dunne plakjes. Snijd de overige olijven doormidden en houd ze apart. Spoel de zilveruitjes af met koud water en laat ze uitlekken. Snijd de rode biet in reepjes. Doe de plakjes olijf, de zilveruitjes en de reepjes biet bij de tonijn. Roer de mayonaise, de yoghurt of zure room, het zout, het paprikapoeder en de ketchup door elkaar. Schep de saus luchtig door het tonijnmengsel. Verdeel de tonijnsalade op vier kleine bordjes. Snijd het ei in achten. Garneer elke salade met twee partjes ei, 4 halve olijven en 1 takje dille.

Tip
Bijzonder zacht van smaak is deze salade als zilveruitjes en olijven worden vervangen door blokjes banaan en fijngesneden witlof.

Salade als maaltijd

Komkommersla met garnalen

1 komkommer,
250 g gepelde garnalen,
2 eetl. wijnazijn,
een flinke snuf witte peper,
een flinke snuf zout,
$^3/_4$ theel. geraspte citroenschil,
$^3/_4$ theel. suiker,
3 eetl. olie,
$^1/_2$ doosje tuinkers.

Was de komkommer, droog hem en snijd hem in de lengte door. Haal er met een puntige lepel de zaadlijsten uit en snijd de halve komkommers in dunne plakjes. Vermeng de garnalen en de gesneden komkommer in een schaal. Roer de azijn, de peper, het zout, de citroenschil en de suiker door elkaar. Roer er de olie door. Schep de saus door het garnalen-komkommer-mengsel. Laat de salade toegedekt 1 uur bij kamertemperatuur intrekken. Knip de tuinkers van de bodem, spoel hem in een zeef af met koud water. Strooi de tuinkers over de sla voor u hem opdient.

Bijzondere kippesla

1 kop diepvrieserwten,
wat zout,
600 g gaar kippevlees,
100 g aspergepunten (uit blik),
100 g champignons,
100 g ananas (vers of uit blik),
4 eetl. mayonaise,
6 eetl. yoghurt,
2 eetl. cognac,
$1^1/_2$ theel. citroensap,
een snufje van elk: zout, witte
   peper, suiker en kerriepoeder,
1 citroen,
4 takjes dille.

Schud de diepvrieserwten in $^1/_4$ l kokend water met wat zout en laat ze daar toegedekt 5 minuten in koken. Verwijder vellen en botjes bij de kip en snijd haar in blokjes van 2 cm. Laat de as-perges uitlekken en snijd ze door. Maak de champignons schoon, was ze en snijd ze in dunne plakjes. Verdeel de ananas in stukjes. Laat de erwten uitlekken. Doe alle ingrediënten in een schaal. Roer de mayonaise, de yoghurt, de cognac, het citroensap, het zout, de peper, de suiker en de kerrie door elkaar. Schep de saus luchtig door het kipmengsel. Laat de salade toegedekt 1 uur bij kamertemperatuur intrekken. Was de citroen met warm water, droog hem en snijd uit het middelste deel vier flinterdunne plakjes. Verdeel de salade over vier bordjes. Garneer elke portie met 1 schijfje citroen en 1 takje dille.

Salade als maaltijd

Zwitserse salade

200 g Emmentaler kaas,
200 g gekookte ham,
200 g morellen,
2 takken bleekselderie,
250 g gare macaroni,
3 eetl. wijnazijn,
3 eetl. olie, 1 eierdooier,
een snufje van elk: zout, peper,
    scherp paprikapoeder, suiker
    en knoflookpoeder,
50 g gepelde walnoten.

Snijd de kaas en de ham in blokjes. Was de morellen en ontpit
ze, was de selderie en snijd hem
in 2 cm brede plakjes. Vermeng
de kaas, de ham, de selderie en
de met koud water afgespoelde
macaroni in een schaal. Roer de
azijn, de olie, de eierdooier, het
zout, de peper, het paprikapoeder, de suiker en de knoflookpoeder door elkaar en schep dat
door de sla. Strooi de walnoten
en de morellen over de salade.

Bonte rijstsalade

3 koppen gemengde diepvries-
    zomergroente,
een stuk salami van 200 g,
1 appel, $1/4$ sederieknol,
3 koppen gare koude rijst,
$1/8$ l yoghurt,
2 eetl. citroensap, 3 eetl. olie,
een mespunt zout,
een mespunt peper,
2 eetl. gemengde, fijngehakte
    kruiden.

Kook de groente volgens voorschrift gaar en laat haar uitlekken. Snijd de salami, de appel
en de selderie in blokjes. Vermeng de rijst met deze ingrediënten. Roer de yoghurt, het
citroensap, de olie, het zout, de
peper en de kruiden door elkaar. Schep de saus door de
rijstsalade.

Salade als maaltijd

Aardappel-worstsalade

250 g diepvriesperziebonen,
250 g hamworst aan een stuk,
400 g gare aardappelen,
1 bos radijs,
2 kleine uien,
1 bos peterselie,
1 eetl. middelscherpe mosterd,
2 eetl. wijnazijn,
2 eetl. olie,
2 eetl. koffieroom,
1 eierdooier,
een mespunt van elk: zout, witte
    peper en suiker,
een paar druppels citroensap,
1 bos bieslook.

Kook de diepvriesbonen volgens het voorschrift gaar en laat ze uitlekken. Snijd de worst in reepjes en de aardappelen in plakjes. Was de radijs, maak hem schoon en snijd hem in plakjes. Schil de uien en snijd ze in ringen. Hak de peterselie fijn. Meng alle klaargemaakte ingrediënten in een schaal. Roer voor de saus de mosterd, de azijn, de olie, de room en de eierdooier goed door elkaar. Maak de saus pittig met het zout, de peper en de suiker en maak hem op smaak met het citroensap. Was het bieslook, laat het uitlekken en snijd het fijn. Schenk de saus over de vermengde ingrediënten en schep hem door. Schep dan ook het bieslook door de sla. Laat de aardappel-worstsla toegedekt 10 minuten intrekken en verdeel hem over vier bordjes.

Pikante maïssalade

200 g gekookte worst,
200 g Goudse kaas,
2 kleine uien,
1 rode en 1 groene paprika,
4 stevige tomaten,
1 augurk,
290 g maïs (uit blik),
2 eetl. wijnazijn,
3 eetl. olie,
$^3/_4$ theel. milde mosterd,
een mespunt van elk: mild papri-
    kapoeder, zout en zwarte pe-
    per,
een snufje suiker,
een snufje cayennepeper.

Snijd de worst en de kaas in even grote reepjes. Schil de uien en verdeel ze in ringen. Snijd de paprika's door, haal de steeltjes, de zaadlijsten en de pitten eruit, was en droog ze en snijd ze in reepjes. Snijd de tomaten en de augurk in plakken. Laat de maïs goed uitlekken. Vermeng al deze ingrediënten losjes in een schaal. Roer de azijn, de olie, de mosterd, het paprikapoeder, het zout, de peper, de suiker en de cayennepeper door elkaar. Schep de saus door de sla en laat deze toegedekt bij kamertemperatuur 30 minuten intrekken. Maak de maïssalade nog eens goed op smaak af en verdeel hem over vier bordjes.

Balkan-salade

1 groene, 1 rode en 1 gele
  paprika,
1 grote rode ui,
150 g Hüttenkäse,
2 eetl. wijnazijn,
4 eetl. olijfolie,
een flinke snuf zout,
een flinke snuf witte peper,
een snufje suiker,
een mespunt gedroogde oregano.

Snijd de steeltjes uit de paprika's. Was de paprika's, droog ze en snijd ze in dunne ringen. Haal de zaadlijsten en de pitten eruit. Schil de ui en snijd hem in heel dunne ringen. Verbrokkel de kaas. Vermeng al deze ingrediënten losjes in een schaal. Roer de azijn, de olie, het zout, de peper en de suiker goed door elkaar. Roer er ook de oregano door. Sprenkel de saus over de

salade. Laat de Balkan-salade toegedekt een paar minuten bij kamertemperatuur intrekken.

Tip

Paprika's in een salade worden lichter verteerbaar als u de ringen of reepjes paprika 3 minuten blancheert in kokend water. Dompel ze daarna direct in koud water met ijsblokjes en laat ze uitlekken.

Aardappelsalade met roomsaus

1 kg aardappelen (geen afko-
  kers),
wat zout,
1 dikke plak gekookte ham
  (125 g),
2 augurken,
1 appel,
2 sjalotten,
5 eetl. olie,
4 eetl. wijnazijn,
1 eierdooier,
2 potjes zure room,
$^3/_4$ theel. zout,
een flinke snuf witte peper,
$^1/_2$ bos peterselie.

Borstel de aardappelen onder koud stromend water goed schoon en kook ze in de schil in 25–30 minuten gaar in water met zout. Giet de aardappelen

dan af, spoel ze direct af met koud water. Snijd de ham in reepjes en de augurken in plakjes. Schil de appel, steek er met de appelboor het klokhuis uit en snijd de appel in plakken. Verdeel deze plakken in reepjes. Schil de sjalotten en hak ze fijn. Pel de afgekoelde aardappelen, snijd ze in plakken. Roer de olie, de azijn, de fijngehakte sjalotten, de eierdooier, de zure room, het zout en de peper door elkaar. Vermeng alle ingrediënten voor de salade losjes in een schaal en schep er de roomsaus door. Laat de aardappelsalade toegedekt 30 minuten bij kamertemperatuur intrekken. Was de peterselie, laat hem uitlekken en snijd hem fijn. Strooi de peterselie voor het opdienen over de sla.

Salade als maaltijd

Rijstsalade met tonijn

125 g Siam-rijst,
150 g tonijn (uit blik),
100 g zilveruitjes (uit een pot),
1 rode paprika,
6 eetl. mayonaise,
2 eetl. kappertjes,
2 eetl. kappertjesmarinade,
een flinke snuf zout,
een flinke snuf witte peper,
geraspte schil van $^1/_2$ citroen.

Kook de rijst volgens het voorschrift gaar, spoel hem af met koud water, laat hem uitlekken en afkoelen. Haal de tonijn uit het blik, laat hem goed uitlekken en verdeel hem in stukjes. Laat de zilveruitjes uitlekken. Was de paprika, snijd hem doormidden en haal het steeltje, de zaadlijsten en de pitten eruit.

Verdeel de paprika in blokjes. Roer de mayonaise, de kappertjes, de kappertjesmarinade, het zout, de peper en de geraspte citroenschil door elkaar. Meng de mayonaisesaus met de rijst, de tonijn, de zilveruitjes en de paprika. Laat de salade even toegedekt intrekken.

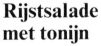

Tip
U kunt gekookte rijst 3–4 dagen toegedekt in de koelkast bewaren. Voor rijstsalade kunt u de rijst ook vooraf koken, tegelijk met de rijst voor een rijstmaaltijd.

Pikante rundvleessalade

500 g gekookt mager rundvlees,
2 kleine uien,
2 augurken,
2 middelgrote gare wortelen,
1 rode paprika,
100 g champignons,
1 grote appel,
$^1/_2$ bos peterselie,
6 eetl. augurkenmarinade,
6 eetl. olie,
$1^1/_2$ theel. worcestershiresaus,
een snufje knoflookzout,
$^3/_4$ theel. zwarte peper.

Snijd het vlees in blokjes van 2 cm. Schil de uien, snijd ze in ringen. Snijd de augurken en de wortelen in plakjes. Was en droog de paprika, snijd hem door, haal het steeltje, de zaadlijsten en de pitten eruit en verdeel de paprika in reepjes. Was de champignons, laat ze uitlekken en maak ze schoon. Snijd ze in vieren en de grote in achten. Schil de appel, snijd hem in achten, haal het klokhuis eruit en snijd de appel in schijfjes. Was de peterselie, laat hem uitlekken en snijd hem fijn. Roer de augurkenmarinade, de olie, de worcestershiresaus, het knoflookzout, de peper en de peterselie door elkaar. Vermeng alle ingrediënten voor de sla losjes in een schaal, sprenkel de saus erover en laat de sla een uur toegedekt bij kamertemperatuur intrekken.

Salade als maaltijd

Verschillende zuurkoolsalades

Zuurkoolsalade met gerookte vis
500 g zuurkool,
1 kleine rode paprika,
1 grote appel,
200 g gerookte tonijn,
1 kop selderie in blokjes (uit een pot),
1¹/₂ theel. groene peperkorrels (uit een pot),
10 gevulde olijven,
200 g gebakken kabeljauw of schelvis in stukjes,
³/₄ theel. zout,
3 eetl. olie,
sap van 1 citroen,
een mespunt suiker.

Doe de zuurkool in een grote schaal en haal hem los met twee vorken. Snijd de paprika door, haal de zaadlijst en de pitten er-uit, was de paprika, droog hem en snijd hem in reepjes. Was de appel, steek het klokhuis eruit en snijd de appel met schil in blokjes. Laat de tonijn uitlek-ken, vang de olie op en verdeel de tonijn in even grote stukken. Doe de stukjes tonijn, de blok-jes selderie, de paprika, de appel en de groene peper bij de zuur-kool. Snijd de olijven doormid-den. Verdeel de stukjes gebak-ken vis in plakjes en doe ze met de olijven ook bij de zuurkool. Vermeng alles goed. Roer de olie van de tonijn, het zout, de verse olie, het citroensap en de suiker door elkaar. Schep de saus door de salade en laat hem toegedekt 30 minuten bij ka-mertemperatuur intrekken.

Zuurkoolsalade met casseler rib
500 g zuurkool,
300 g gerookte casseler rib,
4 plakken ananas (uit blik),
5 eetl. ananassap,
1 eetl. honing, 2 eetl. olie,
1¹/₂ theel. citroensap,
een snufje zout.

Doe de zuurkool in een grote schaal en haal hem los. Snijd de casseler rib in blokjes en de ana-nas in stukjes. Schep de casseler rib en de ananas door de zuur-kool. Verwarm het ananassap, los er de honing in op. Roer de olie, het citroensap en het zout door het ananassap. Schep de saus door de salade en laat deze toegedekt 30 minuten bij ka-mertemperatuur intrekken.

Zuurkoolsalade met vruchten
500 g zuurkool,
150 g druiven,
2 kleine appels, 1 grote peer,
1 kleine ui,
sap van 1 citroen,
¹/₂ theel. zout, ¹/₂ theel. suiker,
2 eetl. vossebessencompote.

Haal de zuurkool los. Was de druiven, snijd ze door en haal de pitten eruit. Snijd de appels en de peer in vieren, haal de klok-huizen eruit en snijd de vruch-ten in dunne plakjes. Schil de ui, snijd hem in blokjes. Schep ui en vruchten door de zuurkool. Roer het citroensap, het zout en de suiker door elkaar, schep het door de salade en laat deze toe-gedekt 30 minuten intrekken. Schep er vervolgens ook de vos-sebessen door.

Salade als maaltijd

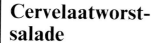

Cervelaatworst-salade

*een stuk cervelaatworst
    van 300 g,
1 rode en 1 groene paprika,
3 middelgrote tomaten,
2 zure appels,
2 augurken,
4 eetl. slasaus,
1 eetl. citroensap,
1¹/₂ theel. mild paprikapoeder,
¹/₂ theel. witte peper,
een mespunt mosterdpoeder.*

Haal het vel van de worst en snijd hem in plakken van ¹/₂ cm dik. Snijd deze plakken in dunne reepjes. Snijd de paprika's doormidden, haal het steeltje, de zaadlijsten en de pitten eruit. Was de paprika's, laat ze uitlekken en snijd ze in dunne reepjes. Schenk kokend water over de tomaten, laat ze schrikken onder koud water, pel ze en snijd ze doormidden. Haal de pitjes uit de tomaten en snijd ze in vieren. Schil de appels, steek er met de appelboor het klokhuis uit en snijd de appels in blokjes. Vermeng al deze ingrediënten en verdeel ze over vier bordjes. Snijd de augurken in heel kleine blokjes. Roer de slasaus, het citroensap, het paprikapoeder, de peper, de mosterdpoeder en de blokjes augurk door elkaar. Schep de saus over de sla.

Vleessalade Sevilla

*150 g koud gaar varkensvlees,
150 g koude rosbief,
1 dikke plak gekookte ham
    (125 g),
2 groene paprika's,
4 middelgrote tomaten,
10 zwarte en 10 groene olijven,
1 ui,
100 g zilveruitjes (uit een pot),
4 eetl. olie,
2 eetl. wijnazijn,
¹/₂ theel. zout,
¹/₂ theel. witte peper,
¹/₂ bos peterselie.*

Snijd het varkensvlees, de rosbief en de ham in even grote reepjes. Snijd de paprika's doormidden, haal het steeltje, de zaadlijsten en de pitten eruit. Was de halve paprika's, droog ze en snijd ze in dunne reepjes. Schenk kokend water over de tomaten, dompel ze dan in koud water, pel ze en snijd ze door. Haal de pitten eruit en snijd de halve tomaten in vieren. Snijd de olijven door, haal de pitten eruit. Schil de ui en verdeel hem in ringen. Laat de zilveruitjes uitlekken. Vermeng al deze ingrediënten in een schaal. Roer de olie, de azijn, het zout en de peper door elkaar. Schep de saus door de salade. Verdeel de vleessalade over vier bordjes. Was de peterselie, laat hem uitlekken, snijd hem fijn en strooi hem over de salade.

Salade als maaltijd

Erwtensalade

4 eieren,
300 g diepvriesdoperwten (extra fijn),
wat zout,
4 stevige tomaten,
200 g champignons,
200 g witte druiven,
200 g gekookte ham,
4 eetl. wijnazijn,
een snufje zout, een snufje peper,
4 eetl. olie,
1 pakje diepvriespeterselie,
4 eetl. mayonaise,
4 eetl. tomatenketchup,
6 eetl. koffieroom,
een snufje zout, een snufje peper.

Kook de eieren hard in 10 minuten, laat ze schrikken onder koud water, pel ze en laat ze afkoelen. Kook de bevroren erwten 3–4 minuten in $1/8$ l water met zout gaar, spoel ze af met koud water en laat ze uitlekken. Pel de tomaten, snijd ze in achten, haal de pitjes eruit. Maak de champignons schoon, was ze en snijd ze in dunne plakjes. Was de druiven, pel ze, snijd ze door en haal de pitten eruit. Verdeel de ham in reepjes. Vermeng de erwten, de tomaten, de champignons, de druiven en de ham in een schaal. Roer 2 eetlepels wijnazijn, het zout, de peper en de olie door elkaar en sprenkel de saus over de salade. Laat de saus 15 minuten toegedekt intrekken. Snijd de eieren in achten en schik ze op de sla. Strooi de peterselie over de salade. Roer de mayonaise, de ketchup, de overgebleven azijn, de room, het zout en de peper door elkaar en geef deze saus apart bij de salade.

Broccolisalade

600 g diepvriesbroccoli,
wat zout,
$1/16$ l wijnazijn, $1/16$ l witte wijn,
2 eetl. Chartreuse (kruidenlikeur),
een snufje zout, een snufje peper,
$1/16$ l sojaolie,
1 eierdooier,
$1 1/2$ theel. dragonmosterd,
$3/4$ theel. mosterdpoeder,
$1 1/2$ theel. citroensap,
een paar druppels worcestershiresaus,
een snufje zout,
$1/8$ l sojaolie,
125 g champignons,
$1 1/2$ theel. citroensap.

Doe de diepvriesbroccoli in $1/4$ l kokend water met zout en laat hem in een gesloten pan op een laag vuur 8 minuten koken. Laat hem dan in een zeef uitlekken en afkoelen. Roer de azijn, de witte wijn, de likeur, het zout, de peper en de olie door elkaar. Snijd de afgekoelde broccoli in stukjes, schep de marinade erdoor en laat hem toegedekt 1 uur intrekken. Roer de eierdooier, de mosterd, de mosterdpoeder, het citroensap, de worcestershiresaus en het zout door elkaar. Roer de olie eerst druppelsgewijs en later in een dun straaltje met de garde of de elektrische mixer door het eierdooiermengsel. Maak de champignons schoon, was ze, snijd ze in dunne plakjes en besprenkel deze met het citroensap. Schik de broccoli op een schaal, strooi de gesneden champignons erover. Geef de mayonaise apart bij de salade.

Salade als maaltijd

Schotel van groente en zalm

300 g diepvriessperziebonen,
wat zout,
4 tomaten,
1 kleine krop sla,
1 krop rode sla,
1 ui,
1 potje cornichons,
200 g krab (uit blik),
1 teen knoflook,
100 g gefileerde, gerookte zalm,
4 eetl. wijnazijn,
1 1/2 theel. scherpe mosterd,
3/4 theel. zout,
1/2 theel. zwarte peper,
3/4 theel. gedroogde oregano,
1 eetl. diepvriespeterselie,
6 eetl. olijfolie.

Kook de bonen 8 minuten in
1/8 l kokend water met zout in
een gesloten pan. Laat ze uitlekken en afkoelen. Pel de tomaten, snijd ze in achten en haal de
pitten eruit. Was de sla, laat
hem uitlekken. Schil de ui en
verdeel hem in ringen, snijd de
augurkjes in reepjes. Haal het
krabvlees los van elkaar, haal
de harde stukjes eruit. Pel de
knoflook, hak hem fijn. Bekleed
een schotel met slablaadjes.
Schik de sperziebonen erop.
Schik de overige genoemde ingrediënten en de opgerolde
plakjes zalm naast de bonen.
Roer de azijn, de mosterd, het
zout, de peper, de knoflook, de
oregano, de peterselie en de olie
door elkaar. Sprenkel de saus
over de salade.

Erwten-vissalade

300 g diepvriesdoperwten (extra
fijn),
1 eetl. citroensap,
1/16 l water, 1/16 l witte wijn,
1/2 theel. zout,
400 g diepvrieskabeljauw,
2 eieren,
150 g bleekselderie,
2 middelgrote augurken,
1 krop sla,
2 eetl. mayonaise,
3/4 dl yoghurt,
1/8 l zure room,
2 eetl. visbouillon,
een snufje zout, een snufje peper,
2 druppels tabasco,
1 eetl. diepvriespeterselie.

Kook de erwtjes 4 minuten en
sprenkel het citroensap erover.
Breng het water met de witte
wijn en het zout aan de kook,
laat de diepvriesvis daarin in 15
minuten gaar worden in een gesloten pan en laat hem in de
bouillon afkoelen. Kook de eieren hard in 10 minuten, laat ze
schrikken, pel ze en laat ze afkoelen. Was de selderie en snijd
selderie en augurken in reepjes.
Was de sla, laat hem uitlekken.
Bekleed een schotel met sla.
Verdeel de vis in stukjes en leg
deze met de overige genoemde
ingrediënten behalve de eieren
op de sla. Roer de mayonaise,
de yoghurt, de zure room, de
visbouillon, het zout, de peper,
de tabasco en de peterselie door
elkaar. Schenk de saus over de
salade. Snijd de eieren in plakjes, garneer de salade ermee.

Salade als maaltijd

Groentesalade-schotel

1 kleine bloemkool,
2 middelgrote worteltjes,
wat zout,
1 kop diepvrieserwtjes,
1 kop diepvriessperziebonen,
4 kleine gare aardappelen,
100 g champignons,
1 bos radijs,
1 ui,
2 hardgekookte eieren,
$^1/_2$ bos peterselie,
8 eetl. olie, 4 eetl. wijnazijn,
1 eetl. milde mosterd,
een snufje van elk: zout, witte pe-
per en suiker,
6 gevulde olijven,
4 rolletjes ansjovisfilet.

Verdeel de bloemkool in roosjes. Schrap de worteltjes, was ze
en snijd ze in plakjes. Kook
bloemkoolroosjes en plakjes
wortel in 5 minuten gaar in een
beetje water met zout. Kook de
erwtjes 4 minuten en de bonen
8 minuten elk in $^1/_2$ kopje water
met zout. Spoel de groente af
met koud water en laat haar uitlekken. Snijd de koude aardappelen in plakken. Maak de
champignons schoon, was ze en
snijd ze in dunne plakjes. Verdeel de schoongemaakte radijs
in plakjes en de ui in blokjes.
Snijd 1 ei in plakjes. Schik de
groente, de aardappelen en de
champignons op een schotel, leg
de plakjes ei erop. Snijd de peterselie fijn. Snijd het andere ei
doormidden, druk de eierdooier
door de zeef, hak het eiwit klein.
Roer de olie, de azijn, de mosterd, het zout, de peper, de suiker, de eierdooier, het eiwit en
de peterselie door elkaar.
Schenk de saus over de salade.
Snijd de olijven in plakjes en
verdeel ze met de ansjovisrolletjes over de salade.
Geef vers knoflookbrood bij
deze salade (zie blz. 204).

Salade als maaltijd

Salade 'Prieeltje'

¹/₂ struik andijvie,
100 g veldsla of ezelsoren,
1 krop sla,
1 kleine komkommer,
1 tomaat, 1 avocado,
100 g blauwe aderkaas,
1 eetl. koffieroom,
1 eetl. wijnazijn,
5 eetl. mayonaise,
een snufje zout, een snufje suiker,
5 druppels tabasco,
2 eetl. kleingesneden bieslook.

Maak de andijvie schoon en snijd hem in fijne reepjes. Was de andijvie in een zeef en laat hem goed uitlekken. Maak de veldsla schoon, was hem heel goed en laat hem uitlekken. Haal de stevige groene bladen van de kropsla en bewaar deze voor een andere sla. Haal het lichtgroene hart uit de krop sla, haal het los, was het en laat het goed uitlekken. Schil de komkommer, snijd hem in de lengte door en haal de zaadlijst eruit. Snijd de halve komkommers in dunne plakjes. Was de tomaat, snijd hem in vieren. Was en droog de avocado, snijd hem door en haal de pit eruit. Verdeel het vruchtvlees in dunne plakjes. Schik al deze ingrediënten op een platte schaal. Druk de kaas door een zeef en roer er de room, de azijn en de mayonaise door. Maak de dressing op smaak met het zout, de suiker en de tabasco. Schep de saus midden op de sla. Bestrooi hem met bieslook.

Salade van de chef

3 tomaten,
1 kleine komkommer,
2 hardgekookte eieren,
250 g gesneden achterham,
2 kleine rode uien,
een paar blaadjes kropsla,
1 kleine struik andijvie of 1 klei-ne krop ijsbergsla,
125 g gesneden Emmentaler kaas,
een flinke snuf grofgemalen zwarte peper,
8 eetl. dressing (uit een fles).

Was de tomaten en de komkommer, droog ze af en snijd ze in dunne plakken. Pel de eieren, snijd ze in blokjes. Snijd de ham in fijne reepjes. Schil de uien, verdeel ze in ringen. Was de slabladen, laat ze goed uitlekken. Snijd de andijvie of ijsbergsla in reepjes, was deze en laat ze uit-lekken. Snijd de kaas in dunne reepjes. Vermeng de plakken tomaat en komkommer en schik ze op een schotel. Leg de blaadjes sla ernaast op de schotel. Leg de reepjes ham en de uieringen op de sla. Strooi er de grof-gemalen peper over. Leg de andijviesla of de ijsbergsla op de nog lege plek, strooi er de reep-jes kaas over. Sprenkel pas vlak voor het opdienen de dressing over de salade en bestrooi de komkommer-tomatensla met de blokjes ei.

73

Salade Riviera

1 krop sla,
1 doosje tuinkers,
2 avocado's,
250 g garnalen,
6–8 eetl. dressing,
4 sneden casinobrood.

Haal de lelijke buitenste bladeren van de sla en haal de bladeren los van de krop. Was de sla
goed en laat hem uitlekken. Bekleed een platte schaal met de
slabladen. Knip de tuinkers van
de bodem, spoel hem af in een
zeef met koud water en laat hem
uitlekken. Was en droog de
avocado's, schil ze, snijd ze
doormidden en haal de pit eruit.
Snijd het vruchtvlees in dunne
plakken. Schik deze als een
krans op de sla. Leg een bergje
garnalen midden op de salade
en schenk er de dressing over.

Leg toefjes tuinkers naast de
garnalen. Rooster de sneetjes
brood, snijd ze schuin door en
geef ze bij de salade.

Aspergeschotel van de tuindersvrouw

1 kg asperges,
³/₄ theel. zout,
1 suikerklontje,
2 eetl. wijnazijn,
3 eetl. olie,
een paar blaadjes kropsla,
2 hardgekookte eieren,
1 doosje tuinkers,
8 eetl. dressing (uit een fles),
1 hardgekookte eierdooier,
1 eetl. gemengde, fijngehakte
kruiden.

Schil de asperges dun van boven
naar beneden en snijd er de
houtachtige uiteinden af. Bind
de asperges in twee of drie bosjes bij elkaar. Breng 2 l water
aan de kook met het zout en de
suiker, leg de asperges erin en
laat ze afhankelijk van de dikte
20–30 minuten koken. Laat de
bosjes asperges vervolgens uitlekken en afkoelen. Knip de
draadjes los. Roer de azijn en de
olie door elkaar en sprenkel dat
over de asperges. Laat de asperges toegedekt 15 minuten intrekken. Was de sla, laat hem
goed uitlekken en bekleed een
grote schaal ermee. Haal de asperges uit de marinade en leg ze
op de sla. Pel de eieren en snijd
ze in vieren. Knip de tuinkers
van de bodem, spoel hem af met
koud water, laat hem uitlekken
en leg partjes ei en tuinkers op
de schotel. Sprenkel de dressing
over de asperges. Hak de eierdooier en strooi hem met de
kruiden over de dressing.

Salades voor een party

Kaas-salami-salade

1 teen knoflook,
5 eetl. olie,
3 eetl. wijnazijn,
³/₄ theel. zout,
¹/₂ theel. suiker,
een beetje gedroogde rozemarijn,
¹/₂ laurierblad,
³/₄ theel. gedroogde groene pe-
per,
100 g groene lintmacaroni,
wat zout,
150 g gesneden salami,
1 dikke plak Emmentaler kaas
*   (200 g),*
2 uien.

Pel de knoflook en hak hem fijn. roer de olie, de azijn, de knoflook, het zout en de suiker door elkaar. Wrijf de rozemarijn en het laurierblad fijn tussen de vingers. Plet de peperkorrels in de vijzel en roer de kruiden en de peper door de marinade. Laat de marinade toegedekt 2 uur bij kamertemperatuur intrekken. Kook de lintmacaroni volgens het voorschrift in een ruime hoeveelheid water met zout beetgaar. Doe de macaroni vervolgens in een zeef, spoel hem af met koud water en laat hem uitlekken en afkoelen. Snijd de salami in reepjes van 1 cm breed, de kaas in smalle reepjes. Schil de uien en snijd ze in ringen. Vermeng al deze ingrediënten en zet ze toegedekt op een koele plaats. Schenk de marinade door een zeef bij de salade. Meng de kaas-salami-salade heel goed.

Italiaanse salade

1 rode en 1 groene paprika,
¹/₄ krop sla,
1 middelgrote ui,
2 kleine sinaasappels,
250 g gaar kippevlees,
12 gevulde olijven,
100 g garnalen,
100 g gare mosselen (uit blik),
3 eetl. remouladesaus,
2 eetl. koffieroom,
³/₄ theel. zout,
¹/₂ theel. witte peper,
2 eetl. citroensap,
2 hardgekookte eieren.

Snijd de paprika's doormidden, haal zaadlijsten en pitten eruit, was ze en snijd ze in reepjes. Haal de slabladen los van de krop. Was de sla, laat hem uitlekken en snijd hem in reepjes. Schil de ui, verdeel hem in blokjes. Schil de sinaasappels, haal de vliesjes van de partjes en snijd ze in blokjes. Snijd het kippevlees in reepjes en de olijven in plakjes. Spoel de garnalen af en laat ze uitlekken. Laat de mosselen ook uitlekken. Vermeng de garnalen, de mosselen, de paprika, de reepjes sla, de blokjes ui en sinaasappel, het kippevlees en de olijven in een schaal. Vermeng de remouladesaus met de room, het zout, de peper en het citroensap. Schep de saus door de salade en laat hem even intrekken. Pel de eieren, snijd ze in achten en garneer de sla ermee.

Salades voor een party

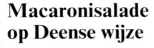

Macaronisalade op Deense wijze

450 g diepvrieserwten en -wortel-
tjes,
wat zout,
200 g macaroni,
400 g boterhamworst,
1 grote augurk,
1 grote ui,
200 g mayonaise,
1$^1/_4$ dl yoghurt,
1 eetl. citroensap,
$^3/_4$ theel. zout, een snufje peper,
$^3/_4$ theel. suiker,
1 eetl. van elk: dille, peterselie en
bieslook (fijngehakt),
2 hardgekookte eieren,
2 stevige tomaten.

Kook de diepvriesgroente in een
beetje water met zout in een gesloten pan in 6 minuten gaar op
een laag vuur. Laat de groente
dan in een zeef uitlekken en afkoelen. Kook de macaroni
beetgaar volgens de aanwijzingen op het pak in een ruime
hoeveelheid water met zout,
laat hem schrikken in koud water en laat hem uitlekken. Haal
het vel van de worst en snijd de
worst in blokjes van 1 cm. Snijd
de augurk in reepjes. Schil de ui,
verdeel hem in ringen. Roer de
mayonaise, de yoghurt, het citroensap, het zout, de peper, de
suiker en de kleingehakte kruiden door elkaar. Schep deze
saus door de voorbereide ingrediënten. Laat de salade toegedekt 30 minuten op kamertemperatuur intrekken. Pel de
eieren, snijd ze in plakken. Snijd
de tomaten in achten. Garneer
de macaronisalade met ei en tomaat.

Groente-vlees-salade met kaas

1 pak poesta-mix (diepvries),
wat zout,
200 g koud gaar varkensvlees,
1 rode ui,
3 eetl. wijnazijn,
1$^1/_2$ theel. scherpe mosterd,
5 druppels tabasco,
$^1/_2$ theel. zout,
een snufje suiker,
4 eetl. sojaolie,
100 g blauwe aderkaas,
2 eetl. fijngehakte tuinkruiden.

Kook de poesta-mix uit de diepvries in een beetje water met
zout in een gesloten pan 4 minuten op een laag vuur. Doe de
groente in een zeef, laat ze uitlekken en afkoelen. Snijd het
varkensvlees in reepjes. Schil de
ui, verdeel hem in ringen. Roer
de wijnazijn, de mosterd, de tabasco, het zout, de suiker en de
olie door elkaar. Vermeng de
saus met de groente, het vlees en
de uieringen. Laat de salade 15
minuten toegedekt bij kamertemperatuur intrekken. Verbrokkel de blauwe aderkaas.
Doe de salade in een schaal,
strooi er vlak voor het opdienen
de kaas en de kruiden over.

Salades voor een party

Kippe-groente-salade

1/2 bloemkool,
1 gebraden kip,
1 prei,
1/2 selderieknol,
1/2 rode en 1/2 groene paprika,
1 wortel,
1/8 l zure room, 1 1/2 dl yoghurt,
sap van 1 citroen,
3/4 theel. zout,
een flinke snuf witte peper,
1 bos gemengde kruiden,
1 1/2 theel. biergistvlokken.

Verdeel de bloemkool in roosjes, was ze en laat ze in een gesloten pan 5 minuten koken. Haal de bloemkoolroosjes uit de pan, dompel ze even in ijswater en laat ze in een zeef uitlekken. Haal het vel en de botten weg bij de kip, snijd het vlees in plakjes. Snijd het wortelstuk en de harde groene bladen van de prei. Was en droog de prei en snijd hem in smalle reepjes. Schil en was de selderie en verdeel hem ook in dunne reepjes. Snijd de paprika's in vieren, haal de zaadlijsten en de pitten eruit. Was de paprika's, droog ze en snijd ze in fijne reepjes. Schrap de wortel, was hem en schaaf hem op de fijne schaaf. Blancheer de prei en selderie 4 minuten, spoel ze af met koud water en laat ze uitlekken en afkoelen. Roer de zure room, de yoghurt, het citroensap, het zout en de peper door elkaar. Was de kruiden met koud water, laat ze uitlekken, snijd ze fijn en roer ze met het biergist door de saus. Vermeng alle ingrediënten met de slasaus. Laat de salade toegedekt 10 minuten bij kamertemperatuur intrekken.

Variatie

Kippesalade met asperges

500 g asperges,
wat zout,
300 g diepvriesdoperwten,
1 gebraden kip,
4 hardgekookte eieren,
1 bos peterselie,
4 plakken ananas (uit blik),
5 eetl. mayonaise,
2 eetl. koffieroom,
3 eetl. ananassap,
1 1/2 theel. citroensap,
een flinke snuf zout,
een flinke snuf suiker.

Schil de asperges en kook ze afhankelijk van de dikte in 20–30 minuten gaar in water met zout. Kook de erwten volgens het voorschrift. Haal vel en botten weg bij de kip, snijd haar in gelijke stukjes. Laat de asperges en erwtjes uitlekken en afkoelen. Snijd de asperges in even lange stukken. Hak de eieren klein. Snijd de peterselie fijn. Verdeel de ananas in blokjes. Roer de mayonaise, de room, het ananas- en citroensap, het zout en de suiker door elkaar. Vermeng het kippevlees, de asperges, de erwten en de stukjes ananas met de saus. Bestrooi de salade met peterselie en fijngehakt ei.

Salades voor een party

Supersalade

2 struikjes lof,
100 g veldsla of ezelsoren,
1 gele paprika,
2 stevige tomaten,
1 kleine suikermeloen,
1 ui,
100 g Edammer kaas,
100 g rauwe ham,
2 gerookte forelfilets,
50 g tonijn (uit blik),
50 g garnalen,
1 bos gemengde kruiden,
1–2 voorjaarsuien,
4 eetl. olie, 1 eetl. wijnazijn,
1 eetl. citroensap,
$^3/_4$ theel. zout, $^3/_4$ theel. suiker,
$^1/_2$ theel. grofgemalen zwarte peper,
een mespunt gemberpoeder,
10 zwarte olijven.

Was de struikjes lof en haal de
bladen los van de stronkjes.
Maak de veldsla schoon, was
hem en laat hem uitlekken. Was
de paprika, droog hem. Snijd
hem in ringen en haal er de
zaadlijsten en pitten uit. Was de
tomaten, droog ze en snijd ze in
achten. Snijd de meloen doormidden, haal de pitten eruit.
Steek met een aardappelboor
bolletjes uit het vruchtvlees.
Schil de ui en verdeel hem in ringen. Snijd de kaas en de ham in
reepjes. Verdeel de forelfilets en
de tonijn in stukjes. Was de garnalen en laat ze uitlekken. Was
de kruiden, laat ze uitlekken en
hak ze fijn. Hak ook de voorjaarsuien klein. Roer de olie, de
azijn, het citroensap, het zout,
de suiker, de peper en de gemberpoeder door elkaar. Schik de
salade soort bij soort in een
schaal, schenk de saus erover en
garneer met de olijven.

Salades voor een party

Camembert-cocktail

375 g Camembert,
1 pot mixed pickles,
2 kleine uien,
1 klein blik artisjokbodems,
100 g champignons,
2 eetl. kruidenazijn,
$1^1/_2$ theel. citroensap,
$1^1/_2$ theel. suiker,
$^3/_4$ theel. zout,
6 eetl. olie,
$^1/_2$ bos peterselie.

Snijd de kaas in gelijkmatige dikke plakken, snijd de grote plakken doormidden. Laat het gemengde tafelzuur uitlekken, snijd het in gelijke stukjes. Schil de uien en verdeel ze in zo dun mogelijke plakken. Laat de artisjokbodems uitlekken en snijd ze doormidden. Maak de champignons goed schoon, was ze met koud water, laat ze uitlekken en snijd ze in dunne plakjes. Vermeng al deze ingrediënten losjes in een grote schaal. Roer de kruidenazijn, het citroensap, de suiker, het zout en de olie goed door elkaar. Sprenkel de saus over de salade. Laat de cocktail toegedekt 30 minuten bij kamertemperatuur intrekken. Was de peterselie, laat hem uitlekken en snijd hem fijn. Verdeel de cocktail over vier cocktailglazen en strooi er de peterselie over.

Lekker hierbij is: rondjes zwart roggebrood met boter.

Gemengde vleessalade

2 eieren,
wat zout,
1 kop diepvrieserwten,
400 g boterhamworst of corned-
    beef (uit blik),
1 dikke plak Emmentaler kaas
    (125 g),
2 groene paprika's,
4 tomaten,
100 g maïs (uit blik),
20 gevulde olijven,
$^1/_2$ bos peterselie,
1 teen knoflook,
5 eetl. olie, 2 eetl. azijn,
$^3/_4$ theel. zout,
een snufje witte peper.

Laat de eieren in 10 minuten hard koken, laat ze in koud water schrikken, pel ze en laat ze afkoelen. Breng een half kopje water met zout aan de kook. Kook er de diepvrieserwten 4 minuten in, in gesloten pan. Spoel de erwten daarna in een zeef af met koud water, laat ze uitlekken. Snijd het vlees en de kaas in reepjes. Was de paprika's, droog ze en snijd ze in vieren. Haal de zaadlijsten en de pitten eruit en verdeel ze in reepjes. Was en droog de tomaten, snijd ze in achten. Snijd ook de eieren in achten. Laat de maïs uitlekken. Snijd de olijven in plakjes. Was de peterselie, laat hem uitlekken en snijd hem fijn. Pel de knoflook, snijd hem grof en druk hem fijn. Roer de knoflook, de olie, de azijn, het zout en de peper door elkaar. Schep de marinade door de overige ingrediënten. Laat de vlees-salade toegedekt 15 minuten intrekken.

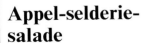

Appel-selderie-salade

1 struik bleekselderie,
wat zout,
3 kleine rode appels,
1¹/₂ theel. citroensap,
40 g gepelde hazelnoten,
130 g Huttenkäse,
2 dl slagroom,
3 eetl. olie,
¹/₂ theel. witte peper,
een snufje zout.

Haal de stengels bleekselderie los van elkaar, maak ze schoon en haal de blaadjes eraf. Snijd de stengels door. Blancheer de bleekselderie 5 minuten in een zeef in kokend water met zout. Haal hem uit het water, spoel hem koud af, laat hem uitlekken en afkoelen. Snijd de afgekoelde selderie in plakjes. Was de on-geschilde appels, droog ze en snijd ze in vieren, haal het klokhuis eruit en snijd de appels in schijfjes. Besprenkel deze met citroensap. Hak de noten grof. Vermeng de selderie en de appel met de helft van de noten en leg alles op een schaal. Prak de Huttenkäse met een vork fijn en vermeng hem met de room, de olie, de peper en het zout. Roer de overgebleven noten door de saus. Schenk de saus over de sa-lade of geef hem apart.

Western-aardappelsalade

500 g aardappelen (geen afko-kers),
1 struik andijvie,
1 kleine komkommer,
2 zure appels,
2 uien, 1 bos dille,
320 g maïs (uit blik),
3 eetl. wijnazijn,
1 eetl. citroensap,
2 eetl. reform-appelsap,
1¹/₂ theel. middelscherpe mos-terd,
1¹/₂ theel. zout,
¹/₂ theel. peper, ¹/₂ theel. suiker,
5 eetl. olie.

Was de aardappelen en zet ze op onder water, laat ze 25–35 mi-nuten koken. Giet ze af en pel ze, als ze nog warm zijn. Snijd ze in plakken, doe deze in een grote schaal. Maak de andijvie schoon, was hem, laat hem goed uitlekken en snijd hem in reep-jes. Was de ongeschilde kom-kommer, droog hem en snijd hem in de lengte door. Haal er de zaadlijsten uit. Verdeel de halve komkommers in dunne plakjes. Was en droog de ap-pels, snijd ze in vieren, haal het klokhuis eruit en snijd ze on-geschild in dunne plakjes. Schil de uien en verdeel ze in ringen. Was de dille, laat hem goed uit-lekken en hak hem fijn. Laat de maïs uitlekken. Doe al deze in-grediënten bij de aardappelen. Roer de azijn, het citroensap, het appelsap, de mosterd, het zout, de peper en de suiker door elkaar. Meng er ook de olie door. Schep de saus door de sa-lade.

Salades voor een party

Herfst-koolsalades

Witte-koolsla

1 kleine witte kool,
wat zout,
100 g doorregen spek,
1 grote ui,
5 eetl. wijnazijn, 5 eetl. olie,
1¹/₂ theel. suiker,
1¹/₂ theel. kummel.

Haal de lelijke bladeren van de
kool. Verdeel de kool in vieren,
snijd de stronk eruit en schaaf
de kool op de fijne schaaf. Blancheer de witte kool 8 minuten in
1 l kokend water met zout. Laat
hem vervolgens in een zeef uitlekken. Snijd het spek in blokjes, bak ze in de koekepan knapperig. Haal de blokjes spek uit
de pan en gebruik het spekvet
voor een ander gerecht. Schil de

ui en hak hem heel fijn. Roer de
azijn, de olie, en de suiker door
elkaar en schep de saus met de
blokjes spek en de ui door de
kool. Strooi de kummel over de
kool en zet hem voor u hem opdient 20 minuten toegedekt op
een koele plaats.

Rodekoolsla

1 kleine rodekool,
wat zout,
1 grote of 2 kleine zure appels,
1 ui,
5 eetl. olie, 3 eetl. wijnazijn,
1 eetl. citroensap,
2 eetl. suiker,
3 eetl. sinaasappelsap,
geraspte schil van ¹/₂ sinaasap-
*   pel,*
¹/₈ l zure room.

Haal de lelijke buitenste bladeren van de kool, verdeel hem in
vieren en snijd de stronk eruit.
Schaaf de kool in fijne reepjes.

Blancheer deze 8 minuten in 1 l
kokend water met zout. Laat
hem in een zeef uitlekken. Schil
de appels, snijd ze in vieren,
snijd het klokhuis eruit en verdeel ze in dunne schijfjes. Schil
de ui en snijd hem fijn. Roer de
olie, de azijn, het citroensap, de
suiker, het sinaasappelsap, de
sinaasappelschil en de ui door
elkaar. Doe de rodekool en de
appel in een grote schaal, schep
de saus erdoor. Zet de salade
20 minuten op een koele plaats.
Schenk er voor het serveren de
zure room over.

Salade van savooiekool

1 kleine savooiekool,
wat zout,
20 amandelen, 20 gepelde hazel-
*   noten, 20 cashewnoten,*
1 ui,
5 eetl. wijnazijn, 4 eetl. olie,
1¹/₂ theel. suiker,
1¹/₂ theel. zout,

een snufje witte peper,
een mespunt kerriepoeder.

Haal de lelijke buitenste bladeren van de kool, snijd hem in
vieren en haal de stronk eruit.
Schaaf de kool fijn. Blancheer
hem 8 minuten in 1 l kokend
water met zout. Laat de kool in
een zeef uitlekken. Hak de noten grof. Snijd de ui fijn. Roer
de azijn, de olie, de suiker, het
zout, de peper, de kerrie en de ui
door elkaar. Vermeng de kool
goed met de saus en zet hem 20
minuten toegedekt op een koele
plaats. Schep voor het serveren
de noten door de salade.

Salades voor een party

Rettich-appel-salade

2 jonge, witte rettich,
1 zure appel,
150 g aardbeien,
1 eetl. citroensap,
$1^1/_2$ theel. zout,
$^3/_4$ theel. suiker,
een mespunt cayennepeper,
2 eetl. olie.

Schil de rettich dun, was en droog hem en rasp hem in dunne reepjes. Was en droog de appel, snijd hem in vieren. Haal het klokhuis eruit en verdeel de appel in dunne schijfjes. Was de aardbeien, haal de steeltjes eraf en snijd ze doormidden of in vieren. Roer het citroensap, het zout, de suiker en de cayennepeper door elkaar. Roer ook de olie door de saus. Vermeng alle ingrediënten voor de salade losjes in een grote schaal; schenk de slasaus erover.

Tip

U kunt de appel ook net als de rettich in reepjes raspen. Het is dan wel beter de appel eerst te schillen, omdat appel met schil moeilijk te raspen is.

Lofschuitjes

1 grote struik lof,
100 g garnalen,
6 gevulde olijven,
8 zwarte olijven,
2 eetl. wijnazijn,
3 eetl. olie,
$1^1/_2$ theel. middelscherpe mosterd,
een snufje witte peper,
$^1/_2$ theel. zout,
2 hardgekookte eieren,
$^1/_2$ bos dille.

Haal vier grote bladeren van het lof, was ze met koud water en laat ze uitlekken. Haal de kern uit het lofstruikje, snijd het struikje in smalle reepjes. Spoel de garnalen af en laat ze uitlekken. Snijd de groene olijven doormidden, laat de zwarte olijven heel. Roer de wijnazijn, de olie, de mosterd, de peper en het zout door elkaar. Pel de eieren, verdeel ze in achten. Was de dille met koud water, laat hem uitlekken en snijd hem grof. Leg de grote lofbladeren op een schaal. Vermeng het gesneden lof met de garnalen, de olijven en de slasaus en vul de bladeren met deze sla. Schik de partjes ei op de schotel en garneer de lofschuitjes met de dille.

Avocado-ham-salade

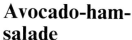

4 avocado's,
sap van 1 citroen,
150 g dun gesneden rauwe ham,
1 blikje mandarijnen,
3 eetl. olie,
1 eetl. cognac,
een mespunt zout,
3–4 blaadjes verse citroenmelis-se.

Snijd de avocado's door, haal de pitten eruit. Steek met een aardappelboor het vruchtvlees uit de avocado's en doe het in een schaal. Sprenkel wat citroensap over de avocadoballetjes. Snijd de ham in heel dunne reepjes. Laat de mandarijntjes uitlekken, doe ze met de ham bij de avocado. Roer de rest van het citroensap met 1 eetlepel mandarijnsap, de olie, de cognac en het zout door elkaar, schep de saus door de salade en laat hem toegedekt even intrekken. Was de citroenmelisse met koud water, laat hem goed uitlekken en snijd hem in reepjes. Doe de salade op een schaal en strooi de citroenmelisse erover.

Kippesalade 'Angelo'

3 gare kippeborststukken,
¹/₄ komkommer,
4 tomaten,
1 appel,
sap van ¹/₂ citroen,
5 eetl. mayonaise,
1 eetl. scherpe mosterd,
1 bos dille,
2 eetl. wijnazijn,
2 eetl. suiker.

Haal eventueel het vel van de kippeborst en snijd het vlees in dunne plakken. Was en droog de komkommer, snijd hem in de lengte in vieren en haal de zaadlijsten eruit. Snijd de stukken komkommer in dunne plakjes. Pel de tomaten, haal de pitten eruit en snijd het vruchtvlees in blokjes. Schil de appel, snijd hem in vieren, haal het klokhuis eruit en verdeel de appel in schijfjes. Sprenkel citroensap over de appelschijfjes. Vermeng al deze ingrediënten in een schaal. Roer de mayonaise en de mosterd door elkaar. Was de dille, laat hem uitlekken en snijd hem klein. Roer de azijn en de suiker door elkaar, breng hem even aan de kook en laat hem afkoelen. Roer de dille en de gezoete azijn door de mayonaise. Verdeel de salade over vier glazen en schep op elk glas 1 eetlepel saus.

Meloensalade

1 kleine suikermeloen (600 g),
1 grote, niet scherpe, ui,
3 eetl. olie,
3 eetl. wijnazijn,
$^1/_2$ theel. van elk: zout, mild pa-
*   prikapoeder en witte peper,*
6 eetl. port.

Snijd de meloen in acht parten, haal de pitten eruit. Snijd het vruchtvlees uit de schil en verdeel het in gelijke blokjes. Schil de ui, snijd hem door en verdeel hem in vliesdunne plakjes of schaaf hem. Roer de olie, de wijnazijn, het zout, het paprika-poeder en de peper door elkaar. Vermeng de blokjes meloen met de ui en de saus. Laat de meloensalade toegedekt 20 minuten in de koelkast intrekken. Sprenkel er voor het opdienen de port over.

Tip

Als de vreemde combinatie van 'meloen en ui' u niet erg geslaagd lijkt, kunt u de ui vervangen door een halve venkel-knol, die u in dunne reepjes snijdt.

Bananen-tomatensalade

4 middelgrote tomaten,
2 bananen,
sap van 1 citroen,
3 eetl. olie,
$^3/_4$ theel. zout,
een flinke snuf zwarte peper,
$^1/_2$ theel. kerriepoeder,
$^3/_4$ theel. roze peper.

Schenk kokend water over de tomaten, laat ze schrikken onder koud water en pel ze. Snijd de tomaten in plakken. Schik de plakken tomaat in waaiervorm op een grote schaal of op vier kleine bordjes. Pel de bananen, snijd ze in plakjes en leg deze in waaiervorm op de tomaten. Besprenkel de bananen direct met 2 theelepels citroensap, zodat ze niet bruin worden.

Roer de olie, het overgebleven citroensap, het zout, de zwarte peper en de kerrie door elkaar. Schenk de saus over de salade. Plet de roze peperkorrels in de vijzel en strooi ze over de salade.

Tip

Nog aparter smaakt deze salade als u 1 banaan en 100 g bamboespruiten gebruikt. Bij deze combinatie snijdt u de gepelde tomaten, de bananen en de bamboespruiten in blokjes en schept er de dressing door.

Vruchtensalades

Vurige vruchtensalade

2 zure appels,
1¹/₂ theel. citroensap,
200 g selderie (uit een pot),
200 g mandarijntjes (uit blik),
125 g blauwe druiven,
20 g gepelde walnoten,
20 g gepelde amandelen,
¹/₈ l zure room,
2 eetl. mayonaise,
1 eetl. chilisaus,
1 eetl. citroensap,
een snufje zout, een snufje suiker,
1 kleine krop sla.

Schil de appels, snijd ze in vieren en haal het klokhuis eruit. Snijd de appels in dunne schijfjes. Besprenkel de appelschijfjes met citroensap, zodat ze niet verkleuren. Laat de selderie uitlekken. Laat de mandarijntjes uitlekken en snijd ze door. Was de druiven, snijd ze door en haal de pitten eruit. Hak de walnoten en de amandelen. Vermeng al deze ingrediënten in een schaal. Roer de zure room, de mayonaise, de chilisaus, het citroensap, het zout en de suiker door elkaar. Schenk de saus over de salade. Laat de vruchtensalade toegedekt 15 minuten in de koelkast intrekken. Haal de slabladen los van de krop, was ze en laat ze goed uitlekken. Bekleed een slaschaal met de slabladen. Schik de vruchtensalade op de slabladen en dien hem op.

Appelsalade met rumsaus

500 g appels,
250 g witte druiven,
sap van ¹/₂ citroen,
1 dl witte wijn,
3 eetl. suiker,
1 eetl. honing,
een mespunt kaneel,
een mespunt gemberpoeder,
1 borrelglas witte rum,
¹/₄ kokosnoot of 4 eetl. kokosmeel,
4 dadels.

Schil de appels, snijd ze in vieren, haal het klokhuis eruit en snijd de appel in blokjes. Was de druiven, pel ze, snijd ze door en haal de pitten eruit. Vermeng de blokjes appel en de halve druiven met het citroensap, de witte wijn en de suiker. Laat de vruchten 2 uur toegedekt bij kamertemperatuur intrekken. Doe de salade dan in een zeef en vang de marinade op. Laat de marinade in een open pan op een laag vuur zolang koken tot de helft van de vloeistof verdampt is. Roer de honing erdoor en laat de saus afkoelen. Roer vervolgens de kaneel, de gemberpoeder e. de rum door de marinade en schep hem door de salade. Verdeel de salade over kleine schaaltjes of doe hem in een lege schil van een kokosnoot. Rasp de verse kokosnoot over de salade of strooi er het kokosmeel over. Garneer elke portie met een dadel.

Appel-sinaasappelsalade

300 g appels,
sap van 1 citroen,
500 g sinaasappels,
40 g amandelspijs,
1 eetl. honing,
een klein borrelglas Dom Béné-
dictine (likeur),
6 eetl. slagroom,
15 gepelde walnoten.

Schil de appels, snijd ze in achten en haal het klokhuis eruit. Snijd de appel in dunne schijfjes. Besprenkel de appelschijfjes met citroensap, zodat ze niet verkleuren. Schil de sinaasappels, haal er het witte vlies zorgvuldig af. Snijd de sinaasappels in plakken. Verdeel deze plakken in achten, haal de pitten eruit. Vermeng appel en sinaasappel losjes in een grote schaal. Roer de amandelspijs, de honing, de likeur en de room goed door elkaar. Schep het mengsel door de vruchten en laat het 15 minuten toegedekt intrekken. Doe de salade over in een glazen schaal. Snijd de walnoten in vieren en strooi ze over de salade.

Gevulde watermeloen

1 kleine watermeloen,
2 sinaasappels,
sap van 1 sinaasappel,
sap van $^1/_2$ citroen,
50 g suiker,
1 klein borrelglas witte rum,
1 eetl. honing,
4 bolletjes vanille-ijs,
$1^1/_2$ theel. kleingehakte pistache-
noten.

Snijd aan de bovenkant een derde deel van de watermeloen af, haal het vruchtvlees met een lepel uit beide gedeelten van de meloen. Haal de pitten eruit en snijd het vruchtvlees in reepjes. Schil de sinaasappels, doe het witte vlies er zorgvuldig af, maak de partjes los van elkaar en haal de vliesjes eraf. Verdeel de partjes in stukjes. Vermeng de reepjes meloen en de stukjes sinaasappel in een schaal. Snijd een boogjesrand aan het onderste deel van de watermeloen. Vul hem met de vruchtensalade. Laat het sinaasappel- en citroensap met de suiker zolang koken tot de suiker helemaal is opgelost. Laat het daarna afkoelen en roer er de rum en de honing door. Schenk de saus over de salade, leg de bolletjes ijs erop. Strooi de pistachenoten over het ijs.

Vruchtensalades

Herfst-vruchtensalade

2 peren,
2 zure appels,
3 theel. citroensap,
100 g witte en 100 g blauwe druiven,
200 g kwetsen,
50 g gepelde walnoten,
sap van 2 sinaasappels,
2 eetl. suiker,
1 borrelglas frambozenjenever,
1 eetl. honing.

Was en droog de peren en de appels en snijd ze in vieren. Haal het klokhuis eruit en snijd het ongeschilde fruit in dunne schijfjes. Besprenkel ze met citroensap. Was de druiven en laat ze uitlekken. Was ook de kwetsen, droog ze, snijd ze door en haal de pit eruit. Snijd de hal-ve pruimen dan nog eens door. Verdeel de walnoten in vieren en vermeng al deze ingrediënten losjes in een grote schaal. Roer het sinaasappelsap en de suiker door elkaar en laat het al roe-rend op een half hoog vuur iets inkoken. Vermeng de frambo-zenjenever en de honing door het afgekoelde sinaasappelsap en schep de saus door de salade.

Tip
Deze salade is uitstekend geschikt voor een kinder-feestje. Hij moet dan wel zonder alcohol klaar-gemaakt worden.

Fijne druivensalade

400 g lichte, zoete druiven,
2 kleine borrelglazen cream sherry,
1 kleine krop sla,
60 g kleingehakte walnoten,
3 eetl. citroensap,
2 eetl. poedersuiker,
een mespunt zout,
4 eetl. walnotenolie,
$^3/_4$ theel. roze peper.

Haal de druiven van de tros, doe ze in een zeef en blancheer ze 4 minuten in kokend water. Laat de druiven dan iets afkoe-len en pel ze. Doe de gepelde druiven in een grote schaal. Schenk de cream sherry erover. Laat ze 2 uur toegedekt in de koelkast intrekken. Haal de buitenste bladen van de krop sla (gebruik ze voor een ander ge-recht). Was de zachte bladen van het hart van de krop en laat ze goed uitlekken. Snijd de sla vervolgens in smalle reepjes. Doe de reepjes sla en de klein-gehakte walnoten bij de gemari-neerde druiven, vermeng alles luchtig. Roer het citroensap, de poedersuiker, het zout en de walnotenolie door elkaar. Schep de saus door de salade. Plet de peperkorrels in de vijzel en strooi ze voor het opdienen over de sla.

Vruchtensalade met frambozen

250 g diepvriesframbozen,
2 eetl. suiker,
1 Williams peer,
sap van $^1/_2$ citroen,
1 borrelglas perenjenever,
2 halve perziken (uit blik),
4 halve abrikozen (uit blik),
4 kumquats, 2 kiwi's,
$^1/_8$ l slagroom,
1 eetl. poedersuiker,
1 vanillestokje,
1 eetl. pistachenoten.

Haal de frambozen uit de verpakking, doe ze in een schaal, strooi er de suiker over en laat ze in 3 uur toegedekt bij kamertemperatuur ontdooien. Schil de peer, snijd hem in vieren, haal het klokhuis eruit en verdeel de peer in dunne schijfjes.

Sprenkel het citroensap en de perenjenever over de schijfjes peer en laat ze toegedekt 10 minuten intrekken. Laat de perziken en de abrikozen uitlekken en snijd ze in schijfjes. Was en droog de kumquats en verdeel ze in plakken. Schil de kiwi's dun en snijd ze ook in plakken. Vermeng al dit fruit voorzichtig met de frambozen. Doe de salade in een grote schaal of in vier kleine schaaltjes. Klop de slagroom met de poedersuiker half stijf. Schrap het merg uit het vanillestokje en roer het door de slagroom. Hak de pistachenoten klein. Schep de geklopte room voor het serveren op de salade en strooi de pistache erover.

Chinese vruchtensalade

250 g diepvriesaardbeien,
2 eetl. suiker,
200 g lychees (uit blik),
200 g mandarijntjes (uit blik),
1 eetl. citroensap,
1 borrelglas en 1 eetl. arak,
$^1/_{16}$ l slagroom,
$1^1/_2$ theel. poedersuiker,
1 eetl. pistachenoten.

Haal de aardbeien uit de verpakking en doe ze in een schaal. Strooi de suiker erover en laat ze toegedekt bij kamertemperatuur in 3 uur ontdooien. Laat de lychees en de partjes mandarijn in een zeef uitlekken. Schep ze door de ontdooide aardbeien. Sprenkel het citroensap en het borrelglas arak over de vruchten en laat het geheel 15 minu-

ten intrekken. Doe de vruchten daarna in een grote of vier kleine schaaltjes. Klop de slagroom op met de poedersuiker en roer er de eetlepel arak door. Schep voor het opdienen op elke vruchtensalade een toefje slagroom. Hak de pistaches klein en strooi ze op de slagroom.

Vruchtensalades

Siciliaanse vruchtensalade

1 kleine ogenmeloen,
2 kaki's,
2 cactusvijgen of woestijnvijgen,
2 sinaasappels, sap van 1 citroen,
$^1/_8$ l witte wijn,
4 eetl. suiker.

Schil de vruchten, snijd ze in plakken of partjes, haal de vliesjes van de sinaasappels. Besprenkel de vruchten met citroensap en laat ze toegedekt 1 uur in de koelkast intrekken. Verhit de wijn met de suiker tot de helft van de vloeistof verdampt is. Laat hem dan afkoelen. Schenk hem voor het serveren over de vruchten.

Caraïbische salade

1 kleine ananas,
1 papaja, 2 guaves,
2 limoenen,
100 g suiker,
sap van 1 sinaasappel,
1 stuk pijpkaneel,
1 vanillestokje,
wat nootmuskaat,
een mespunt gemberpoeder,
1 borrelglas rum.

Schil de vruchten. Snijd de ananas in schijven en de papaja en guave in stukjes. Haal de pitten eruit. Was de limoenen met warm water en snijd ze met schil in flinterdunne plakjes. Breng de suiker met het sinaasappelsap, de kaneel en het vanillestokje aan de kook. Zeef het geheel en laat het afkoelen. Maak de saus op smaak met een beetje nootmuskaat en de gemberpoeder en roer de rum erdoor. Schenk de saus over de vruchten en laat ze 1 uur in de koelkast intrekken. Dien de salade ijskoud op.

Vruchtensalade Jamaica

1 ananas,
2 limoenen,
1 kokosnoot,
2 eetl. suiker,
2 eetl. kokosmelk,
1 borrelglas witte rum,
2 eetl. limoensap,
4 takjes pepermunt.

Schil de ananas, snijd het vruchtvlees in plakken. Haal het harde middenstuk uit elke plak. Snijd ze vervolgens in reepjes. Was de limoenen met warm water, droog ze en snijd ze met schil in flinterdunne schijfjes. Boor de kokosnoot open en vang de melk op. Zaag de kokosnoot dan door, haal het vruchtvlees eruit en rasp dit grof op de groenteschaaf. Maak op vier bordjes een halve krans van limoenschijfjes. Leg in het midden de reepjes ananas en daar bovenop de geraspte kokosnoot. Roer de suiker, de kokosmelk, de rum en het limoensap goed door elkaar. Sprenkel de saus over de salade. Garneer elke salade met 1 takje pepermunt.

Tip

Als er geen verse kokosnoot te koop is, kunt u de salade ook met kokosmeel maken. Vervang de kokosmelk door 4 eetlepels magere melk waardoor u een eetlepel rozebottelpuree roert.

Kiwisalade met sinaasappelroom

6 kiwi's,
2 eetl. sinaasappelsap,
1 borrelglas Curaçao (likeur),
2 eetl. suiker,
6 eetl. zure room,
sap en geraspte schil van
   1 sinaasappel,
een mespunt gemberpoeder,
1¹/₂ theel. roze peperkorrels.

Schil de kiwi's dun en snijd ze in schijfjes. Roer het sinaasappelsap, de Curaçao en de suiker zolang door elkaar tot de suiker helemaal is opgelost. Schenk de marinade over de kiwi. Laat de vruchten toegedekt 2 uur in de koelkast intrekken. Verdeel de schijfjes kiwi dan over vier bordjes. Roer de zure room, het sinaasappelsap, de sinaasappelschil en de gemberpoeder door elkaar. Schep een lepel sinaasappelroom op de kiwi's. Strooi de peperkorrels over de room.

Tip

In plaats van zure room kunt u ook 6 eetlepels slagroom voor de saus gebruiken. Vervang de roze peper in dat geval door fijngehakte pistachenoten.

90

Vruchtensalades

Grapefruitsalade

2 grapefruits,
50 g suiker,
1 klein borrelglas mandarijn-
*   likeur,*
1 klein borrelglas cognac,
1 eetl. honing,
8 marasquinkersen.

Schil de grapefruits en haal er
zorgvuldig het witte vlies af.
Snijd de vruchten in dunne
plakken, haal de pitten eruit.
Bestrooi de plakken grapefruit
met suiker en sprenkel de likeur
erover. Laat ze 2 uur toegedekt
in de koelkast intrekken. Roer
het sap van de grapefruit, de
cognac en de honing door elkaar. Schenk deze saus over de
vruchten. Garneer met de marasquinkersen.

Sinaasappelsalade

4 sinaasappels,
80 g suiker,
4 eetl. water,
6 eetl. grenadinesiroop,
1 klein borrelglas Cointreau
*   (likeur),*
1 eetl. verse pepermuntblaadjes.

Was de sinaasappels met heet
water, droog ze en schil ze heel
dun. Snijd de schil in reepjes en
kook deze 5 minuten met de suiker in het water. Zeef het kookvocht, voeg de grenadine toe en
breng het nog eens aan de kook.
Neem de pan van het vuur.
Roer de Cointreau en de pepermuntblaadjes door het vocht en
laat het afkoelen. Haal het witte
vlies helemaal van de sinaasappels en snijd ze in dunne plakken. Schenk de saus over de
sinaasappel en laat hem 2 uur in
de koelkast intrekken.

Vruchtensalades

Zomerse vruchtensalade

1 ogenmeloen,
1 banaan,
sap van 1 citroen,
1 appel,
1 perzik, 2 abrikozen,
250 g witte druiven,
125 g morellen,
125 g aardbeien,
125 g frambozen,
4 eetl. fijne tafelsuiker of poeder-
*   suiker,*
1 kopje malaga, madera of port.

Snijd aan de bovenkant van de meloen een derde deel af, haal het vruchtvlees uit de meloen. Verwijder de pitten, snijd het vruchtvlees in blokjes. Snijd een kartelrand aan de meloenbak. Pel de banaan, verdeel hem in schijfjes. Besprenkel deze direct met wat citroensap. Schil de appel, snijd hem in achten en haal het klokhuis eruit. Snijd de appel in schijfjes en besprenkel deze met het overgebleven citroensap. Dompel de perzik even in kokend water en pel hem. Haal de pit uit de perzik en de abrikozen en snijd ze in blokjes. Was de druiven. Was en ontpit de morellen. Was de aardbeien en de frambozen en laat ze uitlekken. Roer de suiker door de zoete wijn en schep dat door al deze vruchten. Laat de vruchtensalade 1 uur in de koelkast intrekken. Vul dan de meloenbak met de vruchtensalade. Dien de meloen op op een bedje van kleingehakte ijsblokjes.

Lekker hierbij is chaudeau (een schuimige wijnsaus, recept blz. 223).

Ananas gevuld met vruchtensalade

1 ananas, 3 kiwi's,
150 g aardbeien,
100 g druiven,
100 g zoete kersen,
1 kopje mandarijntjes (uit blik),
sap van 1 citroen,
60 g suiker,
1 klein borrelglas marasquin,
1/8 l slagroom,
2 eetl. suiker,
1/2 vanillestokje,
1 marasquinkers.

Snijd een derde deel van de ananas wigvormig uit. Schil het uitgesneden stuk van de ananas, haal er het harde middenstuk uit en snijd het vruchtvlees in blokjes. Schep nog wat meer vruchtvlees uit de ananas en haal de harde stukjes eruit. Snijd dit ook in blokjes. Schil de kiwi's en verdeel ze in dunne plakjes. Was de aardbeien en de druiven, haal de steeltjes eraf en snijd ze door. Was de kersen, laat ze uitlekken, ontpit ze en snijd ze ook door. Laat de mandarijntjes uitlekken. Vermeng al deze schoongemaakte vruchten. Laat het citroensap met de suiker koken tot de suiker helemaal is opgelost. Laat het citroensap afkoelen, roer het door de likeur en schenk het over de salade. Laat de salade toegedekt 1 uur in de koelkast intrekken. Klop de slagroom stijf met de suiker en het vanillemerg. Vul de uitgeholde ananas met de vruchtensalade en garneer hem met de slagroom en de marasquinkers.

Rauwkostsalades

Veldsla met perzik-dressing

400 g veldsla of ezelsoren,
$^1/_2$ teen knoflook,
$^3/_4$ theel. zout,
1 eetl. perzikenjam,
4 eetl. wijnazijn,
3 eetl. perziksap (uit een pot),
2 eetl. olie,
$1^1/_2$ theel. suiker,
sap van $^1/_2$ citroen,
2 eetl. gemengde, kleingehakte
*   kruiden: bieslook, citroenme-*
*   lisse en tuinkers,*
1 eetl. kleingehakte amandelen.

Maak de veldsla schoon, was hem goed onder koud stromend water en slinger hem droog in een theedoek. Pel de knoflook en snijd hem klein. Plet de knoflook dan met het zout. Roer de perzikenjam, de knoflook, de wijnazijn, het perziksap, de olie, de suiker, het citroensap en de kleingehakte kruiden door elkaar. Schep de veldsla door de dressing. Strooi er voor het opdienen de amandelen over.

Rauwkost van wortel en appel

4 middelgrote wortelen,
2 appels,
50 g gepelde walnoten,
$1^1/_2$ dl yoghurt,
3 theel. citroensap,
3 theel. suiker.

Schrap de wortelen, was ze en rasp ze grof op de schaaf. Schil de appels, steek er met de appelboor het klokhuis uit en rasp ze ook. Vermeng de geraspte wortel en appel luchtig in een schaal. Houd een paar walnoten achter als garnering, hak de rest grof. Roer de yoghurt, het citroensap, de gehakte walnoten en de suiker door elkaar. Houd twee eetlepels saus achter en schep de rest van de saus door de salade. Laat de salade 15 minuten intrekken. Schep de achtergehouden saus voor het opdienen over de salade en garneer hem met de walnoten.

Tip

De salade wordt wat voller als u in plaats van yoghurt slagroom of zure room gebruikt of voor de helft yoghurt en voor de andere helft slagroom of zure room.

Gemengde rauwkostschotel

1 kleine selderieknol,
wat zout,
¹/₂ bloemkool,
4 kleine tomaten,
¹/₂ komkommer,
4 worteltjes,
1 rode paprika,
100 g veldsla of ezelsoren,
2 kleine kroppen rode sla,
12 gevulde olijven,
een beetje zwarte peper,
sap van 1 citroen,
6 eetl. olie, 3 eetl. wijnazijn,
³/₄ theel. zout,
1 eetl. gemengde, kleingehakte
*   kruiden,*
1¹/₂ dl yoghurt,
1 hardgekookt ei.

Borstel de selderieknol schoon en laat hem 20 minuten koken in een beetje water met zout in een gesloten pan. Verdeel de bloemkool in roosjes, laat ze in 5 minuten gaar worden in water met zout. Was en droog de tomaten, snijd ze in vieren. Was de komkommer, verdeel hem in schijfjes. Schrap de worteltjes en rasp ze op de fijne rasp. Snijd de paprika doormidden, haal de zaadlijsten en pitten eruit en snijd hem in reepjes. Maak de veldsla schoon, was hem goed en laat hem uitlekken. Maak de rode sla schoon, haal de hele bladen los van de stronk, was ze en laat ze uitlekken. Snijd de olijven doormidden. Verdeel de afgekoelde selderie met een kartelmes in schijfjes. Laat de bloemkoolroosjes uitlekken en afkoelen. Schik alle groenten in vakjes op een grote schotel, houd de olijven achter. Strooi er peper over en besprenkel ze met citroensap. Strooi de olijven over de groente. Roer de olie, de azijn, het zout, de kruiden en de yoghurt door elkaar. Schenk de saus over de salade of geef hem er apart bij. Snijd het ei in achten en garneer er de schotel mee.

Rauwkostsalades

Selderiesalade met avocado

1 tak bleekselderie,
1 groene paprika,
2 middelgrote uien,
3 middelgrote wortelen,
2 rijpe avocado's,
1¹/₂ theel. sinaasappelsap,
1¹/₂ theel. citroensap,
1 stevige tomaat,
een beetje peterselie,
4 eetl. olie, 1 eetl. wijnazijn,
¹/₂ theel. zout,
een snufje witte peper,
een mespunt scherpe mosterd.

Snijd de selderie in dunne plakjes. Snijd de paprika doormidden en haal zaadlijsten en pitten eruit. Was de paprika en verdeel hem in reepjes. Schil de uien en snijd ze in ringen. Doe de uieringen in een zeef, zet ze even in kokend water en laat ze uitlekken. Schrap de wortelen, was ze en rasp ze grof. Vermeng al deze ingrediënten en leg ze op een schotel. Schil de avocado's, snijd ze doormidden, haal de pit eruit en snijd het vruchtvlees in de lengte in schijven. Vermeng het sinaasappel- en citroensap en schenk dit over de avocado. Was de tomaat, snijd hem in achten. Was de peterselie, laat hem uitlekken. Roer de olie, de azijn, het zout, de peper en de mosterd door elkaar, sprenkel de saus over de salade. Schik de schijfjes avocado op de salade en garneer hem met de partjes tomaat en de peterselie.

Venkelsalade van de tuinder

2 venkelknollen,
¹/₂ komkommer,
2 stevige tomaten,
1 bos radijs,
¹/₂ bos bieslook,
een beetje venkelgroen,
1 ui,
4 eetl. olijfolie,
2 eetl. wijnazijn,
³/₄ theel. zout,
een snufje suiker,
³/₄ theel. grofgemalen zwarte
peper.

Was de venkel, maak hem schoon en snijd hem in dunne reepjes. Was de komkommer, droog hem af en snijd hem met schil in smalle stukjes. Was de tomaten, droog ze en snijd ze in achten. Was de radijzen heel goed, droog ze. Snijd er de steeltjes en de wortel af en verdeel ze in plakjes. Was het bieslook en het venkelgroen, dep ze droog en snijd ze fijn. Schil de ui en snijd hem fijn. Vermeng de reepjes venkel, de stukjes komkommer, de partjes tomaat en de plakjes radijs luchtig in een schaal. Roer de olijfolie, de azijn, het zout, de suiker, de fijngesneden ui en de zwarte peper door elkaar. Sprenkel de saus over de salade. Strooi voor het opdienen de fijngehakte kruiden erover.

Salade-party

Groot saladebuffet met verschillende dressings

Om een saladebuffet te organiseren heeft u wel 6–8 verschillende soorten salade nodig. Let erop dat deze verschillend van kleur zijn. Heel geschikt voor een salade-party zijn: ijsbergsla, veldsla, radicchio (de rode variant van andijvie die meestal rode sla wordt genoemd), jonge andijvie en vooral krulandijvie, witlof en een variant daarvan, de echte rode sla, eventueel eikebladsla en de gewone kropsla, ook wel botersla genoemd, maar ook zaken als molsla, spinazie, in plakken gesneden tomaat, schijfjes komkommer, radijsjes, uieringen, groene en zwarte olijven, hardgekookte eieren, maïskorrels uit blik, ringen paprika, bleekselderie in schijfjes of stukjes van 5 cm, kleingesneden kruiden, gare erwtjes en blokjes groente. Was alle slasoorten zorgvuldig en laat ze goed uitlekken. Schik de verschillende slasoorten en andere ingrediënten op schotels of in schalen. Zet daartussen verschillende dressings gereed, die u kant en klaar onder allerlei fantasienamen in flesjes kunt kopen. Of – veel beter – maak die dressings zelf en varieer erop naar eigen inzicht. Een dressing wordt over het algemeen pas op het laatste moment aan een salade toegevoegd. Enkele suggesties zijn:

Roquefort-dressing
100 g Roquefort (blauwe kaas),
1 eetl. crème fraîche of zure room,
1 eetl. witte-wijnazijn,
2 eetl. mayonaise,
een snufje zout,
een snufje witte peper.

Maak de kaas fijn met een vork en roer er de crème fraîche of zure room, de azijn, de mayonaise, het zout en de peper door. Roquefort-dressing is erg lekker bij ijsberg-, andijvie- en kropsla.

Kruiden-eier-dressing
4 hardgekookte eieren,
3 eetl. olie,
2 eetl. wijnazijn,
$^3/_4$ theel. zout,
een snufje witte peper,
2 eetl. gemengde, kleingesneden kruiden.

Pel de eieren en snijd ze in blokjes. Roer de olie, de azijn, het zout en de peper door elkaar. Roer er de blokjes ei en de kruiden door. Deze kruiden-eierdressing is erg lekker bij tomaten- en komkommersla.

Franse dressing
3 eetl. citroensap,
$^1/_2$ theel. zout,
een mespunt witte peper,
$^1/_2$ theel. suiker,
$^1/_2$ theel. mosterdpoeder,
8 eetl. olijfolie.

Roer het citroensap, het zout, de peper, de suiker en de mosterdpoeder door elkaar. Voeg onder voortdurend roeren druppelsgewijs de olie toe. De Franse dressing is lekker bij lofsla, rode sla en kropsla.

Yoghurt-dressing

1¹/₂ dl yoghurt,
2 eetl. citroensap,
1 eetl. olie, ³/₄ theel. zout,
een snufje witte peper,
2 eetl. kleingehakte kruiden.

Roer de yoghurt, het citroensap en de olie door elkaar. Klop het met de garde op. Maak het af met het zout, de peper en de kruiden. De yoghurt-dressing is lekker bij lofsla, kropsla en hardgekookte eieren.

Duizend-eilanden-dressing

2 kleine augurken,
¹/₂ rode paprika (uit een pot),
10 eetl. mayonaise,
2 eetl. koffieroom,
3 eetl. tomatenketchup,
1¹/₂ theel. geraspte ui,
¹/₂ theel. zout,
een mespunt mild paprikapoeder.

Snijd de augurken en de papri-ka in blokjes. Vermeng de mayonaise met de room, de ket-chup, de geraspte ui, het zout en het paprikapoeder. Roer de blokjes augurk en paprika door de saus. Duizend-eilanden-dres-sing is lekker bij lofsla, toma-tensla en kropsla.

Sherrysaus

1 ei, 2 eetl. suiker,
1 klein borrelglas sherry (fino),
¹/₂ theel. zout,
3 theel. vloeibare boter,
4 eetl. sinaasappelsap,
2 eetl. citroensap,
4 eetl. slagroom.

Klop het ei los met de garde. Voeg onder voortdurend roeren langzaam de suiker, de sherry, het zout, de vloeibare boter, het sinaasappelsap en het citroen-sap toe. Laat de saus op een laag vuur onder voortdurend roeren koken tot hij gaat bin-den. Neem de saus vervolgens van het vuur en laat hem afkoe-len. Klop de slagroom stijf en schep hem door de afgekoelde saus.
Sherrysaus is lekker bij selderie-salade, rode sla, maïskorrels uit blik en alle vruchtensalades.

Tip

Bij een saladebuffet kunt u nog wat 'vullende' bij-voegsels geven: blokjes Edammer, Goudse of Emmentaler kaas, Lachsschinken, gekookte ham, rauwe ham of koud gebraden vlees, balletjes gehakt, ansjovisrolletjes, garnalen of gerookte vis. Geef er verschillende soorten brood bij.

Seafood in een zacht omhulsel

Garnalen in geleirand

5 blaadjes gelatine,
$^{1}/_{4}$ l geklaarde visbouillon,
$^{1}/_{8}$ l droge witte wijn,
een snufje zout, een snufje witte
peper, 1 bos dille,
250 g garnalen,
100 g mayonaise,
$1^{1}/_{2}$ theel. citroensap,
$1^{1}/_{2}$ theel. kerriepoeder,
$1^{1}/_{2}$ theel. kleingehakte dille,
een snufje witte peper,
2 eetl. slagroom.

Week de gelatineblaadjes 10 minuten in koud water. Verhit de visbouillon met de wijn, het zout en de peper. Laat hem niet koken. Knijp de gelatine goed uit en roer hem door de visbouillon tot hij is opgelost. Laat de bouillon afkoelen en schenk daarna een dun laagje op de bodem van een ovale ringvorm met een inhoud van $^{1}/_{2}$ l. Laat de laag in de koelkast opstijven. Hak de dille fijn. Vul de vorm afwisselend met garnalen, dille en gelei. Laat elke nieuwe laag gelei in de koelkast opstijven. Zet de gelei als hij klaar is 2–4 uur op een koele plaats. Roer de mayonaise, het citroensap, de kerrie, de kleingehakte dille, de peper en de room door elkaar. Dompel de vorm met de gelei even in heet water en stort hem op een schotel. Geef de mayonaise bij de garnalen in gelei.

Tomatengelei met vis

400 g visfilet,
3 eetl. citroensap,
1 ui, $1^{1}/_{2}$ theel. zout,
6 witte peperkorrels,
1 klein laurierblad,
10 blaadjes gelatine,
$^{1}/_{4}$ l tomatesap,
$^{1}/_{8}$ l witte wijn, 1 eetl. azijn,
$^{3}/_{4}$ theel. selderiezout,
$1^{1}/_{2}$ theel. mild paprikapoeder,
$^{3}/_{4}$ theel. fijngehakte dragon,
$^{1}/_{2}$ kopje gare erwtjes,
1 citroen, een paar takjes dille.

Besprenkel de visfilet met een beetje citroensap. Schil de ui en breng hem met $^{1}/_{2}$ l water, het overgebleven citroensap, het zout, de peperkorrels en het laurierblad aan de kook. Laat de visfilet hier 10 minuten in po-cheren, laat het in het kookvocht afkoelen. Week de gelatine in koud water. Snijd de vis in grote dobbelstenen. Zeef $^{1}/_{4}$ l van de visbouillon. Verhit dit met het tomatesap, de wijn, de azijn, het selderiezout, het paprikapoeder en de dragon. Laat het beslist niet koken. Knijp de gelatine uit en los hem op in de hete vloeistof. Schenk een dunne laag gelei op de bodem van een visvorm. Laat hem in de koelkast opstijven. Vul de vorm met blokjes vis, de erwten en de tomatengelei. Laat de gelei in de koelkast stevig worden. Snijd de citroen in dunne schijfjes. Stort de gelei op een schotel. Garneer hem met de schijfjes citroen en de dille.

Bonte groente in gelei

Erwtendaubetjes

300 g diepvriesdoperwten (extra
    fijn),
wat zout,
150 g garnalen,
1 eetl. citroensap,
10 blaadjes gelatine,
$^1/_4$ l witte wijn,
$^1/_4$ l water,
2–3 eetl. azijn,
1 eetl. bouillonpoeder,
een snufje zout, een snufje suiker,
een paar druppels worcester-
    shiresaus,
2–3 druppels tabasco,
1 gare wortel,
1 klein stuk truffel (of iets ver-
    vangends).

Kook de erwten volgens het
voorschrift 2–3 minuten in een
gesloten pan in een beetje water
met zout. Laat ze in een zeef uitlekken en afkoelen. Besprenkel
de garnalen met citroensap.
Week de gelatine in koud water.
Verhit de witte wijn met $^1/_4$ l water en de azijn. Los er de bouillonpoeder in op en voeg het
zout, de suiker, de worcestershiresaus en de tabasco toe.
Knijp de gelatine uit en los hem
op in de bouillon. Schenk een
beetje afgekoelde gelei op de bodem van vier vormpjes en laat
hem opstijven. Snijd garneringen uit de wortel en de truffel
zoals u op de foto ziet. Leg deze
in de vormpjes en plaats er een
laagje erwtjes op. Bedek dit met
een beetje gelei en laat alles weer
opstijven. Vul de vormpjes nu
met de garnalen en de rest van
de erwtjes. Schenk de gelei erover. Laat de vormpjes gedurende een paar uur in de koelkast helemaal stevig worden.
Dompel de vormpjes voor het
opdienen even in kokend water
en stort ze.

Cantharellen
en wild in gelei

100 g cantharellen (uit blik),
300 g gaar vlees van wild,
1 gare wortel,
1 klein borrelglas sherry
    (medium),
2 eetl. cognac,
$1^1/_2$ theel. citroensap,
een snufje van elk: zout, witte
    peper, gemalen piment en ge-
    droogde tijm,
3 theel. fijngehakte peterselie,
$^3/_8$ l sherrygelei (recept
    blz. 224),
8 geblancheerde selderieblaad-
    jes,
4 plakjes truffel.

Laat de cantharellen uitlekken
en snijd ze afhankelijk van de
grootte in tweeën of in vieren.
Snijd het vlees en de wortel in
blokjes. Vermeng al deze ingrediënten met de sherry, de cognac, het citroensap, het zout, de
peper, het piment, de tijm en de
fijngehakte peterselie. Laat het
geheel 3 uur in de koelkast intrekken. Zet de schaal met sherrygelei in een bak met ijsblokjes
en roer hem tot hij bijna koud
is. Giet vier vormpjes helemaal
vol met gelei en zet ze in een bak
met ijskoud water, zodat de buitenste laag van de gelei snel stijf
wordt. Giet de dan nog vloeibare gelei er weer uit. Schik de sel-
derieblaadjes en de plakjes truffel op de stijve gelei. Vul de
vormpjes daarna met de gemarineerde ingrediënten en de rest
van de gelei (verwarm de gelei
eventueel even). Laat de vormpjes in de koelkast helemaal opstijven.

99

Bonte groente in gelei

Groente en ham in gelei

300 g jonge zomergroente (uit de
    diepvries),
wat zout,
2 winterwortelen,
1 eetl. bouillonpoeder,
13 blaadjes gelatine,
een snufje nootmuskaat,
$^1/_4$ l magere bouillon,
$^1/_4$ l witte wijn,
3 eetl. azijn,
1 hardgekookt ei in plakjes,
bieslook en selderiegroen,
200 g gesneden gekookte ham.

Kook de diepvriesgroente 12
minuten in $^1/_2$l kokend water
met zout, laat ze uitlekken en
vang het kookvocht op. Was en
schrap de wortelen, kook ze in
het groentewater met de bouillonpoeder in 30 minuten gaar.
Week in een beker 3 blaadjes gelatine, in een andere 10 blaadjes.
Pureer de wortelen. Maak ze op
smaak met een snufje zout en
nootmuskaat. Verhit de puree
en los er de 3 uitgeknepen
blaadjes gelatine in op. Verhit
de vleesbouillon met de witte
wijn en de azijn. Los er de 10
uitgeknepen blaadjes gelatine in
op. Schenk een laag gelei in een
cakevorm en laat hem opstijven. Schik er de plakjes ei, het
bieslook en de selderietakjes op.
Schenk er een dun laagje gelei
op en laat het stijf worden.
Strijk de wortelpuree op de geleilaag en laat haar stevig worden. Leg hier nu afwisselend een
laagje ham en een laagje gemengde groente op, schenk er
een dunne laag gelei over en laat
hem in de koelkast stijf worden.
Vul de vorm geheel op deze manier, tot alle ingrediënten gebruikt zijn. Laat de vorm in de
koelkast helemaal stevig worden.

Bonte groente in gelei

Garnalen en groente in gelei

1 kleine bloemkool,
¹/₂ theel. zout,
300 g diepvrieserwtjes en
-worteltjes,
300 g maïskorrels (uit blik),
200 g aspergepunten (uit blik),
400 g garnalen,
1 eetl. citroensap,
16 blaadjes gelatine,
¹/₂ l magere vleesbouillon,
¹/₂ l witte wijn,
een flinke snuf: zout, witte peper,
suiker en cayennepeper,
een paar druppels citroensap,
een paar blaadjes kropsla.

Verdeel de bloemkool in roosjes en snijd vervolgens de stronkjes kort af.
Doe de bloemkoolroosjes in een zeef. Breng in een grote pan een beetje water aan de kook (zonder zout, om de bloemkoolroosjes mooi wit te houden), hang de zeef boven het kokende water en stoom de bloemkool 10–15 minuten in de gesloten pan. Breng 1 kopje water met het zout aan de kook en kook hier de diepvrieserwtjes en -worteltjes 8 minuten in op een laag vuur in de gesloten pan. Laat de maïs en de asperges uitlekken. Besprenkel de garnalen met het citroensap en laat ze toegedekt even intrekken. Haal de bloemkool in de zeef uit de pan en dompel hem heel even in ijskoud water. Laat hem op een theedoek uitlekken en afkoelen. Giet de erwtjes en worteltjes ook af in de zeef, dompel ze even in koud water en laat ze uitlekken en afkoelen. Week de gelatine 10 minuten in een ruime hoeveelheid koud water. Verhit de bouillon. Knijp de ge-

latine dan goed uit en los hem op in de hete bouillon. Roer er de witte wijn, het zout, de peper, de suiker en de cayennepeper door. Maak de gelei pittig op smaak met citroensap en eventueel nog wat zout. Laat hem afkoelen. Spoel een ronde ringvorm om met koud water, schenk er een laag geleiige vloeistof van 1 cm in. Laat hem in de koelkast opstijven. Schik afwisselend garnalen en groente in de vorm, bedek elke laag steeds met een beetje gelei en laat het geheel dan even stevig worden in de koelkast. Vul de vorm helemaal op deze manier. Laat de garnalen- en groentegelei gedurende een paar uur in de koelkast stevig worden. Was de sla en laat hem goed uitlekken. Bekleed een schotel met slablaadjes. Dompel de vorm even in heet water en stort de gelei op de sla.

Lekker hierbij zijn: boerenbruin en remouladesaus.

Pepereieren met bonensalade

Voor de eieren:
4 hardgekookte eieren,
2 eetl. mayonaise,
50 g zachte boter,
een mespunt zout,
1 eetl. cognac,
1 eetl. groene peperkorrels (uit een pot).
Voor de salade:
200 g zachte sperziebonen,
wat zout,
200 g kalfslever, 1 eetl. olie,
2 sjalotten,
$^1/_2$ bos peterselie,
2 eetl. olie,
1 eetl. dragonazijn,
$^1/_2$ theel. zout,
$^3/_4$ theel. grofgemalen peper.

Pel de eieren en snijd ze in de breedte door. Roer de eier-
dooiers met de mayonaise, de boter, het zout en de cognac tot een romig mengsel. druk de helft van de groene peper fijn en roer die door de crème. Spuit een toef crème in elk half eiwit. Garneer de rozetten met de overgebleven peperkorrels. Kook voor de salade de sperziebonen 10 minuten in water met zout, laat ze uitlekken en afkoelen. Snijd de kalfslever in smalle reepjes, bak deze 2–3 minuten in de olie. Schil de sjalotten en hak ze fijn. Was de peterselie, laat hem uitlekken en snijd hem fijn. Roer de olie, de azijn, het zout, de peper, de sjalotten en de peterselie door elkaar. Schik de sperziebonen en de leverreepjes op een schotel, sprenkel de saus erover. Zet de gevulde eieren om de salade heen.

Feestelijke schotel van eieren

Voor de eieren:
10 hardgekookte eieren,
$^1/_2$ bos peterselie,
6 eetl. mayonaise,
$^3/_4$ theel. zout,
een mespunt witte peper.
Om te garneren:
(in kleine hoeveelheden)
een paar blaadjes kropsla, veldsla, kleine uieringen, ansjovisfilets, gekookte ham, gefileerde zalm, garnalen, mosselen (gaar), kappertjes, groene peperkorrels (uit een pot), piripiri, maïskolfjes, schijfjes citroen, peterselie en dille.
Voor de slasaus:
sap van $^1/_2$ citroen,
$^3/_4$ theel. zout, 1–2 eetl. olie.

Pel de eieren en snijd ze in de
lengte door. Druk de eierdooiers door een zeef in een schaal. Was de peterselie, dep hem droog en hak hem fijn. Roer de mayonaise, het zout en de peper door de eierdooiers. Vermeng de helft van de eiercrème met de peterselie. Vul de halve eiwitten met de beide soorten crème. Garneer de eieren met de verschillende ingrediënten en schik ze op een schotel (zie het voorbeeld op de foto). Vermeng wat slablaadjes met de overgebleven garneringen in een schaal. Roer het citroensap en het zout door elkaar. Meng de olie erdoor en maak de salade aan met deze marinade. Schep de salade op het midden van de schotel.

Gevulde eieren

Fantasie-eieren

10 hardgekookte eieren.
Voor de vulling van steeds
   4 halve eieren:
2 eetl. roomkaas (Mon Chou),
1 eetl. fijngehakte kruiden,
2 eetl. melk, een snufje zout.

2 eetl. cottage cheese,
1 eetl. fijngeraspte wortel,
1¹/₂ theel. gemalen hazelnoot,
een snufje zout, een snufje peper.

2 eetl. verse roomkaas (Mon
   Chou),
1¹/₂ theel. milde kerriepoeder,
1¹/₂ theel. fijngemaakte avocado,
1¹/₂ theel. citroensap,
1 eetl. melk, een snufje zout.

2 eetl. kwark (20%),
1¹/₂ theel. fijngehakte dille,
een beetje geraspte citroenschil,
een snufje zout.

2 eetl. kwark (20%),
1 eetl. tomatenpuree,
³/₄ theel. mild paprikapoeder,
een snufje zout.

Om te garneren:
maïskolfjes met groene peper-
   korrels,
kleine pepertjes en peterselie,
zwarte olijven en peterselie,
ansjovisrolletjes met een blokje
   tomaat,
schijfjes kiwi met een cocktail-
   kers,
schijfje citroen, garnalen en dille,
rolletje zalm met dille,
zwarte kaviaar met tuinkers,
kleine augurken met een plakje
   rode peper,
gevulde olijven en tuinkers.

Snijd de eieren in de lengte
door. Vermeng de eierdooiers
met de verschillende ingrediënten voor de vulling en spuit
rozetten van deze vullingen in
de halve eiwitten. Garneer de
eieren volgens de voorbeelden
op de foto. De vullingen van de
beschreven eieren zijn afgebeeld
van boven naar beneden, de
garnering van elke vulling van
links naar rechts.

Harde eieren met bijzondere sauzen

Reken per persoon 2 hard-gekookte eieren.

Russische saus
1 rode, 1 groene en 1 gele paprika,
2 bossen bieslook,
2 dl zure room,
1¹/₂ theel. mild paprikapoeder,
een paar druppels tabasco,
1¹/₂ theel. mierikswortelmos-terd,
50 g Deense kaviaar.

Was de paprika's, droog ze en snijd ze in de lengte door. Haal de zaadlijsten en de pitten eruit. Snijd de paprika in blokjes. Snijd het bieslook klein. Ver-meng de zure room met de blok-jes paprika, het paprikapoeder, de tabasco, het bieslook, de mierikswortelmosterd en de helft van de kaviaar. Garneer de saus met de overgebleven ka-viaar.

Champignonsaus
200 g champignons,
2 preien,
2 uien,
100 g doorregen spek.

Maak de champignons schoon, was ze en snijd ze in plakjes. Was de preien en verdeel ze in plakjes. Schil de uien en snijd ze klein. Snijd het spek in blokjes, laat ze uitbakken. Laat de prei en ui 4–5 minuten meefruiten. Fruit dan ook de champignons nog 6 minuten mee.

Kwarksaus
100 g magere kwark,
50 g blauwe aderkaas,
sap van 1 citroen,
³/₄ theel. zout,
3 theel. vossebessengelei,
een beetje mineraalwater.

Klop de kwark schuimig. Druk de blauwe kaas door een zeef bij de kwark en schep hem door. Roer het citroensap, het zout, de vossebessengelei en een beet-je mineraalwater door de kwark en garneer de saus met een paar vossebessen.

Capri-saus
3 bossen gemengde kruiden,
2 ansjovisfilets,
1 eetl. kappertjes,
10 gevulde olijven,
2 eierdooiers,
1¹/₂ theel. scherpe mosterd,
3 eetl. wijnazijn,
³/₄ theel. zout,
een snufje witte peper,
6 eetl. olie, 2 tomaten.

Was de kruiden, laat ze uitlek-ken en hak de kruiden, de ansjo-visfilets, de kappertjes en de olijven fijn. Roer de eierdooiers, de mosterd, de azijn, het zout en de peper door elkaar. Roer de olie druppelsgewijs door de saus en daarna ook de kleingehakte ingrediënten. Pel de tomaten, snijd ze in stukjes en schep deze door de saus.

Eieren, geraffineerd geserveerd

Eiertaartjes met lever-parfait

4 hardgekookte eieren,
1 bos gemengde kruiden, bijv. sa-
lie, peterselie, dille, bieslook
en lavas,
100 g zachte boter,
2 eetl. milde mosterd,
$^1/_2$ theel. witte peper,
$^1/_2$ theel. zout,
8 bakjes van hartig zandtaart-
deeg (uit een pak),
125 g lever-parfait of eventueel
leverpastei (uit blik),
2 schijfjes truffel (uit een pot; of
iets vervangends),
2 takjes dille.

Snijd de eieren dwars doormidden, haal de dooiers eruit en doe
deze in een schaal. Was de kruiden onder koud stromend water, laat ze uitlekken en snijd ze

fijn. Roer de eierdooiers romig
met de boter, de mosterd, de peper, het zout en de kleingesneden kruiden. Doe de crème in
een spuitzak met kartelvormig
spuitmondje en spuit hem in de
deegbakjes. Zet midden in de
crème een half eiwit. Klop de lever-parfait romig met een garde
en vul er de halve eiwitten mee.
Snijd de schijfjes truffel in blokjes en strooi ze over de parfait of
pastei. Garneer de gevulde eieren met een takje dille.

Tip
U kunt de deegbakjes
ook zelf maken volgens
het recept op blz. 220.

Eiertaartjes met hamsalade

4 eieren,
200 g gekookte ham,
1 zure appel,
1 banaan,
3 theel. citroensap,
3 eetl. mayonaise,
2 eetl. slagroom of koffieroom,
3–4 theel. milde kerriepoeder,
een snufje zout, een snufje suiker,
8 deegbakjes van hartig zand-
taartdeeg (uit een pak),
4 plakjes gerookte zalm,
een paar blaadjes dragon.

Leg de eieren in kokend water
en laat ze in 10 minuten hard
koken. Laat ze schrikken onder
koud water, pel ze en laat ze afkoelen. Snijd de ham in blokjes.
Schil de appel, steek er met de
appelboor het klokhuis uit,

snijd de appel in plakken en de
plakken in reepjes. Pel de banaan, verdeel hem in blokjes.
Vermeng de ham, de appel en de
banaan luchtig in een schaal.
Sprenkel er $1^1/_2$ theelepel citroensap over. Roer de mayonaise, de room, de rest van het
citroensap, de kerrie, het zout
en de suiker door elkaar. Maak
de saus goed op smaak. Schep
de saus door de vermengde ingrediënten. Vul de bakjes met
de hamsalade. Snijd de eieren in
de lengte door en leg op elk bakje een half ei. Snijd de plakjes
zalm in de lengte door en rol ze
op. Leg op elk ei een zalmrolle-
tje. Garneer met de dragon.

Eierspecialiteiten

Gemarineerde eieren

$^1/_4$ *l azijn,*
$^1/_4$ *l water,*
$1^1/_2$ *theel. van elk: zout, mos-*
terdzaad en zwarte peperkor-
rels,
3 kruidnagels,
1 pijpje kaneel,
2 laurierblaadjes,
15 hardgekookte eieren.

Breng de azijn aan de kook met
$^1/_4$l water, het zout, het mosterdzaad, de peperkorrels, de
kruidnagels, de kaneel en de
laurier en laat het in een gesloten pan 10 minuten zachtjes koken. Leg de eieren in een hoge
glazen of aardewerken pot.
Schenk het hete vocht over de
eieren en laat het afkoelen. Sluit
de pot als het koud is met perkamentpapier. Laat de eieren
2–3 dagen in de koelkast in de
marinade staan. De eieren hebben dan de smaak van de marinade aangenomen en zijn erg
lekker als broodbeleg of in combinatie met bijzondere sauzen
(recept blz. 104).

Tip
U moet voor dit recept
alleen echt verse eieren
gebruiken.

Groente met een lekkere vulling

Gevulde prei

4 dikke preien,
$^1/_2$ l water,
$^1/_2$ theel. zout,
1 eetl. citroensap,
2 hardgekookte eieren,
5 ansjovisfilets,
50 g maïskolfjes (uit een pot),
$^1/_2$ bos peterselie,
3 eetl. olie, 1 eetl. wijnazijn,
een snufje zout,
een paar druppels tabasco.

Snijd de prei in even lange stukken van ongeveer 12 cm. Breng $^1/_2$ l water aan de kook met het zout. Was de prei en blancheer hem 10 minuten in het kokende water. Haal de prei uit de pan, dompel hem direct in ijskoud water en laat hem op een theedoek uitlekken en afkoelen. Snijd de stukken prei in de lengte door, besprenkel ze met het citroensap. Snijd van elk stuk prei een stukje af van 1 cm en verdeel dit in heel fijne reepjes. Pel de eieren, snijd ze in blokjes. Spoel de ansjovisfilets af met koud water, dep ze droog en snijd ze in stukjes. Verdeel de maïskolfjes in dunne schijfjes en halveer elk schijfje. Doe de reepjes prei, de blokjes ei, de stukjes ansjovis en de schijfjes maïs in een schaal. Snijd de peterselie klein en doe hem er ook bij. Meng de olie, de azijn, het zout en de tabasco door al de salade-ingrediënten. Laat het geheel 10 minuten toegedekt intrekken bij kamertemperatuur. Vul de stukken prei vervolgens met de salade.

Selderierolletjes

1 struik bleekselderie,
200 g verse roomkaas (Mon Chou),
3 eetl. koffieroom,
1 eetl. cognac,
1$^1/_2$ theel. mild paprikapoeder,
een mespunt witte peper,
een snufje selderiezout,
een mespunt gemberpoeder,
2 augurkjes,
4–8 piri-piri.

Haal vier mooie takken van de struik selderie af. Was ze, droog ze af en snijd er stukken van ongeveer 8 cm van. Roer de roomkaas, de room, de cognac, het paprikapoeder, de peper, het selderiezout en de gemberpoeder door elkaar. doe de kaascrème in een spuitzak met gekarteld spuitmondje en spuit hem in de vier stukken selderie. Snijd de augurkjes in plakjes en leg deze met de piri-piri op de kaascrème. Dek de selderierolletjes af met huishoudfolie en zet ze 15–20 minuten op een koele plaats.

Tip

U kunt deze selderierolletjes geven als voorgerecht, als hapje bij de borrel of na de avondmaaltijd bij een glaasje wijn. Als u ze als hapje geeft – dus zonder bestek – kunt u ze beter maar half zo lang maken.

Groente met een lekkere vulling

Gekruide garna-len in avocado

*2 avocado's,
1¹/₂ theel. citroensap,
3 eetl. mayonaise,
3 eetl. zure room,
1 eetl. citroensap,
2 eetl. whisky,
een mespunt zout,
een snufje witte peper,
1 bos gemengde kruiden: dille,
    dragon en pimpernel,
300–400 g garnalen,
een paar takjes dille.*

Was de avocado's, droog ze af
en snijd ze in de lengte door.
Haal de pit eruit en hol de halve
avocado's zo uit, dat er een dikke rand vruchtvlees in blijft zitten. Bestrijk de halve avocado's
met citroensap en zet ze koel
weg. Snijd het uitgeschepte

vruchtvlees in blokjes. Roer de
mayonaise, de zure room, het
citroensap, de whisky, het zout
en de peper door elkaar. Was de
kruiden, laat ze uitlekken en
snijd ze fijn. Roer de kruiden
door de mayonaise. Vermeng de
gesneden avocado en de garnalen met de saus. Vul de halve
avocado's met de gekruide garnalen. Garneer elke avocado
met een takje dille.

Gevulde aubergines

*2 even grote aubergines,
een mespunt zout,
1 sjalot,
2 eetl. olie,
250 g tartaar,
100 g gare rijst,
¹/₂ theel. van elk: zout,
witte peper en kerriepoeder,
een mespunt knoflookpoeder,
³/₄ theel. geraspte citroenschil,
1 eetl. sinaasappelsap,
1 eetl. gehakte pijnboompitten,
een paar verse blaadjes peper-
    munt.*

Was de aubergines, snijd ze in
de lengte door en hol ze uit.
Strooi wat zout in de aubergines. Schil de sjalot en hak hem
fijn met het auberginevlees.
Verwarm de oven voor op

200°C. Verhit de olie en smoor
er de sjalot en de aubergine in,
tot ze glazig zijn. Voeg de tartaar toe en laat hem zachtjes
meebakken, schep hem re-
gelmatig om. Vermeng de rijst
met het zout, de specerijen, de
knoflookpoeder, de citroenschil, het sinaasappelsap en de
kleingehakte pijnboompitten.
Doe deze rijst bij de tartaar en
laat hem 1 minuut meebakken.
Vul de aubergines met dit mengsel. Zet ze op een vuurvaste
schotel en laat ze 10 minuten in
de oven op de middelste richel
bakken. Laat de aubergines afkoelen en garneer ze voor het
serveren met de pepermuntblaadjes.

Groente met een lekkere vulling

Venkel met Roquefort-crème

2 venkelknollen,
¹/₄ l water,
een mespunt zout,
1 eetl. citroensap,
1 bos dille,
1 eetl. kappertjes,
2 tomaten,
50 g Roquefort (Franse schape-
*   kaas),*
150 g kwark (20 %),
3 eetl. koffieroom of slagroom,
een snufje van elk: zout, zwarte
*   peper en knoflookpoeder,*
een paar druppels azijn.

Maak de venkel schoon en bewaar de zachte blaadjes. Breng ¹/₄ l water aan de kook met het zout en het citroensap. Laat de venkelknollen hierin toegedekt 15 minuten zachtjes koken. Laat de venkel dan in een zeef uitlekken en afkoelen. Was de dille en de venkelblaadjes, dep ze droog en snijd ze fijn. Hak de kappertjes. Pel de tomaten, snijd ze door, haal de pitten eruit en snijd het vruchtvlees in blokjes. Verkruimel de Roquefort en doe hem met de kwark in een schaal. Roer het Roquefort-kwarkmengsel romig met de room, het zout, de peper, de knoflookpoeder, de azijn, de kleingehakte kappertjes, de dille en het venkelgroen. Snijd de venkelknollen in de lengte door en schep er het mengsel op. Garneer de kwark met de blokjes tomaat.

Gevulde artisjokbodems

8 artisjokbodems (uit blik),
200 g tonijn (uit blik),
2 hardgekookte eieren,
3 eetl. mayonaise,
een snufje zout, een snufje peper,
een paar druppels citroensap,
een mespunt cayennepeper,
¹/₂ kleine citroen,
een paar blaadjes kropsla,
100 g garnalen,
1 potje Deense kaviaar (50 g).

Laat de artisjokbodems en de tonijn goed uitlekken. Pel de eieren en snijd ze in blokjes. Prak de tonijn en de eieren met een vork fijn of pureer ze in de mixer. Voeg de mayonaise bij gedeelten toe. Maak het mengsel op smaak met het zout, de peper, het citroensap en de cayennepeper. Was de citroen, verdeel hem in dunne schijfjes en snijd deze doormidden. Was de slablaadjes, laat ze goed uitlekken en bekleed een schotel met de sla. Schik de artisjokbodems op de sla en vul ze met de tonijnmayonaise. Schik de garnalen op de tonijn. Garneer ze met een half schijfje citroen en de kaviaar.

Groente met een lekkere vulling

Tomaten Delicato

8 ronde tomaten,
een snufje zout,
een snufje witte peper,
1 perzik of 2 halve perziken (uit
*   blik),*
1 gebraden kippeborst,
100 g garnalen,
2 eetl. mayonaise,
1 eetl. zure room,
1 eetl. tomatenketchup,
een paar druppels worcester-
*   shiresaus,*
een snufje cayennepeper,
1¹/₂ theel. cognac.

Was de tomaten, droog ze en
snijd er aan de bovenkant een
derde deel als kapje af. Hol de
tomaten uit en bestrijk de binnenkant met zout en peper. Pel
de verse perzik, snijd hem doormidden, haal de pit eruit en
snijd de perzik in blokjes. Laat
de perzik uit blik uitlekken en
snijd hem in blokjes. Verdeel de
kippeborst ook in blokjes. Vermeng de perzik, de kip en de
garnalen in een schaal. Roer de
mayonaise, de zure room, de
ketchup, de worcestershiresaus,
de cayennepeper en de cognac
door elkaar. Schep deze saus
door de salade. Laat de salade
toegedekt 15 minuten bij kamertemperatuur intrekken. Vul
de tomaten met de salade en zet
het kapje er weer op.

Kaas-paprika
op tomaat

2 middelgrote groene paprika's,
een mespunt zout,
1 kleine ui,
4 tomaten,
een mespunt witte peper,
50 g zachte boter,
150 g verse roomkaas (Mon
*   Chou),*
ongeveer 3 eetl. zure room,
³/₄ theel. mild paprikapoeder.

Snijd de paprika's doormidden,
haal de zaadlijsten en de pitten
eruit. Was de paprikahelften
goed en dep ze droog. Snijd
twee helften in heel kleine dob-
belsteentjes. Bestrooi de beide
andere helften vanbinnen met
zout. Schil de ui en snijd hem
fijn. Was de tomaten, droog ze
en snijd ze in even dikke plakken. Leg de plakken tomaat
naast elkaar op een plank,
strooi er peper en een beetje
zout op en strooi er de gesneden
ui over. Roer de boter en de
roomkaas door elkaar en voeg
zoveel zure room toe, dat een
smeuïg mengsel ontstaat. Voeg
de blokjes paprika toe en maak
de kaascrème af met zout en peper. Vul de halve paprika's met
de kaascrème en zet ze tegen elkaar. Wikkel de gevulde paprika in huishoudfolie en leg hem
ongeveer 30 minuten op een
koele plaats. Snijd de paprikahelften met de crème in even
dikke plakken en leg deze op de
tomaat. Bestrooi de kaascrème
voor het serveren met paprikapoeder.

Groente met een lekkere vulling

Versierde komkommer

1 komkommer,
1 kop mirabellen (uit blik),
$^1/_2$ selderieknol,
1 grote rode appel,
200 g aspergepunten (uit blik)
   of vers gekookte aspergepunten,
1 kleine krop sla,
3 eetl. mayonaise,
3 eetl. yoghurt,
2 eierdooiers, 5 eetl. koffieroom,
$1^1/_2$ theel. citroensap,
1 eetl. abrikozengelei,
$^3/_4$ theel. zout.

Was en droog de komkommer, snijd er in de lengte een derde deel uit. Schraap de pitten eruit. Hol de komkommer uit en snijd het vruchtvlees in blokjes. Laat de mirabellen uitlekken, ontpit ze en snijd ze doormidden. Schil de selderieknol, was hem en snijd hem in blokjes. Was de appel, droog hem af, steek het klokhuis eruit en snijd de appel met schil in blokjes. Laat de aspergepunten uitlekken. Haal de lelijke bladen van de sla, maak grote bladen iets kleiner, was ze en laat ze goed uitlekken. Vermeng de stukjes komkommer, de mirabellen, de blokjes selderie, de blokjes appel en de aspergepunten. Roer de mayonaise, de yoghurt, de eierdooiers, de room, het citroensap, de abrikozengelei en het zout door elkaar. Vermeng de salade met deze dressing. Leg de slablaadjes in de uitgeholde komkommer. Schik de aangemaakte salade op de slablaadjes.

Vijgen met kerrieroom

8–12 verse vijgen,
2 dl slagroom,
5 theel. citroensap,
1 1/2 theel. kerriepoeder,
1/2 theel. zout,
3/4 theel. suiker.

Was de vijgen, droog ze af, schil ze heel dun en snijd ze in flinterdunne schijfjes. Schik de schijfjes dakpansgewijs op vier bordjes. Klop de slagroom stijf. Roer het citroensap met de kerriepoeder, het zout en de suiker door elkaar en klop het mengsel met de garde door de slagroom. Schenk de kerrieroom over de vijgen.

Tip

Vijgen met kerrieroom zijn een uitstekend voorgerecht, maar ze zijn ook erg lekker als dessert.

Guaves met kruidenkwark

2 guaves,
1 bos gemengde kruiden,
250 g roomkwark (40%),
1/2 theel. zout,
een snufje witte peper,
(eventueel) 1 eetl. melk.

Was de guaves, droog ze af en snijd ze doormidden. Schep met een theelepel alle pitten en de zaadlijst uit de vruchten. Was de kruiden, dep ze droog en houd een paar takjes als garnering achter. Hak de rest van de kruiden fijn. Roer de roomkwark, het zout, de peper en de fijngehakte kruiden door elkaar. Meng eventueel nog een eetlepel melk door de kwark: de kwark moet romig van consistentie zijn. Vul de halve guaves met de kruidenkwark. Garneer de kwark met toefjes achtergehouden kruiden.

Tip

Schep het vruchtvlees en de kruidenkwark met een lepeltje uit de schil. De schil wordt niet gegeten.

Pikante smulhapjes

Gevulde kaki's

4 kaki's,
3 theel. citroensap,
1¹/₂ theel. groene peperkorrels
*   (uit een pot),*
200 g verse roomkaas (Mon
*   Chou),*
een mespunt suiker,
een mespunt zout,
¹/₈ l slagroom,
1 citroen.

Was de kaki's vlug met koud
water en droog ze af. Snijd met
een scherp mes een kapje van de
kaki's. Schep er met een theele-
peltje het vruchtvlees uit en
snijd het in blokjes. Besprenkel
de uitgeholde vruchten en het
vruchtvlees met citroensap. Plet
de peperkorrels iets. Roer de
roomkaas smeuïg met de suiker,
het zout, de slagroom en de geplette peperkorrels. Schep de

blokjes kaki door het mengsel
en vul de kaki's hiermee. Was
de citroen met warm water,
droog hem en snijd uit het midden vier dunne schijfjes. Garneer elke gevulde kaki met een
schijfje citroen.

Lycheecocktail

280 g lychees uit blik of 400 g
*   verse lychees,*
350 g gaar kippevlees,
4 eetl. mayonaise,
3 eetl. lychee-sap of appelsap,
³/₄ theel. zout,
¹/₂ theel. witte peper,
3 eetl. slagroom,
geraspte schil van ¹/₂ sinaas-
*   appel,*
een paar blaadjes kropsla,
3 theel. citroensap,
¹/₂ theel. cayennepeper,
4 piri-piri.

Laat de lychees uit blik uitlekken, vang het nat op. Pel verse
lychees, snijd de vruchten doormidden en haal de pit eruit.
Snijd het kippevlees in blokjes
van 1–2 cm. Roer de mayonaise, het lychee- of appelsap, het
zout, de peper, de room en de si-

naasappelschil door elkaar.
Was de sla, laat hem goed uitlekken en bekleed er vier bordjes mee. Verdeel de lychees en de
kip over de vier bordjes en
schenk er de mayonaisesaus
over. Laat de cocktails toegedekt 30 minuten in de koelkast intrekken. Roer het citroensap en de cayennepeper
door elkaar en sprenkel dit voor
het serveren over de cocktails.
Garneer elke portie met een
piri-piri.

Pikante smulhapjes

Kipfilet met kiwi en sinaasappel-saus

4 gekookte kipfilets,
3 kiwi's,
1¹/₂ theel. boter,
1 eetl. suiker,
¹/₄ l vers geperst sinaasappelsap,
geraspte schil van ¹/₂ sinaasap-
pel,
1 eetl. cognac.

Snijd de gare kipfilet in dunne plakjes. Schik de plakjes kip dakpansgewijs op vier bordjes of op een grote schotel. Schil de kiwi's dun en verdeel ze in schijfjes; leg deze dakpansgewijs naast de kip. Smelt de boter in een kleine braadpan. Karamelliseer de suiker hierin onder voortdurend roeren. Voeg het sinaasappelsap in gedeelten toe; roer ook de sinaasappelschil door de saus. Laat de saus onder voortdurend roeren zolang zachtjes koken, tot hij stroperig wordt. Roer de cognac door de saus en laat hem afkoelen. Schenk een deel van de koude saus over de kip en de kiwi's. Geef de rest er apart bij.

Meloenschijven in ham

1 eetl. groene peperkorrels (uit
een pot),
1¹/₂ theel. citroensap,
een snufje zout,
4 eetl. mayonaise,
1 kleine ogenmeloen,
150 g dun gesneden parma-ham.

Plet de helft van de peperkorrels met een vork en roer ze met het citroensap en het zout door de mayonaise. Proef of de mayonaise goed van smaak is, doe hem dan in een schaaltje en strooi er de overgebleven peperkorrels over. Schil de meloen dun, snijd hem door en haal de pitten eruit. Verdeel de meloenhelften in gelijke partjes. Wikkel om elk partje losjes een plak parma-ham en leg dat op een schaal. Geef de pepermayonaise er apart bij.

Tip

Meloenschijven in ham is een heel bijzonder voorgerecht bij een feestelijke maaltijd. U kunt de meloen in ham met pepermayonaise ook als geraffineerd hapje geven in de late uurtjes.

Lekker en zoet

Papaja-ijs

2 papaja's,
$^1/_4$ l slagroom,
100 g suiker,
ruim een borrelglas citroen-
    likeur,
4 gepelde walnoten.

Schil de papaja's, snijd ze door
en haal de pitten eruit. Pureer
het vruchtvlees van 1 papaja,
snijd de andere in blokjes. Klop
de slagroom stijf en voeg tijdens
het kloppen de suiker in gedeelten toe. Vermeng de slagroom
daarna met het vruchtenmoes
en de blokjes papaja. Doe de
papajaroom in een ijslaatje en
laat hem in de diepvries of in het
diepvriesvak van de koelkast
bevriezen. Dompel het ijslaatje
voor het serveren even in heet
water, stort het ijs, snijd het in
blokjes en verdeel deze over vier

glazen. Schenk de citroenlikeur
over het ijs en garneer elke portie met 2 halve walnoten.

Limoenvla
of citroenvla

4–5 limoenen of citroenen,
3 blaadjes gelatine,
$^1/_{16}$ l melk,
3 eierdooiers,
150 g suiker,
$^3/_8$ l slagroom,
2 eetl. suiker,
1 klein borrelglas Grand Mar-
    nier (likeur),
4 marasquinkersen.

Pers de limoenen of citroenen
uit en meet $^1/_8$ l sap af. Zet het
sap toegedekt weg. Week de gelatine 10 minuten in koud water. Klop de melk met de eierdooiers en de suiker schuimig
met de mixer. Doe het mengsel
dan in een pan en klop het met
de garde au bain-marie, tot het
gebonden is. Haal de eiervla uit

het waterbad. Knijp de gelatine
goed uit en los hem op in de nog
hete vla. Laat de vla afkoelen.
Klop de slagroom stijf, voeg tijdens het kloppen de suiker in
gedeelten toe. Schep de slagroom door de afgekoelde, geleiige vla. Vermeng het limoen-
of citroensap met de Grand
Marnier en schep het ook door
de vla. Vul vier glazen met de
limoenvla en laat ze in ongeveer
1 uur in de koelkast stevig worden. Garneer elke portie vla
voor het serveren met een kers.

Roomvla
met schopappel

4 schopappels,
1 klein borrelglas sinaasappel-
likeur,
2 limoenen of citroenen,
2 eierdooiers,
100 g suiker,
geraspte schil van 1 citroen,
$^1/_8$ l slagroom.

Schil de schopappels dun en
snijd ze door. Haal er met een
puntig mes de pitten uit en snijd
het vruchtvlees in blokjes. Besprenkel ze met de sinaasappellikeur. Was de limoenen of citroenen met heet water, droog
ze en snijd uit het middenstuk
vier dunne schijfjes. Pers de rest
van de limoen of citroen en klop
het sap met de eierdooiers, de
suiker en de citroenschil tot de

suiker helemaal is opgelost.
Klop de slagroom stijf. Schep
de slagroom door de schuimige
eierdooiers. Vul vier schaaltjes
met afwisselend roomvla en
stukjes schopappel. Garneer elk
schaaltje met een schijfje citroen.

Vruchtensalade
met woestijnvijgen

2 woestijnvijgen,
$^1/_2$ rode zure appel,
$^1/_2$ peer,
$^1/_2$ banaan,
1 eetl. suiker,
1 klein borrelglas calvados (ap-
peljenever),
$^1/_8$ l slagroom,
2 eetl. croquantstrooisel.

Pel de woestijnvijgen, snijd de
vruchten in de lengte door en
verdeel de halve vruchten in
even dunne schijfjes. Was de appel, droog hem, snijd hem in
vieren, haal het klokhuis eruit
en verdeel de appel in schijfjes.
Schil de peer en pel de banaan.
Snijd de halve peer in vieren,
haal het klokhuis eruit en snijd
de peer en de banaan in schijf-

jes. Vermeng al dit fruit losjes in
een schaal, strooi er de suiker
over. Sprenkel de calvados over
de vruchtensalade en laat hem
toegedekt 15 minuten intrekken. Klop de slagroom stijf en
schep hem voor het serveren op
de vruchtensalade. Garneer de
slagroom met het croquantstrooisel.

Oesters en mosselen

Klassieke oestermaaltijd

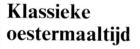

Per persoon:
12–16 oesters,
2–3 partjes citroen.

Borstel de oesters af onder koud stromend water en droog ze. Pak de oesters een voor een met een vochtige doek op, leg ze met de gewelfde kant naar beneden op de handpalm en open ze met een oestermes of een ander stevig mes aan de smalle kant bij het 'scharnier'. Zorg ervoor dat het restje zeewater dat in de oester zit er bij het openen niet uit loopt; dit maakt namelijk ook dat de oester pittig smaakt. Snijd met een mes de schelpen langs de sluitspier van elkaar los. Zet de gevulde oesterhelft op een schaal. Als u geen echte oesterschaal heeft met holle ruimtes erin, strooi dan een laag zout van 1 cm dik op een grote schotel en zet de oesters daarin; ze kunnen dan niet omvallen en er kan geen druppel van het bijzondere vocht verloren gaan. Oesters worden uit de schelp opgeslurpt! Maak eventueel de spier aan de kant van het 'scharnier' of slot met een oestervork of met het topje van de pink los. Besprenkel de oesters van tevoren naar keuze met een beetje citroensap of strooi er wat versgemalen peper over. Geef er vers brood bij en een droge witte wijn.

Mosselsalade met saffraansaus

1 ui,
1 kleine prei,
$^1/_4$ l witte wijn,
$^1/_4$ l water,
$1^1/_2$ kg verse blauwe mosselen,
1 sjalot,
2 eetl. olijfolie,
3 mespunten saffraanpoeder,
3 eetl. zure room,
1 tak bleekselderie,
2 harten van kropsla,
1 eetl. citroensap,
een paar blaadjes dragon.

Schil de ui en snijd hem fijn. Maak de prei schoon, was hem en snijd hem klein. Breng de groente aan de kook in de witte wijn en $^1/_4$ l water. Borstel de mosselen schoon onder koud stromend water, haal de 'baard' eraf en laat de mosselen 10 minuten koken op een hoog vuur in een gesloten pan. De mosselen zijn gaar als alle schelpen open zijn gegaan. Haal de mosselen uit het kookvocht; laat ze uitlekken en afkoelen. Haal de mosselen vervolgens uit de schelp. Meet $^1/_4$ l van het kookvocht af. Schil de sjalot, snijd hem klein en fruit hem in de olie tot hij goudgeel is. Voeg de saffraanpoeder, de zure room en het mosselkooknat toe. Laat de saus 1 minuut zachtjes koken, schep de mosselen erdoor en laat ze afkoelen. Snijd de selderie in dunne schijfjes. Leg een half slahart op vier bordjes, sprenkel er citroensap over. Schik de mosselsalade om de slahartjes heen. Garneer de salade met bleekselderie en een blaadje dragon.

117

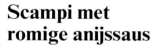

Scampi met romige anijssaus

een pak diepvriesscampi,
$^1/_2$ l water,
$1^1/_2$ theel. anijszaad,
$^1/_2$ theel. zout,
1 klein borrelglas anijslikeur,
6 eetl. vleesbouillon,
3 eetl. wijnazijn,
2 eierdooiers,
125 g boter,
een snufje geplet anijszaad,
een snufje zout,
$1^1/_2$ theel. roze peperkorrels.

Laat de diepvriesscampi toegedekt ontdooien. Breng $^1/_2$ l water aan de kook met het anijszaad en het zout. Leg de diepvriesscampi in het kokende vocht, neem de pan van het vuur en laat ze 5 minuten zo staan. Laat de scampi in een zeef uitlekken en afkoelen. Kook de anijslikeur met de vleesbouillon en de azijn in tot 2 eetlepels. Klop dat vervolgens door de eierdooiers. Roer de boter beetje bij beetje op een heel laag vuur door de eierdooiers tot een dikke saus ontstaat. Roer er het geplette anijszaad door. Maak de saus op smaak met zout en strooi er de peperkorrels over. Hak ijsblokjes tot gruis en schik de scampi erop. Geef de anijssaus apart erbij.

Gemarineerde grote garnalen met tongfilet

4 zeetongen (om te bakken),
1–2 eetl. bloem,
1 eetl. olie,
$^1/_2$ theel. zout,
1 eetl. krenten,
2 uien,
4 eetl. olijfolie,
$^1/_4$ l witte-wijnazijn,
1 laurierblad,
$^1/_2$ theel. witte peper,
$^1/_2$ theel. zout,
30 g pijnboompitten,
8 gekookte grote garnalen.

Was de tongfilets, droog ze af en wentel ze door de bloem. Verhit de olie en bak de filets aan beide kanten goudbruin. Laat de filets op keukenpapier uitlekken en zout ze. Week de krenten in lauw water. Schil de uien en snijd ze in ringen. Verhit de olijfolie. Fruit er de uieringen in, tot ze goudgeel zijn. Voeg de azijn, het laurierblad, de peper en het zout toe. Laat alles 2 minuten zachtjes koken. Laat de krenten uitlekken. Leg de tongfilets, de pijnboompitten, de krenten en de garnalen bij elkaar in een schaal. Schenk er de iets afgekoelde marinade overheen. Laat het geheel 5–6 uur in de koelkast intrekken. Schik de garnalen en de zeetongfilets op een schotel en schenk er een beetje van de marinade over.

Mousse van snoek met garnalen

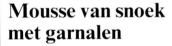

3 blaadjes gelatine,
150 g gestoofde snoek,
1 dl blanke saus,
een snufje zout,
een snufje witte peper,
5 eetl. vleesbouillon,
1/8 l slagroom,
1/4 l witte-wijngelei (recept blz. 224),
200 g garnalen,
een paar blaadjes kropsla,
een paar takjes dille.

Week de gelatine in koud water. Pureer de snoek met de blanke saus in de mixer, druk hem dan door een fijne zeef en maak hem op smaak met het zout en de peper. Verhit de vleesbouillon. Knijp de gelatine goed uit en roer hem door de bouillon tot hij is opgelost. Klop de slagroom stijf. Roer 2 eetlepels slagroom door de gelei. Schep de rest van de slagroom met de snoekpuree door de gelei. Schenk een dunne laag wijngelei in vier vormpjes, laat hem opstijven. Vul de vormpjes met de mousse en laat ze in de koelkast helemaal stevig worden. Spoel de garnalen af met koud water en laat ze uitlekken. Was de blaadjes sla, dep ze droog. Bekleed vier bordjes met de slablaadjes. Stort de mousse erop. Schik de garnalen op de mousse. Schenk er de overgebleven wijngelei over. Laat de gelei weer stevig worden in de koelkast. Was de dille, laat hem uitlekken. Garneer de mousse voor het serveren met dille.

Garnalen-mango-cocktail

2 mango's,
1 rode paprika,
2 eetl. mayonaise,
4 eetl. koffieroom of slagroom,
1 1/2 theel. suiker,
1 1/2 theel. citroensap,
1 1/2 theel. groene peperkorrels (uit een pot),
1 eetl. verse geraspte mieriks-wortel,
100 g gepelde garnalen (eventueel uit blik),
een paar blaadjes pepermunt.

Was de mango's, droog ze af en snijd ze in de lengte door. Haal de pit eruit, hol de halve vruchten uit tot een halve centimeter van de rand en snijd het vruchtvlees in blokjes. Was de paprika, droog hem en rooster hem tot het vel barst. Pel de paprika. Snijd hem door, haal de zaadlijst en de pitten eruit en verdeel hem in smalle reepjes. Vermeng de mayonaise, de blokjes mango, de room, de suiker, het citroensap, de groene peper, de geraspte mierikswortel en de garnalen. Vul de halve mango's met de cocktail. Schik er de paprikareepjes op en garneer ze met de pepermuntblaadjes.

Gemarineerde scholfilets

$^1/_2$ l droge witte wijn,
$^1/_8$ l citroensap,
$1^1/_2$ theel. zout,
$1^1/_2$ theel. groene peperkorrels
  (uit een pot),
3 salieblaadjes,
3 laurierblaadjes,
750 g scholfilets.

Breng de witte wijn even aan de kook met het citroensap, het zout, de peperkorrels, de salieblaadjes en de laurierblaadjes en laat hem weer afkoelen. Spoel de scholfilets af met koud water, dep ze droog en snijd ze in de lengte door. Leg ze in een schaal en bedek ze met de afgekoelde wijn. Marineer de scholfilets toegedekt 3 dagen in de koelkast. Haal de filets 2 uur voor u

ze opdient uit de koelkast. Haal ze uit de marinade, laat ze uitlekken en schik ze op een schotel. Leg iets van de kruiderij uit de marinade op de vis. Geef bij deze visfilets mierikswortelroom (blz. 184) en vers geroosterd wittebrood.

Tip
U kunt volgens dit recept ook zeetongfilets marineren. Denk er wel om dat u alleen verse vis – dus geen diepvriesvis – kunt marineren.

Forelfilet met tomatensaus

4 middelgrote verse forellen,
$^3/_4$ theel. zout,
sap van 2 citroenen,
$^1/_2$ kop rode-wijnazijn,
$1^1/_2$ theel. witte peper,
2 sjalotten,
4 tomaten,
1 teen knoflook,
$1^1/_2$ theel. olie,
$^3/_4$ theel. gedroogd basilicum,
1 eetl. tomatenpuree,
$^1/_8$ l rode wijn,
een snufje zout, een snufje suiker.

Was de forellen. Droog en fileer ze. Snijd de forelfilets met een scherp mes in flinterdunne plakjes. Schik ze op een schotel, strooi er zout over, sprenkel er citroensap en azijn over en bestrooi ze met peper. Marineer

de forel 1 uur toegedekt in de koelkast. Pel de sjalotten en snijd ze klein. Snijd de tomaten aan de onderkant kruisgewijs in, dompel ze even in kokend water en pel ze. Snijd de tomaten door, haal de pitten eruit en verdeel het vruchtvlees in blokjes. Pel de knoflook, hak hem grof en plet hem dan. Verhit de olie, fruit er de sjalotten in en voeg de blokjes tomaat, de knoflook, het basilicum, de tomatenpuree en de rode wijn toe. Laat dat onder voortdurend roeren 1 minuut zachtjes koken. Maak de saus op smaak met het zout en de suiker en laat hem afkoelen. Geef de tomatensaus apart bij de forel.

Gesneden zalm met groentesalade

$^1/_4$ l water,
$^1/_8$ l witte wijn,
1 eetl. azijn,
$1^1/_2$ theel. zout,
2 witte peperkorrels,
200 g visresten,
500 g gefileerde zalm,
wat boter,
$^1/_4$ l visgelei (recept blz. 223),
500 g gemengde groente: dop-
    erwten, worteltjes en selderie,
wat zout,
tomaten,
$1^1/_2$ eetl. mayonaise,
2 eetl. zure room,
$1^1/_2$ theel. citroensap,
een snufje van elk: zout, witte pe-
    per en suiker,
een paar blaadjes kropsla.

Breng $^1/_4$ l water aan de kook
met de wijn, de azijn, het zout,
de peperkorrels en de visresten
en laat het 15 minuten zachtjes
koken. Zeef de visbouillon. Verwarm de oven voor op 210°C.
Wikkel de gefileerde zalm in een
beboterd stuk aluminiumfolie,
sluit de randen goed. Leg het
pakje in de braadslee, schenk de
visbouillon erover en laat de vis
15 minuten stoven in de oven.
Laat de vis in de folie afkoelen,
pak hem uit en laat hem in de
koelkast helemaal koud worden. Schenk een laag visgelei op
een platte schotel, laat hem opstijven. Snijd de zalm in dunne
plakjes, schik ze op de gelei.
Was de erwten, de worteltjes en
de selderie, snijd ze in blokjes.
Stoof ze 7 minuten in een beetje
water met zout. Pel de tomaten,
haal de pitten eruit en snijd het
vruchtvlees in blokjes. Laat
deze 5 minuten meestoven. Laat
de groente uitlekken en afkoelen. Vermeng de mayonaise met
de zure room, het citroensap,
het zout, de peper en de suiker.
Schep de saus door de groente.
Leg de salade op wat blaadjes
sla naast de zalm. Garneer de
schotel met gevulde eieren (recept blz. 103).

Kreeft en langoest

Scandinavische kreeftmaaltijd

5 l water,
2 eetl. zout,
5 eetl. dillezaad,
10 zaadschermen van dille,
4 bossen dille,
40 levende rivierkreeften.

Breng in een heel grote pan 5 l water aan de kook met het zout, het dillezaad, 3 zaadschermen en 2 bossen dille en laat het 10 minuten flink koken. Borstel de kreeften schoon onder koud stromend water en laat steeds 6 kreeften tegelijk met de kop naar voren in het kokende water glijden. De kreeften nemen in het kokende water langzaam de zo typerende kleur aan. Het water moet steeds flink koken voor u weer opnieuw 5–6 kreef-

ten in de pan doet. Neem de pan van het vuur als alle kreeften in het kokende water rood zijn gekleurd en laat de kreeften nog 7 minuten in het water staan. Was de overgebleven dille en laat hem uitlekken. Bekleed een grote schotel met de dille, schik de kreeftjes stervormig op de dille en schenk er zoveel kookvocht over dat ze bedekt zijn. Marineer de kreeft toegedekt 12 uur in de koelkast. Schenk het vocht dan af. Serveer de kreeften op de overgebleven zaadschermen van dille en geef er boter, geroosterd wittebrood en ijskoude aquaviet bij.

Kreefttaartjes

4 eetl. mayonaise,
2 eetl. koffieroom,
een paar druppels citroensap,
een snufje zout, een snufje suiker,
4 bakjes van hartig zandtaart-
    deeg (kant en klaar te koop),
vlees van 2 gekookte, middelgro-
    te kreeftestaarten,
$^1/_8$ l witte-wijngelei (recept
    blz. 224),
4 blaadjes kropsla,
4 theel. Beluga-kaviaar,
een paar takjes dille.

Roer de mayonaise, de room, het citroensap, het zout en de suiker door elkaar. Vul de bakjes met de mayonaise. Snijd het kreeftevlees in schijfjes en schik deze op de mayonaise. Schenk een laagje gelei over de kreeft. Laat de gelei in de koelkast opstijven. Was de blaadjes sla, laat

ze goed uitlekken, leg ze op vier bordjes. Zet de deegbakjes op de slablaadjes. Leg op elk taartje 1 theelepel kaviaar. Was de dille en laat hem goed uitlekken. Garneer de taartjes met dille.

Tip

U kunt de deegbakjes ook zelf bakken (recept blz. 220). U bakt 8–10 bakjes van de aangegeven hoeveelheid deeg. Bewaar de bakjes die u niet direct nodig heeft, 4–10 weken in een metalen trommel.

Langoest met truffel

2 gekookte langoesten
(van 600 g elk),
25 g truffel (uit blik),
$^1/_8$ l visgelei (recept blz. 223),
5 eetl. citroensap,
$^3/_4$ theel. zout,
een snufje witte peper,
2 dl slagroom,
1 eetl. groene peperkorrels (uit
een pot),
5 kleine tomaten,
$^1/_2$ tube mayonaise,
een paar takjes dille.

Snijd met een scherp mes het pantser van de langoest aan de borst en rugkant open van de kop naar de staart. Haal het vlees uit het pantser en snijd het in 9–10 even dikke plakken. Leg op elk plakje langoestvlees een schijfje truffel. Schenk een laagje visgelei op een schotel ter grootte van de langoest en laat dit opstijven. Zet 1 langoestkarkas op de schotel, leg er de plakjes langoest met truffel op. Roer het citroensap, het zout en de peper door elkaar. Voeg de slagroom langzaam toe en blijf roeren tot het een romig mengsel is. Plet de peperkorrels en roer ze door de citroenroom. Geef de saus apart bij de langoest. Was en droog de tomaten, snijd er een kapje af. Hol de tomaten uit en vul ze met de restjes langoest en de lever van de langoest. Spuit een hoedje van mayonaise op de tomaten en garneer ze met stukjes truffel en een takje dille.

Kaviaar

Smulmaaltijd van kaviaar

Kaviaar – een heel bijzondere delicatesse – wordt vaak gebruikt als garnering van koude gerechten. Afhankelijk van de 'bijzonderheidsgraad' van het te garneren gerecht gebruikt men Deense kaviaar, die heel voordelig is (op de foto achteraan), rode keta-kaviaar (midden links op de foto) of gele forelkaviaar (midden rechts op de foto). De duurste en lekkerste kaviaar is de Beluga-kaviaar (vooraan op de foto); deze wordt voornamelijk gegeven als een bijzonder voorgerecht of hapje.
U kunt echter ook met minder dure soorten een kaviaarmaaltijd samenstellen.

Reken voor de maaltijd 50–100 g kaviaar per persoon.

Serveer de kaviaar in de originele verpakking, die u op kleingehakt ijs zet, of doe de kaviaar over in een schaaltje, dat ook op ijs wordt gezet.
Gebruik voor het overscheppen van de kaviaar liefst een hoornen of kunststof lepel, omdat kaviaar nooit met metaal in aanraking mag komen. Geef bij de kaviaar partjes citroen, geroosterd wittebrood en boter. Drink er een Sekt (liefst een Krim-Sekt), ijskoude wodka of een droge witte wijn bij.

Tip

Als de verpakking eenmaal open is, blijft de kaviaar nog 8–14 dagen goed. Bewaar het potje niet bij een temperatuur die lager is dan + 2–4 °C.

Vis, licht gerookt

Forellentoost met asperges

4 sneetjes casinobrood,
4 vers gerookte forelfilets,
24 vers gekookte asperges of 24 aspergepunten (uit blik),
3 eetl. vinaigrettesaus (recept blz. 149),
1/8 l wijngelei (recept blz. 224),
1 citroen,
8 blaadjes citroenmelisse.

Rooster het brood goudgeel en snijd het door. Haal eventuele restjes vel met een scherp mes van de forelfilets en snijd ze door. Leg op elk stukje brood een halve forelfilet. Laat de asperges uitlekken en snijd ze door. Gebruik de onderste stukjes voor een ander gerecht. Schenk de vinaigrettesaus over de punten van de asperges en

marineer ze toegedekt 15 minuten. Laat de asperges dan uitlekken en leg steeds 3 asperges op een broodje met forel. Schenk wat wijngelei over de asperges en laat deze opstijven. Was de citroen met heet water, snijd drie schijfjes uit het middenstuk. Bewaar de citroen voor een ander gerecht. Snijd elk schijfje citroen in 5–6 partjes. Leg telkens twee partjes op elk broodje. Garneer elk broodje met 1 blaadje citroenmelisse.

Mousse van gerookte vis

10 blaadjes gelatine,
150 g gerookte zalm,
200 g blanke saus,
2 snufjes zout, 2 snufjes peper,
10 eetl. bouillon,
2 dl slagroom,
150 g gerookte forelfilet,
1/2 l visgelei (recept blz. 223),
60 g kaviaar.

Week 5 blaadjes gelatine in koud water. Snijd de zalm in stukjes en pureer deze met de helft van de blanke saus in de mixer. Druk de puree door een zeef, maak hem op smaak met zout en peper. Verhit 5 eetlepels bouillon. Knijp de gelatine uit, los hem op in de hete bouillon, laat hem afkoelen en schep hem door de zalmpuree. Klop de

slagroom stijf, schep de helft door de zalm. Verwerk de forelfilets op dezelfde manier met de andere helft van de blanke saus en de rest van het zout, de peper, de gelatine, de bouillon en de slagroom. Schenk een dunne laag visgelei in een vorm met een inhoud van 1 l, laat hem opstijven. Vul de vorm met de zalm-mousse. Trek in het midden een gleuf, doe daar de helft van de kaviaar in en laat de zalm even opstijven. Vul de vorm vervolgens helemaal met de forel-mousse en laat deze ook stevig worden. Schenk de overgebleven visgelei over de mousse. Laat hem in de koelkast helemaal stevig worden. Stort de mousse, snijd hem in plakken en garneer hem met de rest van de kaviaar.

Feestelijke forellenschotel

8 vers gerookte forelfilets,
$^1/_4$ l witte-wijngelei (recept
blz. 224),
$^1/_4$ l slagroom,
een snufje zout,
1 eetl. vers geraspte mierikswor-
tel of 1$^1/_2$ eetl. uit een pot,
1 pot aspergepunten (200 g),
4 dunne plakjes gerookte zalm,
4 hardgekookte eieren,
1 potje Deense kaviaar,
2 citroenen,
$^1/_2$ komkommer,
een paar blaadjes kropsla,
100 g boter,
8 sneetjes casinobrood,
$^1/_2$ bos dille.

Leg de forelfilets dakpansgewijs in halfronde vorm op een grote schotel. Schenk de witte-wijn-gelei erover en laat hem opstij-ven. Klop de slagroom stijf met het zout. Schep de mierikswor-tel door de slagroom. Schep de mierikswortelroom in een glas of een schaaltje en zet dit op de schotel. Laat de asperges uitlek-ken. Rol een bosje asperges in elk plakje zalm. Pel de eieren en snijd ze met de eiersnijder. Leg op elke forelfilet een plakje ei. Garneer het ei met de kaviaar. Was de citroenen met heet wa-ter, droog ze af en snijd uit het midden van elke citroen vier dunne schijfjes. Gebruik de overgebleven citroen voor iets anders. Snijd de schijfjes citroen aan één kant in tot op het mid-den, vorm er rozetten van en zet deze tussen de forelfilets. Was en droog de komkommer, snijd hem in gelijke dunne plakjes en schik deze dakpansgewijs in halfronde vorm op de schotel. Leg de zalmrolletjes erbij. Was de slablaadjes, laat ze goed uit-lekken en leg ze op de schotel. Maak boterrolletjes met de bo-terkruller en schik deze op de slablaadjes. Rooster het brood, snijd het schuin door en leg dat ook op de schotel. Was de dille, laat hem uitlekken en garneer de schotel ermee.

> ### Tip
> Als u deze schotel wilt maken in het aspergesei-zoen, gebruikt u vanzelf-sprekend verse asperges voor de zalmrolletjes. Van de onderste stukjes van de verse asperges kunt u een salade maken en van het kookvocht een soep met de overge-bleven stukjes asperge als vulling.

Vis, licht gerookt

Schotel van gerookte vis met pikante salades

100 g van elk: gerookte paling en gerookte zeepaling,
200 g gerookte zalm,
1 gerookte makreel,
2 gerookte forelfilets,
een paar takjes dille,
een paar takjes peterselie,
1 citroen, 1 tomaat.

Snijd de vis in mooie stukjes en schik deze op een grote schotel. Was de kruiden, de citroen en de tomaat en dep ze droog. Garneer de stukjes vis met de kruiden. Snijd de citroen en de tomaat in schijfjes en schik deze ook op de schotel. Leg gevulde eieren (blz. 102–103) in de schaal. Geef bij deze schotel mierikswortelroom (recept blz. 126) en de volgende specialiteiten:

Zoetzure sardines

40 sardines,
1 schijf ananas, 1 kleine ui,
1 grote tomaat, 1 ogenmeloen,
1 eetl. citroensap, 2 eetl. olie,
een snufje zout, een snufje peper,
een mespunt mosterd.

Snijd de sardientjes en de ananas in stukjes en de ui in ringen. Pel de tomaat en snijd hem in blokjes. Snijd de meloen doormidden, steek het vruchtvlees er met een aardappelboor uit. Vermeng al deze ingrediënten met het citroensap, de olie, het zout, de peper en de mosterd en doe ze op in een halve meloen.

Haring met pepperroom

200 g gefileerde haring,
¹/₂ rode paprika,
een paar blaadjes kropsla,
2 eetl. zure room
een snufje zout,
een snufje witte peper,
een paar druppels worcester-
shiresaus,
een paar druppels citroensap,
1¹/₂ theel. groene peperkorrels
(uit een pot).

Snijd de haring in stukken. Snijd de paprika in reepjes. Was de slablaadjes en laat ze uitlekken. Roer de zure room, het zout, de peper, de worcester-shiresaus, het citroensap en de peperkorrels door elkaar. Schep er de stukjes haring en de paprikareepjes door. Leg de slablaadjes op de schotel en leg de salade hierop.

Bonensalade

150 g sperziebonen (uit blik),
200 g gekookte mosselen (even-
tueel uit blik of uit een pot),
100 g garnalen,
1 eetl. wijnazijn, 2 eetl. olie,
een snufje zout,
een snufje witte peper,
1¹/₂ theel. kleingesneden bies-
look.

Laat de bonen uitlekken, snijd ze in stukjes. Laat de mosselen uitlekken. Vermeng de sperziebonen, de mosselen en de garnalen. Roer de azijn, de olie, het zout en de peper door elkaar en schep de saus door de salade. Dien de salade op in de tweede meloenhelft. Bestrooi de salade met bieslook.

Bijzondere haringgerechten

Gekruide harin-gen met paprika

12 nieuwe, gefileerde haringen,
1 rode, 1 groene en 1 gele
*   paprika,*
4 sjalotten of 2 kleine uien,
¹/₂ kop wijnazijn,
2 takjes tijm,
1 salieblad,
5 takjes pimpernel,
8 eetl. olie,
sap van 1 citroen.

Leg heel erg zoute haringen 1–2 uur in koud water; ververs dit regelmatig. Spoel milde harin-gen af met koud water en dep ze droog. Snijd de haringen in niet te smalle reepjes. Snijd de papri-ka's in dunne ringen. Schil de sjalotten of uien en snijd ze fijn. Kook de azijn met de ui 2 minu-ten zachtjes op een laag vuur en laat hem afkoelen. Vermeng de reepjes haring met de paprika-ringen en schenk er de azijnma-rinade over.

Was de kruiden, dep ze droog, snijd ze fijn en doe ze bij de ha-ring. Roer de olie en het citroen-sap door elkaar en voeg dat ook toe. Vermeng alles goed. Laat de salade 2 uur toegedekt in de koelkast intrekken.

Haring met dillemayonaise

8 gefileerde haringen,
1 ei,
2 eetl. middelscherpe mosterd,
1¹/₂ theel. wijnazijn,
een flinke snuf zout,
een flinke snuf witte peper,
¹/₈ l olie,
4 eetl. koffieroom,
150 g augurk (in mosterd in-
*   gelegd),*
1 bos dille.

Leg de zoute haringen 12 uur in koud water. Laat de haring dan uitlekken en snijd hem in niet te smalle reepjes. Leg de haring-reepjes in een glazen of aarde-werk pot. Roer het ei, de mos-terd, de wijnazijn, het zout en de peper door elkaar. Voeg onder voortdurend roeren de olie druppelsgewijs toe. Roer de room door de saus. Snijd de au-gurken in blokjes. Was de dille en laat hem uitlekken. Houd 1 takje achter en snijd de rest fijn. Roer de augurk en de gesneden dille door de toebereide mayo-naise. Schenk de dillemayonaise over de haring en schep deze er door. Laat de haring toegedekt 1–2 uur in de koelkast intrek-ken. Garneer de haring voor het serveren met het takje dille.

Bijzondere haringgerechten

Haring in rode wijn

8 gefileerde haringen,
2 grote rode uien,
$^1/_4$ l rode wijn,
$^1/_8$ l wijnazijn,
200 g suiker,
4 zwarte peperkorrels,
1 pijpje kaneel,
3 kruidnagels.

Was de haring met koud water, laat ze 12 uur in water liggen. Snijd de haringen dan in de lengte en ook dwars een keer door en doe ze in een aardewerk schaal. Schil de rode uien, snijd ze in dunne ringen. Breng de rode wijn aan de kook met de azijn, de uieringen, de suiker, de peperkorrels, de kaneel en de kruidnagels. Laat dat op een laag vuur 5 minuten trekken en laat het afkoelen.
Schenk de afgekoelde marinade over de haring. Laat het 3 dagen toegedekt in de koelkast intrekken.

Tip
Deze haring in rode wijn blijft wel 14 dagen goed als u hem in de koelkast in een glazen pot met schroefdeksel bewaart. Het is dan wel gemakkelijk de dubbele hoeveelheid te maken en de haring in die periode twee keer te serveren.

Haringpot van de huisvrouw

4 middelgrote uien,
$^1/_8$ l wijnazijn,
2 eetl. suiker,
$1^1/_2$ theel. zwarte peperkorrels,
8 schoongemaakte zoute haringen,
2 hardgekookte eieren.

Schil de uien en snijd ze in grote blokken.
Vermeng de azijn met de suiker, de peperkorrels en de ui.
Snijd de vinnen, staarten en koppen van de haringen en haal de graten eruit. Verdeel ze in gelijke stukjes. Doe deze in een aardewerk pot en schenk er de marinade over. Laat de stukjes haring 4 dagen toegedekt in de koelkast intrekken.
Pel de eieren, snijd ze in achten.

Garneer de haringpot voor het serveren met de partjes ei.

Tip
Deze haring is 14 dagen houdbaar als u hem in een goed gesloten glazen pot in de koelkast bewaart. Het is dan wel de moeite de dubbele hoeveelheid klaar te maken. Vermeng ter afwisseling eens een portie haring met 1 appel in blokjes en zure room.

129

Haringrolletjes van de tuinmansvrouw

1 schijf ananas (uit blik),
2 worteltjes,
1 appel,
sap van 1 kleine citroen,
³/₄ theel. suiker,
2 kleine tomaten,
1 bos bieslook,
4 eetl. mayonaise,
2 eetl. tomatenketchup,
1 eetl. koffieroom,
een flinke snuf van elk: zout,
*   zwarte peper en mild paprika-*
*   poeder,*
8 gefileerde haringen.

Snijd de ananas klein. Schrap
de wortelen en was ze. Schil de
appel, rasp de wortelen en de
appel op de rauwkostrasp en
doe ze in een schaal. Roer het
citroensap en de suiker door elkaar. Schep de stukjes ananas
en het citroensap door de appel-
wortelsla. Snijd de tomaten
kruisgewijs in, schenk er kokend water over en pel ze. Snijd
de tomaten door, haal de pitten
eruit en verdeel het vruchtvlees
in blokjes. Was het bieslook,
laat het uitlekken en snijd het
fijn. Vermeng de mayonaise met
de tomatenketchup, de room,
het zout, de peper, het paprikapoeder en het bieslook. Schep
de blokjes tomaat door de saus.
Leg de appel-wortelsla op een
schotel. Rol de gefileerde haringen op, zet de rolletjes op de sla
en vul ze met de mayonaise.

Haringtartaar

8 gefileerde haringen,
1 grote ui,
2 eetl. kappertjes,
3 theel. kummel,
3 theel. grofgemalen witte peper,
1 eetl. mild paprikapoeder,
2 eetl. fijngehakte peterselie,
4 eierdooiers.

Leg erg zoute haringen een paar
uur in koud water; ververs het
water regelmatig. Laat de haringen dan op keukenpapier uitlekken, hak ze grof en verdeel ze
over vier bordjes. Druk in elke
portie haring een kuiltje. Schil de
ui en snijd hem fijn. Leg op elk
bordje om de haring heen een
portie ui, kappertjes, kummel,
peper, paprikapoeder en peterselie. Leg de eierdooiers in het
kuiltje in het midden. Ieder
mengt zijn eigen portie haring-
tartaar aan tafel naar eigen
smaak met de verschillende ingrediënten.
Lekker hierbij zijn: boerenbruin
met boter en bier of ijskoude jenever.

Bijzondere haringgerechten

Haringschotel met zoetzure groente

4 zure haringen,
2 eetl. kappertjes,
6 eetl. wijnazijn,
3 eetl. olie,
1$^1/_2$ theel. suiker,
4 hardgekookte eieren,
100 g Deense kaviaar,
2 kleine rode bieten (gekookt),
4 eetl. zilveruitjes (uit een pot),
100 g zoetzure kalebas (in blokjes; uit een pot).

Snijd de haringen langs de graat
door, zodat acht filets ontstaan.
Haal de graat eruit. Plet de kappertjes iets met een vork. Vermeng ze met de azijn, de olie en
de suiker. Leg de haringfilets in
de marinade en laat ze 2 uur
toegedekt in de koelkast intrekken. Pel de eieren, snijd ze in de
lengte door en leg op elk half ei
een theelepel kaviaar. Pel de
rode biet en snijd hem in blokjes. Laat de zilveruitjes en de kalebas uitlekken. Vermeng alle
groenten in een schaal. Haal de
haring uit de marinade en schik
hem met de eieren op een schotel. Schik de groenten erom-
heen.

Haringrolletjes met maïssalade

$^1/_2$ kleine bloemkool,
wat zout,
200 g diepvrieserwtjes,
240 g maïs (uit blik),
2 kleine uien,
$^3/_4$ theel. zout,
een snufje zwarte peper,
2 eetl. wijnazijn,
4 eetl. olie,
4 zure haringen,
2 gare wortelen,
2 kleine zoetzure augurken,
2 halve rode paprika's (uit een
   pot).

Verdeel de bloemkool in roosjes. Laat ze 5–8 minuten koken
in water met zout. Kook de
erwtjes volgens het voorschrift
op de verpakking. Laat de
groente in een zeef uitlekken en
afkoelen. Laat de maïskorrels
ook uitlekken. Schil de uien,
snijd ze fijn. Vermeng ui, zout,
peper, azijn en olie in een
schaal. Schep er de bloemkoolroosjes, de erwtjes en de maïskorrels door. Snijd de haringen
aan de rugkant door en haal de
graat eruit. Snijd de wortelen,
de augurken en de paprika's in
dunne reepjes van ongeveer
4 cm. Leg op elke halve haring
wat reepjes wortel, augurk en
paprika en rol ze op. Steek de
rolletjes met cocktailprikkers
vast. Schik de groentesalade op
een schotel en zet de haringrolletjes erop.

Kalfshaas
met mosterdfruit

Voor 6 personen:
1 kg kalfshaas,
1¹/₂ theel. zout,
¹/₂ theel. van elk: witte peper, ge-
    droogde rozemarijn, gedroog-
    de salie,
³/₄ theel. mild paprikapoeder,
1 ui,
1 bos peterselie en selderie,
¹/₈ l vleesbouillon,
4 eetl. olie,
¹/₈ l witte wijn,
1 kopje mosterdfruit (uit een
    pot; Italiaans).

Verwarm de oven voor op
220 °C. Vermeng het zout, de
peper, de fijngewreven droge
kruiden en het paprikapoeder.
Wrijf het kalfsvlees rondom in
met dit kruidenmengsel. Schil
de ui, snijd hem in vieren. Was
de peterselie en selderie, laat ze
uitlekken en snijd ze grof. Verhit de bouillon. Verhit de olie in
een casserole. Braad het vlees
hier onder regelmatig keren 10
minuten in aan. Voeg de ui en
de kruiden toe en laat die even
meefruiten. Voeg de hete bouillon en de witte wijn toe. Zet de
casserole in de oven op de tweede richel van onderaf en laat het
vlees 60–70 minuten braden.
Bedruip het regelmatig met het
braadvocht. Haal de kalfshaas
uit de casserole en laat hem afkoelen. Snijd het vlees voor het
serveren in dunne plakken,
schik deze met het mosterdfruit
op een schaal.

Geglaceerde
ossehaas

Voor 6 personen:
3 eetl. olie,
³/₄ theel. scherp paprikapoeder,
een snufje gedroogde tijm,
een snufje witte peper,
1 kg ossehaas,
³/₄ theel. zout,
1 wortel (100 g),
250 g artisjokharten (uit een
    pot),
2 eetl. vinaigrettesaus (recept
    blz. 149),
¹/₈ l maderagelei (recept
    blz. 224),
4 eetl. mayonaise,
6 eetl. koffieroom of slagroom,
³/₄ theel. scherpe mosterd,
2 eetl. gemengde, fijngehakte
    kruiden,
een snufje zout, een snufje peper.

Vermeng de olie met het paprikapoeder, de tijm en de peper en
wrijf het vlees ermee in, wikkel
het in aluminiumfolie en laat
het 12 uur in de koelkast intrekken. Verwarm de oven voor op
220 °C. Haal het vlees uit de folie, strooi er zout over en braad
het 20 minuten in de oven, tot
het roze is. Schrap de wortel,
was hem en snijd hem in reepjes.
Laat de artisjokharten uitlekken en snijd ze door. Vermeng
de wortel en de artisjokhartjes
met de vinaigrettesaus. Laat de
ossehaas afkoelen. Snijd hem in
1 cm dikke plakken, schik deze
op een schotel en leg er de artisjokken en wortelsla naast.
Schenk de maderagelei eroverheen. Roer de mayonaise, de
room, de mosterd, de kruiden,
het zout en de peper door elkaar
en geef deze saus bij de ossehaas.

Schotel van rosbief met remouladesaus

Voor 6 personen:
1 kg rosbief,
1¹/₂ theel. zout,
³/₄ theel. zwarte peper,
een mespunt uiezout,
een mespunt knoflookpoeder,
1¹/₂ theel. scherpe mosterd,
4 eetl. olie,
1 pot mixed pickles.
Voor de remouladesaus:
1 ansjovisfilet,
1 ui, 2 augurkjes,
1 eetl. kappertjes,
1 bos bieslook,
¹/₂ bos peterselie,
3 takjes kervel,
3 takjes dille,
200 g slasaus,
1¹/₂ theel. scherpe mosterd,
een snufje zout, een snufje peper.

Verwarm de oven voor op 220 °C. Kerf de dunne vetlaag kruiselings in. Vermeng het zout, de peper, het uiezout en de knoflookpoeder en wrijf het vlees ermee in. Strijk een heel dun laagje mosterd over het vlees. Verhit de olie in de koekepan en braad het vlees rondom bruin. Leg de rosbief dan op het rooster op de braadslee en laat hem 40–45 minuten braden. Bedruip het vlees tijdens het braden regelmatig met het uitlopende braadvet. Laat de rosbief afkoelen. Laat het gemengde tafelzuur uitlekken. Snijd twee derde deel van de rosbief in dunne plakjes. Leg het stuk rosbief en de plakjes met de mixed pickles op een schotel. Zet voor de remouladesaus de ansjovisfilet 10 minuten in koud water, dep hem daarna droog en hak hem fijn. Schil de ui, hak hem fijn. Snijd de augurken in blok-

jes. Plet de kappertjes met een vork. Was de kruiden, laat ze uitlekken en snijd ze fijn. Roer de slasaus, de mosterd, het zout en de peper door elkaar. Roer er de kleingesneden ingrediënten door. Proef of de remouladesaus goed op smaak is en geef hem apart bij de rosbief. Geef er wittebrood, volkorenbrood en boter bij.

Tip
U kunt bij de rosbief in plaats van mixed pickles en remouladesaus ook de groentesalade (zie recept op blz. 179 'Russische eieren in een rand van tomaat') serveren. Maak de dubbele hoeveelheid, maar laat de gekookte worst weg.

Getruffeerde fazanteborst

2 jonge fazanten,
³/₄ theel. zout,
een flinke snuf witte peper,
1 bos gemengde kruiden,
60 g truffels (uit blik),
2 eetl. olie, 50 g boter,
1 klein borrelglas Armagnac,
¹/₈ l maderagelei (recept
blz. 224).

Verwarm de oven voor op
210°C. Spoel de fazanten van
binnen en van buiten met koud
water af en droog ze. Wrijf ze
van binnen in met zout en peper. Was de kruiden, laat ze uitlekken, verdeel ze in 2 bosjes en
leg deze in de buikholtes. Snijd
de truffels in dunne plakjes.
Haal het vel van de fazant aan
de borstkant vanuit de hals met
een scherp mes los en schuif de
plakjes truffel eronder. Braad
de met olie ingewreven fazant
35 minuten in de oven op de
tweede richel van onderaf.
Smelt de boter, schenk hem na
10 minuten braadtijd over de fazanten. Bestrijk ze regelmatig
met het braadvocht. Schenk de
Armagnac 10 minuten voor het
einde van de braadtijd over de
fazanten. Snijd de borststukken
met het vel van de fazanten af.
Laat ze afkoelen en snijd ze in
plakken. Schik de plakken fazanteborst met de gehakte maderagelei op een schaal.

Geglaceerd wildzwijnzadel

Voor 6–8 personen:
3 jeneverbessen,
¹/₂ laurierblad,
1¹/₂ theel. zout, ¹/₂ theel. peper,
een snufje van elk: gemalen
piment (nagelgruis), gem-
berpoeder en tijm,
1¹/₂ theel. mild paprikapoeder,
4 eetl. olie,
2 kg wildzwijnzadel,
¹/₂ kop port,
4 sjalotten, 1 eetl. boter,
150 g fijne kalfsleverworst,
¹/₈ l portgelei (recept blz. 224),
5 gekonfijte kersen,
6 kumquats (dwergsinaasappel-
tjes).

Stoot de jeneverbessen en de
laurier fijn in de vijzel en vermeng ze met het zout, de peper,
de piment, de gemberpoeder, de
tijm, het paprikapoeder en de
olie. Wrijf het zadel ermee in.
Laat alles er 3 uur toegedekt intrekken. Verwarm de oven voor
op 210°C. Braad het wildzwijnzadel 40–50 minuten op de onderste richel van de oven.
Schenk de port na 20 minuten
braadtijd over het vlees. Laat
het zadel afkoelen en trancheer
het. Schil de sjalotten, snijd ze
klein en laat ze in de boter glazig worden. Kook het braadvocht in tot het dikvloeibaar is,
roer er de leverworst en de sjalotten door. Strijk de saus over
het karkas en schik hier weer de
plakken vlees op. Schenk de
portgelei over het vlees en garneer het met de kersen en de
kumquats.

Reerug met gevulde peren

Voor 6 personen:
$^3/_4$ *theel. zout,*
$^3/_4$ *theel. witte peper,*
1 panklare, gepikeerde reerug
  (ongeveer 1$^1/_2$ kg) van een
  jonge ree,
6 eetl. olie,
3 peren,
1 kopje water,
sap van $^1/_2$ citroen,
1 klein pijpje kaneel,
6 eetl. rode-bessengelei.

Verwarm de oven voor op
220°C. Vermeng het zout en de
peper. Wrijf de reerug hier
rondom mee in. Verhit de olie.
Leg de reerug in de braadslee en
schenk er de hete olie over.
Braad de reerug 40–50 minuten
in de voorverwarmde oven op
de tweede richel van onderaf.
Bestrijk het vlees tijdens het
braden ongeveer elke 10 minuten rondom met het braad-
vocht. Schil de peren, snijd ze
doormidden en haal het klokhuis eruit. Houd de peren in een
gesloten pan 15 minuten tegen
de kook aan in 1 kopje water
met het citroensap en de pijpkaneel. Laat ze vervolgens uitlekken en afkoelen. Vul de peren
met de bessengelei. Laat de reerug afkoelen. Haal de beide rug-
stukken los van het been, snijd
ze in plakken en schik deze weer
op het karkas. Geef de gevulde
peren bij de reerug.

Ganzebout met broccoli

2 panklare ganzebouten (elk 350 g),
$^1/_2$ theel. zout, 3 eetl. olie,
1 wortel, 1 ui,
1 stengel bleekselderie,
$1^1/_2$ theel. fijngehakte peterselie,
een mespunt gedroogde tijm,
$^1/_2$ l kippebouillon,
$^1/_8$ l wijnazijn, $^1/_8$ l sherry,
$^1/_2$ theel. zout,
$^1/_2$ theel. witte peper,
450 g diepvriesbroccoli,
3 theel. citroensap,
$^1/_2$ theel. zout, een snufje suiker,
2 eetl. olie, 1 tomaat,
1 eetl. fijngehakte peterselie.

Wrijf de ganzebouten in met het zout en braad ze rondom in de hete olie bruin. Maak de groenten schoon, snijd ze grof. Bak de groenten, de peterselie en de tijm met de ganzebouten mee. Voeg de kippebouillon, de azijn, de sherry, het zout en de peper toe. Laat de bouten in 30–40 minuten gaar worden in de bijna gesloten pan en laat ze daarna afkoelen. Laat de bouillon tot $^1/_4$ l inkoken en laat hem afkoelen. Kook de broccoli volgens voorschrift gaar. Laat hem uitlekken en afkoelen. Roer het citroensap, het zout, de suiker en de olie door elkaar, schenk de saus over de broccoli en laat hem toegedekt intrekken. Was de tomaat, droog hem af. Schik de ganzebouten op een schaal, strooi er peterselie over. Ontvet de afgekoelde, geleiige bouillon en schenk hem over de bouten. Schik de broccoli en de tomaat op de schaal.

Poulet-Bresse

Voor 6 personen:
2 maïskippen (1 kg elk),
1 eetl. olie, 50 g boter,
2 uien, 1 wortel,
1 stengel bleekselderie,
2 dl sherry-azijn,
$^1/_4$ l water,
2 verse takjes tijm,
2 takjes peterselie,
$^1/_2$ theel. zout, $^1/_2$ theel. peper,
$1^1/_2$ l kippebouillon,
1 eetl. bloem, $^3/_4$ l water,
sap van 1 citroen, $^1/_2$ theel. zout,
12 platte uitjes,
2 eetl. klein gesneden bieslook.

Snijd de borststukken en de poten van de kip, hak het karkas in grote stukken. Verhit de olie met de boter. Bak de stukken kip en de botten rondom bruin. Maak de groenten schoon, snijd ze klein en laat ze even meebakken. Schenk de azijn en $^1/_4$ l water erover. Voeg de kruiden, het zout en de peper toe. Laat de kip 25 minuten stoven in de gesloten pan. Haal het kippevlees vervolgens uit de pan en laat het kookvocht tot een derde inkoken. Voeg de kippebouillon toe en laat deze 30 minuten koken. Zeef de bouillon, laat hem afkoelen en laat hem in de koelkast helemaal koud worden. Breng de bloem met $^3/_4$ l water, het citroensap en het zout aan de kook. Laat de uien er in 8 minuten gaar in worden en zet ze daarna op een koele plaats. Ontvet de geleiige kippebouillon. Schik de stukken kip en de uien op een schaal. Bestrijk ze met een tussentijd van 30 minuten met laagjes gelei. Laat de gelei telkens opstijven in de koelkast. Strooi het bieslook erover.

Fijne schotels van gevogelte

Gelardeerde kalkoenborst

Voor 6 personen:
2 wortelen (100 g),
100 g gesneden vers spek,
1¹/₂ kg kalkoenborst,
³/₄ theel. zout,
³/₄ theel. witte peper,
1¹/₂ theel. mild paprikapoeder,
4 eetl. olie, ¹/₄ l vleesbouillon,
5 eetl. boter,
¹/₄ l gelei van muskadel (recept blz. 224).

Schrap de wortelen, was ze en snijd ze in lange repen. Snijd ook het spek in lange repen. Laat de reepjes wortel en spek even invriezen in het diepvriesvak. Lardeer de kant van de kalkoenborst afwisselend met reepjes wortel en reepjes spek. Verwarm de oven voor op

200 °C. Vermeng het zout, de peper en het paprikapoeder. Wrijf de kalkoenborst ermee in en leg hem op de braadslee. Verhit de olie en schenk hem over het vlees. Braad de kalkoenborst 65–70 minuten op de tweede richel van onderaf. Verwarm de bouillon. Schenk wat hete bouillon na 15 minuten braden over de kalkoen en bedruip hem er regelmatig mee; voeg steeds een beetje hete bouillon toe. Smelt de boter en sprenkel hem 15 minuten voor de kalkoen gaar is over het vlees. Verpak de afgekoelde kalkoenborst in aluminiumfolie en laat hem in de koelkast helemaal koud worden. Snijd de muskadelgelei in blokjes. Snijd de kalkoenborst in dunne plakjes, schik ze op een schaal en strooi de geleiblokjes erover.

Gevulde kwartels

8 panklare kwartels,
1¹/₂ theel. zout,
¹/₂ theel. witte peper,
¹/₂ theel. gedroogd basilicum,
4 eetl. boter, 1 eetl. olie,
100 g kippelevertjes,
1 eetl. madera,
1 eetl. boter,
een snufje van elk: zout, witte peper en gedroogd basilicum,
25 g vers spek,
¹/₂ kop slagroom,
8 stukjes truffel (uit blik),
¹/₄ l maderagelei (recept blz. 224).

Wrijf de kwartels vanbinnen in met het zout en vanbuiten met peper en basilicum. Verhit de boter met de olie en bak steeds 2 kwartels tegelijk rondom bruin (totale braadtijd 20 minuten). Laat de kwartels afkoelen.

Besprenkel de kippelevers met de madera en laat ze 30 minuten intrekken. Verhit de boter en bak de kippelevertjes 4 minuten. Maak ze op smaak met zout, peper en basilicum en laat ze afkoelen. Pureer de levertjes en het spek in de mixer. Klop de slagroom stijf en schep hem door de puree. Doe de kippelever-mousse in de spuitzak met een glad spuitmondje. Vul de kwartels steeds voor de helft met de mousse, doe er dan een stukje truffel in en vul ze daarna helemaal met de mousse. Strijk een paar laagjes maderagelei op de kwartels. Laat elke laag gelei stevig worden. Serveer de kwartels op andijviesla met mandarijnen.

Gegarneerde plakken ossehaas

3/4 theel. zout,
3/4 theel. mild paprikapoeder,
een snufje witte peper,
3 eetl. olie,
750 g ossehaas.
Om te garneren (op de foto van
   links naar rechts):
1 hardgekookt ei,
1 1/2 theel. zachte boter,
3 theel. koffieroom,
een snufje van elk: zout, peper en
   mild paprikapoeder,
1 1/2 theel. fijngehakte kruiden,
2 achtste partjes tomaat.
150 g aspergepunten (uit blik),
3 eetl. witte wijn,
1 1/2 theel. citroensap,
een snufje van elk: zout, suiker
   en witte peper,
een paar druppels worcester-
   shiresaus,

1 gare wortel.
3 artisjokbodems (uit blik),
3 theel. citroensap,
3 eetl. witte wijn,
5 theel. mayonaise,
een paar takjes dille,
1 1/2 theel. roze peperkorrels.
2 plakjes ganzeleverpastei,
6 druiven,
2 eetl. cognac,
1/4 l sherrygelei (recept
   blz. 224).

Roer het zout, het paprikapoeder en de peper door de olie. Bestrijk het vlees rondom met de
gekruide olie, wikkel het in aluminiumfolie en laat het 12 uur
in de koelkast intrekken. Verwarm de oven voor op 220 °C.
Leg de ossehaas in de open-
gevouwen folie op het rooster
van de oven en laat deze in
20–25 minuten medium braden.
Laat het vlees dan afkoelen.
Snijd de koude ossehaas in

1 1/2 cm dikke plakken.
Pel voor de garnering het ei,
snijd het door en haal de eierdooier eruit. Roer de eierdooier
met de boter, de room, het zout,
de peper, het paprikapoeder en
de kruiden door elkaar. Spuit de
eiboter in de eiwitten. Leg op
elk eiwit een partje tomaat. Leg
de gevulde eieren op twee plakken ossehaas.
Laat de asperges uitlekken.
Roer de witte wijn, het citroensap, het zout, de suiker, de peper en de worcestershiresaus
door elkaar. Marineer hier de
aspergepunten 1 uur in. Laat ze
dan uitlekken en schik ze op
drie plakken ossehaas. Snijd
drie plakjes wortel en leg deze
op de asperges.
Laat de artisjokbodems uitlekken. Vermeng het citroensap
met de witte wijn en marineer de
artisjokbodems 1 uur. Laat ze
weer uitlekken, schik ze op drie

plakken vlees en vul ze met
mayonaise. Garneer de mayonaise met toefjes dille en de roze
peperkorrels.
Leg de ganzeleverpastei op twee
plakken ossehaas. Pel de druiven, leg ze ongeveer 10 minuten
in de cognac, laat ze uitlekken
en garneer de pastei ermee.
Bestrijk alle plakken vlees met
een laagje sherrygelei en laat dit
opstijven.

Plakjes gevulde varkenshaas

15 morieljes,
$^1/_8$ l water,
2 varkenshaasjes (elk
*   300–375 g),*
een snufje van elk: witte peper,
*   saliepoeder en gedroogde mar-*
*   jolein,*
1 eetl. zachte boter,
1 eetl. fijngehakte peterselie,
2 kleine eieren,
3 eetl. paneermeel,
een snufje zout, een snufje peper,
3 eetl. olie,
$^3/_4$ theel. zout,
$^1/_8$ l witte wijn,
$^1/_8$ l witte-wijngelei (recept
*   blz. 224).*

Was de morieljes heel goed onder koud stromend water en kook ze 20 minuten in $^1/_8$ l wa-ter. Laat ze dan uitlekken en af-koelen. Wrijf de varkenshaas in met een mengsel van peper, salie en marjolein. Vermeng de boter met de kleingehakte peterselie, de eieren, het paneermeel, het zout en de peper. Vul de moriel-jes met dit mengsel. Snijd de varkenshaas in de lengte open en vul deze met de morieljes. Maak de varkenshaas weer dicht met garen of cocktailprik-kers. Verhit de olie. Braad de varkenshaas rondom bruin, zout hem, voeg de wijn toe en laat hem 15 minuten stoven. Keer de varkenshaas regelma-tig. Laat de varkenshaas afkoe-len en snijd hem in plakken. Schenk de wijngelei erover. Laat de gelei in de koelkast ste-vig worden.

Medaillons met broccolipuree

8 kalfsmedaillons,
$^1/_2$ theel. witte peper,
een snufje scherp paprikapoeder,
4 eetl. olie,
$^3/_4$ theel. zout,
175 g broccoli,
wat zout,
6 blaadjes gelatine,
$^1/_2$ theel. van elk: zout, witte
*   peper, nootmuskaat, gedroog-*
*   de tijm en gedroogd basilicum,*
3 eetl. wild- of vleesbouillon,
$^1/_4$ l slagroom,
$^1/_4$ l wijngelei (recept blz. 224),
8 kwarteleieren (uit een pot).

Wrijf de kalfsmedaillons in met een mengsel van peper en papri-kapoeder. Verhit de olie en bak de medaillons 3–4 minuten aan elke kant. Zout ze en laat ze af-koelen. Maak de broccoli schoon. Kook hem 10 minuten in water met zout, laat hem uit-lekken en afkoelen. Week de ge-latine 10 minuten in koud wa-ter. Pureer de broccoli in de mi-xer. Maak de puree op smaak met het zout, de peper, de noot-muskaat, de tijm en het basili-cum. Verhit de bouillon. Knijp de gelatine goed uit en los hem op in de hete bouillon. Roer de geleiige bouillon door de broc-colipuree. Klop de slagroom stijf en schep hem door de broc-colipuree. Spuit deze groente-mousse op de medaillons. Schenk er wijngelei over en laat het geheel in de koelkast stevig worden. Leg voor het serveren de kwar-teleieren op de medaillons.

Vleesspecialiteiten

Tartaar op volkorenbrood

1 ui,
400 g tartaar,
2 eierdooiers,
$^3/_4$ theel. zout,
$1^1/_2$ theel. mild paprikapoeder,
$1^1/_2$ theel. groene peperkorrels
    (uit een pot),
1 klein borrelglas wodka,
2 eetl. boter,
4 sneetjes volkorenbrood,
2 haringen,
1 eetl. kappertjes,
1 hardgekookt ei,
$^1/_2$ bos peterselie.

Schil de ui en snijd hem heel fijn. Doe de tartaar in een schaal, vermeng hem met de ui, de eierdooiers, het zout, het paprikapoeder, de geplette peperkorrels en de wodka en maak hem pittig op smaak. Beboter de sneetjes brood. Verdeel de tartaar erover. Snijd de haringen in stukjes en leg deze op de broodjes. Strooi er kappertjes over. Pel het hardgekookte ei en hak het fijn. Was de peterselie, laat hem uitlekken en snijd hem fijn. Strooi de blokjes ei en de peterselie op het brood.

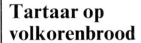

Tip

Deze tartaar is ook erg lekker op donker roggebrood. Geef er in dat geval koud bier bij.

Huzarentartaar

2 uien,
1 bos peterselie,
4 blaadjes salie,
6 cornichons,
600 g tartaar,
1 eetl. kappertjes,
3 eierdooiers,
$^1/_2$ theel. zwarte peper,
$^3/_4$ theel. zout,
4 ansjovisfilets.

Schil de uien en snijd ze fijn. Was de peterselie en de salie, laat ze uitlekken. Snijd de peterselie en 3 salieblaadjes fijn. Snijd de kleine augurken heel fijn. Doe de tartaar in een schaal en vermeng hem met de gesneden ui, de kleingesneden kruiden, de augurk, de kappertjes, 2 eierdooiers, de peper en het zout. Doe de tartaar in een schaal of in een diep bord, druk in het midden een kuiltje en doe daar de derde eierdooier in. Leg de ansjovisfilets over de tartaar en garneer hem met de overgebleven salie.

140

Tartaarbuffet

Voor 8 personen:
5 grote uien,
40 gevulde olijven,
4 zoetzure augurken,
8 ansjovisfilets,
zout, witte peper, mild paprika-
poeder,
tomatenketchup,
cognac,
kappertjes,
2 bossen peterselie,
2 bossen bieslook,
9 eieren,
1,2–1,6 kg tartaar.

Schil de uien, snijd 4 uien heel fijn en 1 ui in ringen. Hak de olijven. Snijd de augurken fijn. Snijd de ansjovisfilets in de lengte door. Doe de gesneden ui, de gehakte olijven, de blokjes augurk, de reepjes ansjovis, zout, peper, paprikapoeder, tomatenketchup, cognac en kappertjes in schalen. Was de peterselie en het bieslook, laat ze uitlekken, snijd ze fijn en doe ze ook in schaaltjes. Splits de eieren. Leg steeds 1 eierdooier in een halve eierschaal en zet deze in een met zout bestrooide schaal. Leg de tartaar in een schaal, schik er de uieringen op en zet de overgebleven eierdooier er midden op. Elke gast kan nu zijn portie tartaar naar eigen keuze kruiden en met de verschillende gesneden ingrediënten vermengen.

Tartaar in porties

U kunt de tartaar natuurlijk ook direct over acht bordjes verdelen. Leg op elk bordje om de tartaar heen 7 uieringen. Vul deze ringen met gesnipperde ui, kappertjes, paprikapoeder, zout, witte peper, kummel, bieslook of peterselie. Zet de eierdooier in de halve eierschaal midden op de tartaar en geef nog augurkjes, maïskolfjes uit een pot, zilveruitjes, ansjovisfilets, gemengd tafelzuur en in ieder geval bruin brood erbij.

Tip
Als u de tartaar liever al in de keuken met de genoemde specerijen, de fijngehakte ingrediënten en de eierdooiers wilt vermengen, is het wel verstandig niet te royaal te kruiden. Niet elke gast aan de tartaarmaaltijd houdt evenveel van sterk gekruide of zoute gerechten. Zet daarom liever wel het zout en de specerijen op tafel, zodat ieder zich naar eigen smaak kan bedienen.

Vleesspecialiteiten

Gehakt op de bakplaat

6 sneetjes casinobrood,
$1/2$ bos peterselie,
3 teentjes knoflook,
2 bossen voorjaarsuien,
1 kg varkensgehakt,
4 eieren,
$1^1/2$ theel. zout,
$1/2$ theel. zwarte peper,
$1^1/2$ theel. mild paprikapoeder,
2 eetl. olie,
10 gevulde olijven,
1 rode paprika.

Verwarm de oven voor op 225°C. Week het brood in lauw water. Was de peterselie, laat hem uitlekken en hak hem fijn. Pel de knoflook, maak de uien schoon en hak ze fijn. Vermeng het gehakt met de eieren, de peterselie, de knoflook, het zout, de peper, het paprikapoeder, de uien en het uitgedrukte brood. Vet de braadslee in met olie. Doe het aangemaakte gehakt op de braadslee, strijk de bovenkant glad. Bak het gehakt 30 minuten op de middelste richel van de voorverwarmde oven. Verdeel de olijven in plakjes. Snijd de paprika doormidden, haal de pitten en de zaadlijst eruit. Was de paprika en snijd hem in reepjes. Laat het gebraden gehakt afkoelen en snijd het in vierkantjes. Garneer elk vierkantje met plakjes olijf en reepjes paprika.

Vitello Tonnato

1 kg kalfsfricandeau,
1 teen knoflook,
1 ui, 2 worteltjes,
1 stuk knolselderie,
6 ansjovisfilets,
$1/4$ l water,
1 l vleesbouillon,
$1/8$ l droge witte wijn,
2 laurierblaadjes,
5 peperkorrels,
$3/4$ kop olijfolie, 1 eierdooier,
1 blik tonijn (180 g),
2 eetl. citroensap,
4 eetl. slagroom,
2 eetl. kappertjes,
een snufje zout, een snufje peper,
1 pot mosterdfruit.

Maak kerfjes in het kalfsvlees. Pel de knoflook, snijd deze in penvormige stukjes. Schil de ui en snijd hem door. Was de worteltjes, snijd ze in blokjes. Maak de selderie schoon en was hem. Steek de stukjes knoflook en 3 ansjovisfilets in de inkepingen van het vlees. Zet het vlees op met koud water, laat het op een hoog vuur 1 minuut koken en giet het water dan af. Leg het vlees in de braadpan, voeg $1/4$ l water en alle ingrediënten tot en met de peperkorrels toe. Laat het in een gesloten pan $1^1/2$ uur zachtjes koken en laat het in de bouillon afkoelen. Zeef $1/8$ l bouillon. Vermeng de olie, de eierdooier, de tonijn, de overgebleven ansjovis en het citroensap in de mixer. Roer er de room, de gezeefde bouillon, de kappertjes, het zout en de peper door. Snijd het vlees in plakjes en serveer deze met de saus en het mosterdfruit.

Kaasschotels

Kaasschotel met Gorgonzola-crème

Voor 6 personen – voor de kaasschotel:
250 g Emmentaler,
150 g Tilsiter kaas,
150 g blauwe kaas,
125 g Camembert,
150 g gerookte hamworst.
Om de kaasschotel te garneren:
zwarte olijven,
druiven,
gepelde walnoten,
kleine zoute krakelingen.
Voor de Gorgonzola-crème:
150 g Gorgonzola,
50 g zachte boter,
1 eierdooier,
1 eetl. koffieroom,
een mespunt cayennepeper,
1 eetl. gemengde, kleingehakte kruiden,
1 dikke plak gekookte ham.

Snijd een deel van de Emmentaler in blokjes, de Tilsiter en de blauwe kaas in plakjes en de Camembert in hoekjes. Schik met de gerookte hamworst de plakjes, blokjes en hoekjes kaas op een plank. Steek zwarte olijven en druiven met cocktailprikkers op de blokjes Emmentaler. Leg de walnoten en de krakelingen op de kaas. Druk voor de Gorgonzola-crème de kaas met de vork fijn en vermeng hem met de boter, de eierdooier, de room, de cayennepeper en de kruiden. Snijd de ham in blokjes en roer deze door de crème.

Boerenkaasschotel met kaasballetjes

Voor 6 personen:
200 g Limburgse kaas,
125 g Romadur,
2 Harz-kaasjes met kummel (ieder 50 g),
200 g Appenzeller,
200 g Steinbuscher kaas,
100 g gesneden Goudse kaas.
Voor de kaasballetjes:
125 g rijpe Camembert,
100 g geraspte Emmentaler,
50 g zachte boter, 1 eierdooier,
1 1/2 theel. scherp paprikapoeder,
3/4 theel. zout, een mespunt witte peper,
1 klein borrelglas cognac,
2 sneetjes zwart roggebrood,
3 eetl. kleingehakte pistachenoten,
1 ui.

Snijd de Limburgse kaas en de Romadur in dikke plakken en de kummelkaas in dikke stukjes. Verdeel de Appenzeller en de Steinbuscher in even dikke plakken. Schik alle kaassoorten op een grote plank. Maak voor de kaasballetjes de Camembert fijn. Vermeng hem met de Emmentaler, de boter, de eierdooier, het paprikapoeder, het zout, de peper en de cognac en zet hem 2 uur op een koele plaats. Verkruimel het roggebrood. Vorm kaasballetjes van het kaasmengsel. Rol de helft van de kaasballetjes door de gehakte noten en de andere helft door het roggebrood. Schil de ui, snijd hem in dunne ringen en leg deze met de kaasballetjes op de kaasplank.

143

Groot kaasbuffet

Op een kaasbuffet horen allerlei verschillende soorten kaas, een keuze aan brood en ook crackers, roggebrood, boter, vruchten, noten, kleine augurken en ingemaakte vruchten.

Koop liefst verse kaas van de beste kwaliteit. Snijd van elke soort maar een klein deel af: kaas blijft aan het stuk langer vers. Op elke kaasplank worden kaasmesjes gelegd om de kaas zelf te kunnen snijden. Het is helemaal afhankelijk van uw eigen smaak welke kaassoorten u kiest voor een kaasbuffet. In ieder geval moet er een harde kaas zijn, een snijkaas en zachte kaassoorten van mild tot zeer pittig van smaak. Per gast rekent u 200–300 g kaas. Breid uw

kaasbuffet nog uit met een zachte kaas-crème, bijv. Gorgonzola-crème (recept zie blz. 143), een kaas-worstsalade en/of een kaas-vruchtensalade. Uw gasten zullen genieten!

Op het afgebeelde kaasbuffet ziet u links Emmentaler, Esrom, Chester en Edammer kaas, in plakjes en in blokjes geserveerd. Het kaasplateau op de achtergrond bestaat uit Emmentaler, bergkaas, Fontina, Goudse en blauwe aderkaas. Op de schotel vooraan liggen Tilsiter, Livarot, Reblochon, Camembert, Pont l'Evêque, wijnkaas en geitekaas.

Kaas-worstsalade
300 g gekookte worst,
200 g Edammer kaas,
150 g Emmentaler,
2 sjalotten, 1 teen knoflook,
3 eetl. wijnazijn,
³/₄ theel. zout,

een mespunt witte peper,
1¹/₂ theel. scherpe mosterd,
2 eetl. gemengde kleingehakte
kruiden: peterselie, een beetje
lavas, tijm, pimpernel en pe-
permunt,
6 eetl. olie.

Haal het vel van de worst en snijd de worst en de kaas in reepjes. Schil de sjalotten en de knoflook en snijd ze fijn. Roer de azijn, de sjalotten, de knoflook en al de overige ingrediën-ten door elkaar. Schep de saus door de salade.

Kaassalade in een meloen
1 suikermeloen,
2 koppen gemengd fruit in blok-
jes: peren, perzik en kersen,
300 g jonge Goudse kaas,
2 eetl. citroensap,
³/₄ theel. zout,
1¹/₂ theel. suiker,
een mespunt cayennepeper,

een mespunt gemberpoeder,
1 klein borrelglas cognac,
4 eetl. walnoteolie.

Snijd een derde deel van de meloen als kapje eraf. Steek met de aardappelboor balletjes vruchtvlees uit de meloen. Vermeng deze met de vruchten en de in blokjes gesneden kaas. Roer het citroensap, het zout, de suiker, de cayennepeper, de gemberpoeder, de cognac en de olie door elkaar. Schep de saus door de salade en dien hem op in de meloenbak.

Kruidenazijn

Citroen- en knoflookazijn

Voor de citroenazijn:
5 eetl. citroensap,
schil van 1 citroen,
$1/4$ l wijnazijn,
een paar blaadjes citroenmelisse.
Voor de knoflookazijn:
6 teentjes knoflook,
1 takje tijm,
$1^1/2$ theel. witte peperkorrels,
$1/2$ l rode-wijnazijn.

Schenk het citroensap in een fles. Was de citroen met heet water, droog hem goed af en schil hem vliesdun. Doe de citroenschil ook in de fles en vul hem helemaal met de azijn. Was de citroenmelisse, dep hem droog en doe hem bij de azijn. Doe de kurk op de fles en zet hem in de koelkast. Laat de ci-troenazijn zeker 3 weken intrek-ken.
Pel de knoflook voor de knof-lookazijn. Was de tijm met koud water en dep hem goed droog. Doe de tenen knoflook, de tijm en de peperkorrels in een fles en vul hem met de rode-wijnazijn. Doe de kurk op de fles en zet hem in de koelkast. Laat de knoflookazijn ook 3 weken intrekken.
Zeef beide azijnsoorten vervol-gens door een doek. Doe de azijn weer terug in de fles. Doe de kurk op de fles en bewaar hem in de koelkast.

Salie- en pimpernelazijn

Voor de salie-azijn:
1 groot en 2 kleine takjes salie,
$1/2$ l droge rode wijn,
1 dl azijnessence.
Voor de pimpernelazijn:
3 takjes pimpernel,
$1/2$ l droge witte wijn,
1 dl azijnessence.

Was de takjes salie met koud water en dep ze goed droog. Doe de kruiden in een fles. Ver-meng de rode wijn met de azijn-essence en schenk hem over de kruiden. Sluit de fles goed en zet hem in de koelkast. Laat de azijn op z'n minst 3 weken in-trekken.
Was de pimpernel met koud wa-ter en dep hem goed droog. Doe hem in een fles. Vermeng de wit-te wijn met de azijnessence en schenk dat over de pimpernel. Doe de kurk op de fles en zet hem zeker 3 weken in de koel-kast.
Zeef beide azijnsoorten na 3 we-ken door een doek en doe ze weer terug in de fles. Sluit de flessen goed en bewaar ze in de koelkast.

Kruidenolie

Kruidenolie

Voor de rozemarijnolie:
2–3 takjes rozemarijn,
*$^1/_2$ l koud geperste zonnebloem-
olie of olijfolie.*
Voor de olie met gemengde
kruiden:
$^1/_2$ bos peterselie,
$^1/_2$ bos bieslook,
2 takjes salie,
*$^1/_2$ eetl. van elk: gedroogde tijm,
lavas en marjolein,*
$^1/_2$–$^3/_4$ l zonnebloemolie.

Was de rozemarijn met koud
water en laat hem op een theedoek uitlekken (laat hem liefst
een hele nacht drogen). Doe de
takjes rozemarijn in een even
hoge fles. Schenk er zoveel olie
over dat de kruiden helemaal
bedekt zijn. Doe een kurk op de
fles en zet hem in de koelkast.
Laat de kruiden 14 dagen intrekken. Gebruik de rozemarijnolie voor dressings. Vul de
fles telkens met zoveel olie bij,
dat de kruiden bedekt blijven.
Was de peterselie, het bieslook
en de salie, dep ze goed droog
en hak ze fijn. Doe de verse
kruiden met de fijngewreven
droge kruiden in een glazen fles
en druk ze goed aan. Schenk er
zoveel olie op, dat de kruiden
helemaal onderstaan. Sluit de
fles en zet hem in de koelkast.
Laat de kruiden 8–10 dagen intrekken. Schud de olie telkens
goed voor gebruik. Vul de fles
steeds bij met verse olie, zodat
de kruiden onderstaan.

Tip

U kunt in plaats van ver-
se rozemarijn ook vers
basilicum, lavendel, salie
of tijm gebruiken voor
een kruidenolie. Maak de
kruidenolie in ongeveer 6
weken op.

Gemengde boter

Kruidenboters

Knoflookboter
1 teen knoflook,
125 g zachte boter,
$1^1/_2$ theel. citroensap,
$^1/_2$ theel. witte peper.

Pel de knoflook, pers hem en roer hem door de boter met het citroensap en de peper. Vorm een blok van de boter en laat dit in de diepvries stevig worden.

Groene boter
125 g zachte boter,
2 eetl. spinaziewater,
$^3/_4$ theel. selderiezout,
een mespunt witte peper,
een snufje nootmuskaat.

Roer de boter, het spinaziewater, het selderiezout, de peper en de nootmuskaat door elkaar. Spuit rozetten groene boter op  een stuk aluminiumfolie en bestrooi deze met peterselie.

Paprikaboter
125 g zachte boter,
$^3/_4$ theel. suiker,
$^3/_4$ theel. zout,
$^3/_4$ theel. tomatenpuree,
een snufje cayennepeper,
1 eetl. mild paprikapoeder.

Roer de boter, de suiker, het zout, de tomatenpuree en de cayennepeper door elkaar. Strijk een 2 cm dikke laag boter op een stuk aluminiumfolie en laat deze stevig worden. Snijd hem in rechthoekjes en wentel deze door het paprikapoeder.

Truffelboter
125 g zachte boter,
$1^1/_2$ theel. citroensap,
$^1/_2$ theel. zout,
een mespunt cayennepeper,
1 stukje truffel (zo'n $12^1/_2$ g).

Vermeng de boter met het citroensap, het zout, de cayennepeper en de kleingehakte truffel. Maak er een rol van. Wikkel deze in aluminiumfolie en laat hem stevig worden.

Kappertjesboter
1 potje kappertjes (25 g),
125 g zachte boter,
$^3/_4$ theel. citroen- en $^3/_4$ theel. sinaasappelsap,
50 g ansjovisfilets.

Maak de helft van de kappertjes fijn en vermeng deze met de boter, het vruchtesap en de kleingehakte ansjovis. Vorm er balletjes van en leg er 3 kappertjes op.

Sinaasappelboter
125 g zachte boter,
1 eetl. sinaasappelsap, 1 eetl. geraspte sinaasappelschil en 1 eetl. groene peperkorrels.

Roer de boter, het sinaasappelsap en de -schil en de peperkorrels door elkaar. Strijk een 1 cm dikke laag op aluminiumfolie en laat hem stevig worden.

Kerrierozetten
125 g zachte boter,
$1^1/_2$ theel. zout, $1^1/_2$ theel. kerrie, $^1/_2$ theel. suiker.

Roer de boter, het zout, de kerrie en de suiker door elkaar. Spuit er rozetten van.

Tuinkersboter
125 g zachte boter,
$^1/_2$ doosje tuinkers,
$1^1/_2$ theel. citroensap,
1 eetl. zure room.

Vermeng de boter met de gehakte tuinkers, het citroensap en de zure room. Strijk een 1 cm dikke laag op aluminiumfolie en laat hem stevig worden.

Gemengde boter

Mosterdboter

125 g zachte boter,
³/₄ theel. zout,
6 druppels tabasco,
1 eetl. scherpe mosterd,
een paar druppels worcester-
  shiresaus.

Roer de boter romig met alle ingrediënten. Spuit steeds drie
bolletjes tegen elkaar op aluminiumfolie.

Paprikadaalders

125 g boter, ³/₄ theel. zout,
een snufje gemberpoeder,
8 druppels tabasco,
3 eetl. fijngehakte rode paprika,
2 eetl. fijngehakte peterselie.

Roer de boter romig met het
zout en de specerijen en meng er
de paprikablokjes door. Maak
een rol, wikkel hem in aluminiumfolie en zet hem koel weg.
Rol hem door de peterselie.

Peperboter

125 g boter, 1¹/₂ theel. peper,
³/₄ theel. selderiezout,
een snufje knoflookpoeder.

Roer de boter romig met de peper, het selderiezout en de knoflookpoeder. Wikkel hem in aluminiumfolie. Laat hem stevig
worden. Schaaf er met een boterkruller krullen af.

Hamboter

125 g boter, ³/₄ theel. zout,
een mespunt witte peper,
een mespunt nootmuskaat,
50 g fijngehakte gekookte ham,
1 eetl. geraspte jonge Goudse.

Roer de boter, het zout, de specerijen, de ham en de kaas door
elkaar. Vorm er balletjes van.

Kruidenballetjes

125 g zachte boter,
een mespunt peper,
een mespunt suiker,
³/₄ theel. zout,
1¹/₂ theel. citroensap,
3 theel. fijngehakte kruiden.

Roer de boter, de peper, de suiker, het zout en het citroensap
goed door elkaar. Vorm er balletjes van en wentel deze door
de kruiden.

Zalm-dilleboter

125 g zachte boter,
een mespunt cayennepeper,
3 eetl. fijngehakte ui,
80 g gerookte zalm,
1 eetl. fijngehakte dille.

Roer de boter met de cayennepeper en de stukjes ui tot room.
Snijd de zalm klein, druk hem
door een zeef, meng hem door
de boter, strijk de boter op alu-

miniumfolie, strooi er dille over
en rol hem op. Snijd de rol in
plakjes.

Mierikswortelboter

125 g zachte boter,
2 eetl. geraspte mierikswortel,
een snufje suiker, 1¹/₂ theel. zout.

Roer de boter en de overige ingrediënten door elkaar. Strijk
een 1¹/₂ cm dikke laag op aluminiumfolie en zet hem koel weg.
Snijd er vierkantjes van. Trek
met een vork golfjes in de boter-
blokjes.

Kaviaarboter

125 g zachte boter,
1¹/₂ theel. citroensap, ¹/₂ eier-
  dooier, 80 g Deense kaviaar.

Roer alle ingrediënten door elkaar. Strijk een 1 cm dikke laag
op aluminiumfolie en zet hem
koel weg.

148

Sauzen voor fijnproevers

Tartaarsaus

Voor 6 personen:
2 eieren,
200 g mayonaise,
4 eetl. zure room,
2 kleine augurken,
1 bos van elk: peterselie, dille en
dragon,
2 eetl. mixed pickles met de ma-
rinade (uit een pot),
1 potje kappertjes (25 g).

Zet de eieren op met kokend
water, laat ze in 10 minuten
hard worden, laat ze schrikken
in koud water, pel ze en hak ze
klein. Roer de mayonaise en de
zure room met de garde goed
door elkaar in een schaal. Hak
de augurkjes fijn. Was de kruiden met koud water, laat ze uitlekken, snijd de harde steeltjes
eraf. Hak de kruiden fijn. Laat
het gemengde tafelzuur en de

kappertjes uitlekken. Hak ze
ook fijn. Roer al deze ingrediënten door de mayonaise. Schep er
ook een beetje marinade van de
mixed pickles door.

Lekker bij vleesfondue, hardgekookte eieren en haring.

Vinaigrettesaus

Voor 6 personen:
2 kleine tomaten,
3 voorjaarsuien,
1 bos peterselie,
1 bos bieslook,
$1/2$ bos dragon, $1/2$ bos citroen-
melisse, $1/2$ bos pimpernel,
8 eetl. olie,
3 eetl. sherry-azijn,
$1^1/2$ theel. citroensap,
$3/4$ theel. zout,
$1/2$ theel. suiker,
een flinke snuf witte peper.

Dompel de tomaten in kokend
water en daarna in koud water.
Pel ze en snijd ze door. Haal de
pitjes eruit en snijd het vruchtvlees in smalle reepjes. Maak de
uien schoon, was ze en hak ze
met een deel van het groen heel
fijn. Was de kruiden met koud
water, laat ze goed uitlekken.

Snijd de harde steeltjes eraf en
hak ze fijn. Roer de olie, de
sherry-azijn, het citroensap, het
zout, de suiker en de peper door
elkaar. Schep de reepjes tomaat,
de gehakte uien en de kruiden
door de saus.

De saus smaakt erg lekker bij
vers gekookte asperges, maar
hij kan ook gebruikt worden als
dressing voor bladsla of groentesalades. Gebruik in plaats van
de tomaten ook eens 2 kleingehakte hardgekookte eieren.

149

Ohio-saus

Voor 6 personen:
2 hardgekookte eieren,
4 grote uien,
$^1/_2$ kop olie, $^1/_2$ kop azijn,
$1^1/_2$ theel. zout, $1^1/_2$ theel. peper,
7 eetl. geraspte rode biet (uit een
    pot),
8 eetl. zure room,
2 eetl. magere kwark (20 %),
$2^1/_2$ theel. suiker,
1 eetl. van elk: gehakte dille,
    bernagie en bieslook,
$1^1/_2$ theel. maggi,
$1^1/_2$ theel. knoflooksap (uit een
    tube).

Pel de eieren, snijd ze in vieren.
Snijd twee kwarten klein. Schil
de uien, verdeel ze in ringen.
Kook de uieringen 5 minuten in
de braadpan met de olie, de
azijn, het zout, de peper en een
klein kopje water. Laat ze iets

afkoelen in het kookvocht.
Schep de rode biet, de kwarten
ei, de zure room, de kwark en de
suiker door de uien. Pureer alles
in de mixer. Houd 1 theelepel
gemengde kruiden achter, roer
de rest met de maggi en het
knoflooksap door de saus.
Strooi het kleingehakte ei en de
rest van de kruiden over de
saus.

Lekker bij vlees- of visfondue,
koud rundvlees en gerookte makreel.

Frankfurter groe-
ne kruidensaus

Voor 6 personen:
2 eieren,
2 bossen peterselie,
2 bossen bieslook,
1 bos van elk: bernagie, dille,
    kervel, waterkers, pimpernel
    en zuring,
3 theel. suiker,
$1^1/_2$ theel. zout,
$^3/_4$ theel. witte peper,
2 eetl. citroensap,
6 eetl. olie,
4 eetl. slasaus,
3 eetl. magere kwark (20 %),
4 eetl. zure room,
$^1/_8$ l heet water.

Zet de eieren op met kokend
water, laat ze in 10 minuten
hard koken, laat ze schrikken
onder koud water, pel ze en

snijd ze in blokjes. Was de kruiden met koud water, laat ze uitlekken en snijd de harde steeltjes eraf. Leg de kruiden op een
plank, strooi er suiker, zout en
peper over en hak ze heel fijn.
Doe het kruidenmengsel in een
schaal, roer er citroensap en olie
door en laat het zo 5 minuten
intrekken. Roer de slasaus, de
kwark en de zure room door elkaar. Klop er met een garde $^1/_8$ l
heet water door. Roer de kruiden en de blokjes ei door de
saus. Bewaar hem koel tot u
hem serveert.

Lekker bij gekookt rundvlees,
gerechten in gelei en gepocheerde of gekookte eieren.

Fijne dipsauzen

Dips bij artisjokken

Voor de tomaten-dip:
2 tomaten,
100 g mayonaise,
3 eetl. tomatenketchup,
2 eetl. koffieroom,
5 druppels tabasco,
een snufje zout, een snufje suiker,
1 eetl. mild paprikapoeder.
Voor de eier-dip:
3 hardgekookte eieren,
8 eetl. olijfolie,
3 eetl. wijnazijn,
1¹/₂ theel. middelscherpe mos-
terd,
een mespunt witte peper,
een mespunt zout,
¹/₂ eetl. kappertjes,
1 eetl. fijngehakte peterselie,
1 eetl. kleingehakte citroenme-
lisse.
Voor de mayonaise-dip:

100 g mayonaise,
3 theel. citroensap,
3 eetl. slagroom.

Pel voor de tomaten-dip de to-maten, snijd ze door, haal de pitten eruit en snijd het vrucht-vlees in blokjes. Meng de toma-ten met de mayonaise, de ket-chup, de room, de tabasco, het zout, de suiker en het paprika-poeder.
Pel voor de eier-dip de eieren. Snijd ze door. Druk de eier-dooiers door een fijne zeef en roer er de olie, de azijn, de mos-terd, de peper en het zout door. Plet de kappertjes iets en roer ze met de gehakte kruiden door de saus. Hak het eiwit heel fijn en meng het door de dip. Roer voor de mayonaise-dip de mayonaise en het citroensap door elkaar. Klop de slagroom stijf en schep hem door de mayonaise.

Dips bij worst

Voor de knoflook-dip:
4 hardgekookte eieren,
2 rauwe eierdooiers,
1¹/₂ theel. zout,
³/₄ theel. peper,
sap van 1 citroen,
4 teentjes knoflook, ¹/₈ l olijfolie.
Voor de Gorgonzola-dip:
50 g zachte boter,
100 g Gorgonzola,
1¹/₂ dl yoghurt.
Voor de room-dip:
2 hardgekookte eieren,
50 g boter, 1 eetl. wijnazijn,
een snufje van elk: zout, witte
*   peper en scherp paprikapoe-*
*   der,*
een paar druppels worcester-
*   shiresaus,*
2 eetl. kleingesneden bieslook,
¹/₈ l zure room, ¹/₈ l slagroom.

Pel voor de knoflook-dip de eie-

ren, snijd ze door. Druk de eier-dooiers door een fijne zeef. Roer er de rauwe dooiers, het zout, de peper en het citroensap door. Pel de knoflook, pers de teentjes en roer ze met de olijf-olie en het kleingehakte eiwit door de dooiermassa.
Roer voor de Gorgonzola-dip de boter tot room. Druk de kaas door een zeef en roer hem door de boter. Meng er ook de yoghurt door.
Pel voor de room-dip de eieren, snijd ze door. Druk de dooiers door de zeef, hak het eiwit klein. Roer de boter tot room. Meng de boter, de azijn, het zout, de peper, het paprikapoeder, de worcestershiresaus, het bies-look, de zure room en het eiwit door de eierdooiers. Klop de slagroom stijf en schep hem door de dip.

Fijne dipsauzen

Dips bij groente

Voor de sinaasappel-dip:
125 g mayonaise,
2 eetl. koffieroom,
1 sinaasappel,
1 eetl. middelscherpe mosterd,
een snufje van elk: zout, witte
*   peper en suiker.*
Voor de kruidendip:
$1^1/_2$ *dl yoghurt,*
100 g roomkaas (Mon Chou),
1 eetl. zure room,
een beetje knoflooksap,
$^3/_4$ *theel. selderiezout,*
een snufje witte peper,
4 eetl. gemengde, kleingehakte
*   kruiden.*
Voor de ketchup-dip:
120 g tomatenketchup,
$^3/_4$ *dl yoghurt,*
2 eetl. olijfolie,
een snufje van elk: zout, cayen-
*   nepeper en suiker,*
$1^1/_2$ *theel. citroensap,*
1 bos bieslook,
2 eetl. groene peperkorrels (uit
*   een pot).*

Roer voor de sinaasappel-dip
de mayonaise en de room door
elkaar. Pers de sinaasappel uit.
Snijd ongeveer een kwart van de
sinaasappelschil vliesdun af en
verdeel hem in smalle reepjes.
Roer de reepjes en het sap, de
mosterd, het zout, de peper en
de suiker door de mayonaise.
Roer voor de kruidendip de
yoghurt, de Mon Chou en de
zure room door elkaar. Maak
hem op smaak met het knoflooksap, het selderiezout en de
peper. Roer er de gehakte kruiden door.
Roer voor de ketchup-dip de
ketchup, de yoghurt, de olijfolie, het zout, de cayennepeper,
de suiker en het citroensap door
elkaar. Was het bieslook, laat
het uitlekken en snijd het klein.
Plet de peperkorrels licht en
roer ze met het bieslook door de
ketchup-dip.

Ze smaken lekker bij rauwe
groente, bij voorbeeld venkel,
bleekselderie, paprika, lof en tomaten.

Pikant ingemaakt

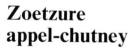

Zoetzure appel-chutney

*1¹/₂ kg zure appels,
500 g uien,
350 g rozijnen,
1 eetl. mosterdzaad,
400 g bruine kandijsuiker,
³/₈ l wijnazijn,
1¹/₂ theel. gemberpoeder,
³/₄ theel. cayennepeper.*

Schil de appels, snijd ze in vieren, haal het klokhuis eruit en verdeel ze in partjes. Schil de uien, snijd ze in blokjes. Was de rozijnen en laat ze uitlekken. Plet het mosterdzaad in de vijzel. Breng de stukjes appel, de ui, de rozijnen, de kandijsuiker, de azijn, het geplette mosterdzaad, de gemberpoeder en de cayennepeper in een pan onder goed roeren aan de kook. Laat het geheel zolang op een laag vuur koken, tot de chutney dikvloeibaar wordt. Blijf steeds goed roeren. Spoel een grote of een paar kleine glazen potten goed om met heet water en laat ze uitlekken. Doe de hete chutney in deze potten. Sluit de potten goed.

Lekker bij allerlei kipgerechten.

Bonen-chutney

*1 kg sperziebonen,
2 l water,
1¹/₂ theel. zout,
650 g uien,
7 dl wijnazijn,
1 eetl. maïsmeel,
1 kg bruine suiker,
1¹/₂ eetl. scherpe mosterd,
1 eetl. koenjit (gemalen kurkuma).*

Was de bonen met koud water, laat ze uitlekken, snijd er de puntjes en de steeltjes af en verwijder eventuele draden. Snijd de bonen in schuine reepjes. Breng 2 l water aan de kook met het zout, laat de bonen hier 25 minuten zachtjes in koken in de gesloten pan, schud ze in een zeef en laat ze uitlekken en afkoelen. Schil de uien, hak ze fijn en laat ze in ¹/₄ l azijn glazig worden. Roer de rest van de azijn door het maïsmeel. Voeg de bruine suiker, de mosterd en de koenjit toe en laat alles op een middelhoog vuur onder goed roeren even aan de kook komen. Leg het deksel iets schuin op de pan. Laat de marinade nog 8 minuten koken op een laag vuur. Doe de bonen en de gekookte ui met de azijn bij de marinade. Laat de chutney nog 15 minuten koken. Spoel een paar glazen potten om met heet water, laat ze uitlekken. Vul de potten met de hete chutney. Sluit de potten goed.

Lekker bij haringspecialiteiten, gesneden worstsoorten en koud rundvlees.

Pikant ingemaakt

Ingemaakte schapekaas

500 g schapekaas,
100 g zwarte olijven,
3 theel. gedroogde rozemarijn,
1 grote ui,
$1/2$ l olijfolie.

Snijd de kaas in twee dikke plakken en vermeng hem met de olijven. Doe dit mengsel in een pot. Strooi de rozemarijn erover. Schil de ui, snijd hem in ringen en leg deze op de kaas. Schenk de olijfolie over de kaas. Sluit de pot. Laat de schapekaas op z'n minst 24 uur goed intrekken in de koelkast. Deze schapekaas blijft 1 week goed in de marinade, als hij in de koelkast bewaard wordt.

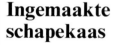

Tip

U kunt de kaas het best serveren met vers boerenbrood. Zet ook de pepermolen op tafel, zodat ieder zich naar eigen smaak van vers gemalen zwarte peper op de schapekaas bedienen kan.

Gekruide champignons

250 g worteltjes,
125 g bleekselderie,
400 g champignons,
80 g sjalotten,
10 chilipepertjes (kleine scherpe
*   pepers),*
2 takjes dille,
1 teentje knoflook,
$1/2$ l water,
10 eetl. wijnazijn,
$1^1/2$ theel. suiker,
$3/4$ theel. zwarte peper,
$1^1/2$ theel. mosterdzaad,
4 laurierblaadjes.

Schrap de worteltjes, was ze en snijd ze met een canneleermesje in plakjes. Maak de bleekselderie schoon, was hem, verdeel hem in stukjes van 2 cm. Snijd een stukje van de steeltjes van de champignons, schil de hoedjes dun. Schil de sjalotten, snijd ze in vieren. Was en droog de chilipepertjes, snijd ze door en haal de pitjes eruit. Was de dille, laat hem uitlekken. Pel de knoflook en snijd hem heel fijn. Vermeng al deze groente tot en met de pepertjes en verdeel ze over een glazen pot met een inhoud van $1/2$ l en een met een inhoud van $3/4$ l. Doe in elke pot 1 takje dille. Breng $1/2$ l water even aan de kook met de azijn, de suiker, de peper, het mosterdzaad en de laurier. Laat het afkoelen. Schenk dit vocht met de knoflook over de groente, zo, dat hij net onderstaat. Sluit de potten met het deksel met rubberring en steriliseer ze 1 uur bij 98 °C.

Pikant ingemaakt

Kruisbessen-relish

1 kg groene kruisbessen,
500 g ui,
350 g rozijnen,
250 g bruine suiker,
1¹/₂ theel. mosterdpoeder,
³/₄ theel. cayennepeper,
1¹/₂ theel. koenjit (gemalen kur-
kuma),
2 eetl. zout,
1 eetl. gemberpoeder,
¹/₂ l wijnazijn.

Was de kruisbessen, laat ze uitlekken, snijd de steeltjes en
kroontjes eraf en snijd de bessen
klein. Schil de uien en hak ze.
Hak ook de rozijnen. Laat de
kruisbessen met de gehakte ui,
de rozijnen, de suiker, de mosterdpoeder, de cayennepoeder,
de koenjit, het zout, de gemberpoeder en de azijn onder

voortdurend roeren een keer
aan de kook komen. Laat ze
vervolgens op een laag vuur 45
minuten zachtjes koken in een
gesloten pan en roer van tijd tot
tijd. Proef of de relish goed van
smaak is en doe de hete relish
dan in heet omgespoelde, af-
gedroogde potten. Maak de
rand van de potten goed schoon
en sluit ze zorgvuldig. Bewaar
de afgekoelde relish koel en
donker.

Lekker bij koud vlees, vlees, ge-
haktschotels en gesneden worstsoorten.

Gemberperen

1 citroen,
30 g verse gemberwortel,
¹/₂ l water,
¹/₂ l witte azijn,
400 g suiker,
2 kleine pijpjes kaneel,
een mespunt nootmuskaat,
1¹/₂ kg stevige peren,
10 kruidnagels.

Was de citroen met heet water,
droog hem en schil hem heel
dun. Snijd de schil in smalle
reepjes. Schil de gemberwortel
en snijd hem in plakjes. Breng
¹/₂ l water aan de kook met de
azijn en de suiker. Voeg de citroenschil, de gember, de pijp-
kaneel en de nootmuskaat toe.
Neem de pan dan van het vuur.
Schil de peren, snijd ze door,
haal het klokhuis eruit en steek
de kruidnagels in de halve pe-

ren. Laat de peren 10 minuten
zachtjes koken in de gesloten
pan. Spoel één grote of twee
kleine glazen potten om met
heet water en droog ze af. Haal
de peren uit het kookvocht en
doe ze in de potten. Laat het
kookvocht nog 20 minuten
zachtjes koken in de gesloten
pan en schenk het heet over de
peren. De peren moeten helemaal bedekt zijn. Sluit de potten
met perkamentpapier of in-
maak-cellofaan. Bewaar ze koel
en donker.

Lekker bij wild, wild gevogelte,
rosbief en koud gebraden varkensvlees.

155

Pikant ingemaakt

Groente-chutney

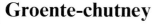

110 g zilveruitjes (uit een pot),
1 kleine augurk,
250 g bloemkool,
¹/₂ komkommer,
250 g sperziebonen,
¹/₄ l water,
¹/₄ l wijnazijn,
een mespunt gemalen foelie,
1¹/₂ theel. witte peper,
¹/₂ theel. mosterdpoeder,
2 eetl. kerriepoeder,
een mespunt saffraan,
4 eetl. suiker.

Laat de zilveruitjes uitlekken en hak ze met de augurk fijn. Was de bloemkool, de komkommer en de sperziebonen, maak ze schoon en hak ze klein. Doe al deze ingrediënten in een grote, lage pan en voeg ¹/₄ l water en de azijn toe. Roer er de specerijen en de suiker door. Laat al-

les op een laag vuur zolang koken tot alle vloeistof verdampt is en roer regelmatig om. Er moet een brijig mengsel ontstaan. Maak de chutney pittig op smaak af. Was goed afsluitbare potten af met heet water, laat ze uitlekken, vul ze met de chutney en sluit ze.

Lekker bij koud gebraden vlees, koud gevogelte, hardgekookte eieren en schotels vleeswaren.

Indische tomaten-chutney

350 g rijpe tomaten,
3 middelgrote uien,
1 teentje knoflook,
2 groene chilipepertjes (kleine
scherpe pepers),
¹/₂ bos peterselie,
¹/₄ l wijnazijn,
¹/₂ pijpje kaneel, 1 eetl. zout,
250 g bruine suiker,
1¹/₂ theel. gemberpoeder,
6 kruidnagels,
¹/₈ l olie, 2 eetl. mosterdzaad.

Pel de tomaten, snijd ze door, haal de pitten eruit en snijd het vruchtvlees in blokjes. Schil de ui, pel de knoflook en hak ze fijn. Was de chilipepers, droog ze, haal de pitjes eruit en hak ze klein. Was de peterselie, laat hem uitlekken en snijd hem fijn.

Breng de tomaat, de ui, de azijn, de kaneel en het zout al roerend aan de kook op een middelhoog vuur. Voeg de chilipeper, de knoflook, de peterselie, de suiker, de gemberpoeder en de kruidnagels toe. Laat de chutney al roerend 5–8 minuten koken. Verhit de olie, bak het mosterdzaad 1 minuut onder goed roeren. Doe dat bij de chutney, en laat deze koken tot hij dik begint te worden. Doe de chutney in glazen potten en sluit deze goed.

Lekker bij hardgekookte eieren, koud wild, gevogelte en gebraden rundvlees.

Koude soepen

Sinaasappelsoep met vanille-ijs

1 blikje jus d'orange (uit de diep-
*   vries),*
$^1/_8$ l witte wijn,
$^3/_8$ l water,
75 g suiker,
1 onbespoten sinaasappel,
1 eetl. maïzena,
250 g diepvriesframbozen,
1 klein borrelglas sinaasappel-
*   likeur,*
1 pak vanille-ijs van $^1/_2$ l.

Laat de jus d'orange ontdooien
in het blikje. Breng de witte wijn
met $^3/_8$ l water, de suiker en het
ontdooide sap in een pan aan
de kook. Was de sinaasappel
met heet water, droog hem en
rasp de schil in de soep. Roer
een glad mengsel van de maïzena met een beetje water, bind de
soep ermee en laat hem een paar
keer aan de kook komen. Doe
de diepvriesframbozen in de
hete soep. Haal de pan van het
vuur en laat de soep afkoelen en
in de koelkast helemaal koud
worden. Haal restjes sinaasappelschil uit de soep. Verwijder
de vliesjes van de sinaasappelpartjes en haal ook de pitten eruit. Leg de sinaasappelpartjes in
de soepterrine en sprenkel er de
sinaasappellikeur over. Schenk
de ijskoude soep over de sinaasappel. Geef het vanille-ijs apart.
Schep aan tafel klontjes uit het
ijs met een eetlepel en doe deze
in de soep.

Koude aardbei-appelsoep

250 g diepvriesaardbeien,
2 middelgrote appels (liefst Cox
*   Orange),*
2 eetl. citroensap,
$^3/_8$ l water,
100 g suiker,
$^1/_4$ l witte wijn,
$1^1/_2$ theel. geraspte citroenschil,
1 volle eetl. maïzena,
$^1/_4$ l Sekt,
1 eetl. kleingehakte pistache-
*   noten.*

Laat de aardbeien 2 uur toegedekt in een schaal ontdooien
bij kamertemperatuur. Schil de
appels, snijd ze in vieren, haal
het klokhuis eruit en verdeel ze
in dunne schijfjes. Besprenkel
de schijfjes met citroensap.
Breng $^3/_8$ l water met de suiker
aan de kook onder voortdurend
roeren. Voeg de witte wijn toe.
Doe de appelschijfjes en de geraspte citroenschil in de soep en
laat hem een keer aan de kook
komen. Roer een glad mengsel
van de maïzena met een beetje
water en bind de soep ermee.
Laat de soep een paar keer aan
de kook komen en laat hem vervolgens afkoelen. Pureer de
helft van de aardbeien. Snijd
van de rest de grote aardbeien
door. Roer de aardbeienpuree
en de aardbeien door de soep.
Doe de soep in een terrine en zet
hem koud weg. Roer er vlak
voor het serveren de goed gekoelde Sekt door. Strooi er de
pistache noten over.

Andalusische gazpacho

500 g tomaten, 2 uien,
2 grote tenen knoflook,
1 komkommer,
1 grote groene paprika,
$^1/_2$ l water,
2 eetl. wijnazijn, 2 eetl. olijfolie,
50 g wittebroodkruim,
$^1/_2$ eetl. tomatenpuree,
$^3/_4$ theel. zout,
een flinke snuf zwarte peper,
een flinke snuf suiker,
150 g oud wittebrood,
2 eetl. boter, 1 grote ui.

Pel de tomaten, snijd ze in achten en haal de pitjes eruit. Schil de uien, pel de knoflook en hak ze grof. Was de komkommer en de paprika, droog ze af. Snijd de helft van de komkommer in grote blokken. Snijd de paprika door, haal zaadlijst en pitten eruit en verdeel hem in blokjes. Pureer de tomaat, de ui, de knoflook, de komkommer en de paprika in de mixer. Klop in een schaal de groentepuree met een garde door $^1/_2$ l water, de azijn, de olie, het broodkruim en de tomatenpuree. Maak de soep pittig op smaak met zout, peper en suiker. Zet de gazpacho 2 uur in de koelkast. Snijd het wittebrood in blokjes. Smelt de boter. Bak de stukjes brood goudbruin en laat ze afkoelen. Schil de ui en hak hem fijn. Snijd de overgebleven komkommer in blokjes. Geef de gebakken stukjes brood, de gehakte ui en de blokjes komkommer apart bij de soep.

Koude vissoep

400 g diepvries-roodbaarsfilet,
wat zout,
300 g diepvries-bladspinazie,
$^1/_8$ l water,
100 g zuring zonder steeltjes,
$^1/_2$ komkommer (150 g),
1 voorjaarsui,
1 eetl. diepvriesdille,
1 eetl. diepvriespeterselie,
$1^1/_2$ theel. donkere stroop,
$^3/_4$ theel. zout,
een snufje witte peper,
$^3/_4$ l witte wijn of appelwijn,
8 garnalen.

Breng de diepvriesvis in een beetje water met zout aan de kook en laat hem 10 minuten stoven. Laat de vis in het kookvocht afkoelen. Doe de diepvriesspinazie in $^1/_8$ l water met zout en laat hem na het ontdooien nog 4 minuten in de ge- sloten pan stoven op een laag vuur. Was de zuring en dep hem droog. Laat de spinazie uitlekken. Snijd zuring en spinazie in reepjes. Schil de komkommer, snijd hem in de lengte door, haal de zaadlijst eruit en verdeel hem in blokjes. Was de voorjaarsui, snijd hem in ringen. Roer al deze ingrediënten met de diepvrieskruiden, de stroop, het zout, de peper en het viskookvocht door elkaar. Voeg de witte wijn of de appelwijn toe. Snijd de visfilet in stukjes en doe deze met de garnalen in de soep. Zet de vissoep koel weg tot u hem serveert.

Koude soepen

Komkommer-roomsoep

¹/₂ komkommer, ³/₈ l slagroom,
¹/₂ l karnemelk,
³/₄ theel. zout, ³/₄ theel. suiker,
sap van 1 citroen,
1 bos dille.

Schil de komkommer, snijd hem in de lengte door en haal de zaadlijst eruit. Snijd de komkommer in blokjes. Roer de room, de karnemelk, het zout, de suiker en het citroensap goed door elkaar. Was de dille, snijd hem fijn en roer hem met de blokjes komkommer door de soep. Zet de soep op een koele plaats.

Koude tomatensoep

¹/₂ l water,
1 kg tomaten,
³/₄ theel. zout,
³/₄ theel. witte peper,
een mespunt selderiezout,
¹/₄ l yoghurt,
¹/₈ l droge witte vermout,
50 g champignons,
¹/₈ l koffie of slagroom,
1 bos bieslook.

Breng ¹/₂ l water aan de kook. Was de tomaten, snijd ze in vieren. Doe de partjes tomaat in het kokende water en laat ze daarin in 10 minuten gaar worden in de gesloten pan. Zeef de tomaten. Roer het zout, de peper en het selderiezout door de tomatenpuree en laat ze afkoelen. Roer de yoghurt en de vermout door elkaar. Was de champignons, maak ze schoon en snijd ze in dunne plakjes. Roer de gemengde yoghurt, de champignons en de room door de koude tomatenpuree. Zet de tomatensoep koud weg. Was het bieslook, snijd het fijn en strooi het over de soep.

Koude bramen-ananassoep

500 g bramen (vers of uit diep-
*   vries),*
1 l water,
5 eetl. suiker,
1 zakje vanillesuiker,
1 eetl. citroensap,
250 g ananas in blokjes,
2 eetl. maïzena,
1/8 l rode wijn,
50 g amandelschaafsel,
1 1/2 theel. suiker.

Haal de steeltjes van de bramen, was ze met koud water en laat ze uitlekken. Laat de diepvries-bramen toegedekt bij kamer-temperatuur ontdooien. Breng 1 l water aan de kook met de suiker, de vanillesuiker en het citroensap. Voeg de ananas erbij en laat deze 5 minuten ko-

ken in de gesloten pan. Voeg vervolgens de bramen toe en laat de vruchten nog 10 minuten koken op een laag vuur. Roer een glad mengsel van de maïzena met de rode wijn. Meng dit door de soep en laat hem even aan de kook komen. Laat de soep afkoelen, doe hem in een terrine en zet hem koel weg. Rooster het amandelschaafsel met de suiker onder voortdu-rend omscheppen goudbruin op een laag vuur en strooi dat over de zeer koude soep.

Tip

Als u in plaats van verse ananas ananas uit blik gebruikt, moet u deze maar 5 minuten met de bramen laten meekoken.

Vlierbessensoep

1 kg vlierbessen,
1 l water,
1/2 pijpje kaneel,
schil van 1/2 citroen,
125 g suiker, een snufje zout,
2 peren,
2 eetl. maïzena,
1/8 l witte wijn, 1/8 l slagroom.

Ris de bessen van de steeltjes, was ze met koud water en laat ze uitlekken. Breng 1 l water aan de kook en laat de bessen op een laag vuur toegedekt 15 minuten koken. Druk de bessen door de zeef. Breng de soep op-nieuw aan de kook met de pijp-kaneel, de citroenschil, de sui-ker en het zout. Schil de peren, snijd ze in vieren, haal het klok-huis eruit en verdeel ze in niet te dunne schijfjes. Laat de peer een paar minuten in de soep meeko-

ken. Haal de kaneel en de ci-troenschil uit de soep. Roer een glad mengsel van de maïzena met de witte wijn, bind de soep hiermee en laat hem even aan de kook komen. Laat de soep af-koelen en vervolgens helemaal koud worden in de koelkast. Klop de slagroom stijf. Verdeel de soep over vier kommen en schep op elke portie 1 eetlepel slagroom.

Tip

Deze soep is heel erg lek-ker als hij op ijsgruis wordt geserveerd.

Soepen voor middernacht

Gegratineerde uiensoep

600 g uien,
1 teentje knoflook,
100 g boter,
$^3/_4$ theel. tabasco,
een mespunt cayennepeper,
een mespunt nootmuskaat,
$1^1/_4$ l vleesbouillon,
$^1/_4$ l droge witte wijn,
4 sneetjes wit stokbrood,
50 g geraspte Emmentaler of
   Gruyère.

Schil de uien, pel de knoflook.
Snijd de uien in dunne ringen,
snijd de knoflook fijn. Verhit de
boter in een grote lage pan.
Fruit er de ui en de knoflook
goudbruin in onder voortdurend omscheppen. Voeg de specerijen en de bouillon toe, roer
dat een keer goed om en laat de
soep op een laag vuur 20 minuten zachtjes koken met het deksel op de pan. Neem de pan vervolgens van het vuur en roer de
witte wijn door de soep. Verwarm de oven voor op 230 °C of
verhit de grill. Verdeel de soep
over vier vuurvaste soepkommen. Rooster de sneetjes brood
goudbruin en leg op elke portie
soep een broodje. Strooi er geraspte kaas over. Zet de soep
zolang in de oven of onder de
grill, tot de kaas gesmolten is en
gaat kleuren.

Hongaarse goelasjsoep

Voor 6–8 personen:
300 g varkensvlees,
200 g rundvlees,
4 uien, 2 worteltjes,
2 groene paprika's,
1 klein blik gepelde tomaten,
2 eetl. olie, $^3/_4$ theel. zout,
3 theel. mild paprikapoeder,
een mespunt knoflookpoeder,
$^1/_2$ theel. peper,
$^1/_2$ theel. scherp paprikapoeder,
1 l vleesbouillon,
$^1/_8$ l koffieroom.

Snijd het vlees in blokjes van
2 cm, haal er alle velletjes af en
alle zenen uit. Schil de uien,
snijd ze in ringen. Schrap de
worteltjes, was ze en verdeel ze
in plakjes. Was de paprika's,
droog ze, snijd ze door en haal
de zaadlijst en de pitten eruit.
Snijd ze in reepjes. Snijd de tomaten uit blik iets kleiner. Verhit de olie in een grote braadpan
en smoor er de uieringen in tot
ze glazig zijn. Bak er dan ook
het vlees bruin in. Voeg de paprika en de wortel toe en laat ze
even meebakken. Voeg de tomaten en het tomatesap erbij.
Meng alles goed door elkaar.
Maak het geheel op smaak met
het zout en de specerijen. Roer
er de vleesbouillon door. Laat
de goelasjsoep in de gesloten
pan 60–80 minuten zachtjes koken. Maak de soep af met de
koffieroom.

Chinese soep met kippeballetjes

300 g rauw kippevlees,
4 1/2 theel. verse, kleingehakte
   gemberwortel,
2 eetl. lichte sojasaus,
geraspte schil van 1 citroen,
2 eetl. mangosaus (uit een pot),
2 eiwitten,
2 eetl. maïzena,
een flinke snuf ve-tsin (gluta-
   maat),
een flinke snuf zout,
2 pakjes Chinese soep (uit de In-
   dische of Chinese toko).

Hak het kippevlees fijn of draai
het door de vleesmolen. Vermeng dit gehakt met de gember,
de sojasaus, de citroenschil, de
mangosaus, de eiwitten, de maïzena, de ve-tsin en het zout.
Druk de massa stevig aan op
een bord. Maak de Chinese
soep klaar volgens de aanwijzingen op het pak. Steek met
een theelepel, die u regelmatig
in koud water dompelt, balletjes
uit het gehakt en laat ze in de
kokende soep glijden. Laat de
vleesballetjes 2–3 minuten
zachtjes trekken in de soep; de
soep mag in dat geval niet meer
koken. Doe steeds 3 kippeballetjes in een soepkom of soepbord
en schenk de soep erover.

Aardappel-pepersoep

3 theel. groene peperkorrels (uit
   een pot),
1 grote ui,
75 g rauwe ham,
3/4 l water,
1 pakje diepvriesdoperwten en
   -worteltjes,
1 groentebouillontablet,
1 kop aardappelpureepoeder,
2 eetl. margarine,
1 eetl. fijngehakte tuinkruiden.

Plet de groene peperkorrels.
Schil de ui en snijd hem fijn.
Snijd de ham in reepjes. Breng
3/4 l water aan de kook, doe er
de diepvriesgroente en het
bouillontablet in en laat het
5 minuten zachtjes koken. Klop
de pureepoeder met een garde
door de groentesoep. Roer er de
peperkorrels door. Laat de soep
dan niet meer koken. Fruit de
gesnipperde ui in de margarine
goudgeel met de reepjes ham.
Verdeel de soep over vier soepkommen en strooi er de tuinkruiden over. Verdeel het spek-
uimengsel over de soep.

Soepen voor middernacht

Japanse soep

4 voorjaarsuien,
4 eetl. sojaolie,
1 l water,
2 pakjes Japanse soep (uit de
*   Chinese of Indische toko),*
2 gemberbolletjes (uit een pot),
ruim een borrelglas rijstwijn of
*   droge sherry.*

Was de uien, droog ze, maak ze schoon en snijd ze in ringen. Verhit de sojaolie in een grote pan. Fruit de uien 5 minuten in de olie. Voeg 1 l koud water toe en maak hierin de soep klaar volgens de gebruiksaanwijzing. Snijd de gemberbolletjes in heel smalle reepjes. Roer de gember en de rijstwijn of sherry door de soep. Dien de soep op in Chinese kommetjes.

Tip

Als de soep een wat steviger gerecht moet zijn (u wilt hem bij voorbeeld 's avonds laat aan uw gasten voorzetten) kunt u hem wat uitbreiden met kippeballetjes (recept zie blz. 162).

Vissoep met een hoedje

4 plakjes diepvriesbladerdeeg,
4 middelgrote tomaten,
4 eetl. olie,
2 blikjes vissoep,
ruim een borrelglas cognac,
1 ei.

Laat het bladerdeeg ontdooien. Pel de tomaten, snijd ze in vieren en haal de pitjes eruit. Verhit de olie in een grote pan. Bak er de stukken tomaat een paar minuten in onder voortdurend roeren. Voeg de blikjes soep toe en zoveel water als staat aangegeven. Laat de soep onder regelmatig roeren warm worden. Laat hem dan weer afkoelen en meng de cognac erdoor. Verdeel de soep over vier vuurvaste soepkommen. Verwarm de oven voor op 250 °C. Vouw de blaadjes bladerdeeg tot vierkantjes en rol deze zo uit, dat ze ongeveer 2 cm groter zijn dan de grootste doorsnee van de soepkom. Splits het ei. Bestrijk de randen van de kommen met eiwit. Leg de deeglapjes op de kommen en druk de randen goed aan. Snijd overhangend deeg 1 cm onder de rand van de kom af. Bestrijk de deegkapjes met losgeroerde eierdooier. Maak van de deegrestjes kleine versieringen, bestrijk ze met eierdooier en leg ze op de kapjes. Bak de deeghoedjes 10–12 minuten in de oven. De hoedjes moeten goudbruin en knapperig zijn.

Croquant gebak

Kaasstengels

Voor de bakplaat:
boter of margarine,
350 g bloem, 25 g gist,
$^1/_8$ l lauwe melk,
120 g boter (of margarine),
$1^1/_2$ theel. zout, 2 eierdooiers,
2 eetl. water,
100 g geraspte Emmentaler,
$1^1/_2$ theel. scherp paprikapoeder,
1 eetl. kummel,
1 eetl. grof zout.

Vet de bakplaat dun in. Zeef de
bloem in een kom, maak in het
midden een kuiltje. Verkruimel
er de gist in en roer er de melk
en een beetje bloem uit het kuiltje door. Laat het toegedekt 15
minuten rijzen. Smelt de boter,
roer het zout erdoor. Vermeng de boter met het zetsel en alle bloem. Kneed het
deeg tot het blazen trekt. Laat

het daarna 20–30 minuten rijzen. Verwarm de oven voor op
220 °C. Rol het deeg op een met
bloem bestoven tafel uit tot een
rechthoekige lap van 4 mm dik.
Klop de eierdooiers los met
2 eetl. water. Bestrijk de helft
van de lap ermee en houd wat
eierdooier achter. Strooi er geraspte kaas over, vouw de andere helft van de deeglap erover en
rol hem weer tot hij 4 mm dik is.
Snijd de lap in reepjes van $2^1/_2$
cm en draai deze tot spiralen.
Bestrijk de spiralen met eierdooier. Bestrooi de stengels met
paprikapoeder, kummel en zout
en leg ze op de bakplaat. Bak ze
in 15–20 minuten goudbruin op
de middelste richel van de oven.

Maanzaad-
en kaaskoekjes

250 g bloem,
50 g gepelde, geraspte amande-
len,
$^1/_2$ theel. zout,
een mespunt cayennepeper,
200 g geraspte Emmentaler,
1 eiwit,
125 g boter (of margarine).
Voor de bakplaat:
boter of margarine.
1 eierdooier, 1 eetl. water,
2 eetl. maanzaad,
2 eetl. fijngehakte peterselie,
$^1/_2$ theel. zout.

Zeef de bloem in een platte
schaal, maak in het midden een
kuiltje en doe daar de geraspte
amandelen, het zout, de cayennepeper, 125 g geraspte Emmentaler en het eiwit in. Verdeel

de boter in klontjes op de
rand en kneed alles door elkaar
tot een glad deeg. Verdeel het
deeg in twee porties. Vorm van
de ene helft een rol van 5 cm Ø
en van het andere deel een bal.
Wikkel beide in aluminiumfolie
en leg ze 2 uur in de koelkast.
Verwarm de oven voor op
200 °C. Vet twee bakplaten in.
Roer de eierdooier los met 1 eetlepel water. Snijd de deegrol in
3 mm dunne plakjes. Bestrijk de
rondjes met eierdooier, strooi er
maanzaad over, leg ze op de
bakplaat en bak ze in 15 minuten goudgeel. Rol de deegbal uit
tot een dunne rechthoek, bestrijk hem met eierdooier.
Strooi er de peterselie, de rest
van de kaas en het zout gelijkmatig overheen. Rol de deeglap
op en snijd hem in $2^1/_2$ cm dikke
plakjes. Bestrijk de koekjes met
de rest van de eierdooier en bak
ze ook 15 minuten.

Kaasdriehoekjes

250 g bloem,
1 ei,
een snufje zout,
125 g boter (of margarine).
Voor de bakplaat:
boter of margarine.
2 hoekjes smeerkaas met salami,
1 eierdooier,
2 eetl. sesamzaad.

Zeef de bloem boven het werkvlak, maak in het midden een
kuiltje. Doe het ei en het zout in
het kuiltje. Verdeel de boter
in klontjes over de rand van
de bloem en kneed alle ingrediënten vlug van buiten naar
binnen door elkaar. Wikkel het
deeg in aluminiumfolie of vetvrij papier en leg het 1 uur in de
koelkast. Verwarm de oven
voor op 200 °C. Vet de bakplaat
dun in. Rol het deeg uit tot een

4 mm dikke lap en steek er
rondjes van 6 cm Ø uit. Snijd de
smeerkaas eerst in plakjes en
daarna in blokjes; dompel het
mes regelmatig in heet water.
Verdeel de kaasblokjes over de
rondjes en vouw er vervolgens
driehoekjes van. Klop de eierdooier los en bestrijk de driehoekjes ermee. Strooi er het sesamzaad over. Leg de koekjes
op de ingevette bakplaat. Bak
ze op de middelste richel van de
voorverwarmde oven gaar in
15–20 minuten.

Brosse kummelkoekjes

Voor de bakplaat:
boter of margarine.
125 g bloem,
65 g boter (of margarine),
100 g geraspte oude Goudse,
een snufje zout, een snufje suiker,
een mespunt nootmuskaat,
1 eierdooier,
2–3 eetl. kummel.

Vet de bakplaat in. Zeef de
bloem boven een platte schaal,
maak in het midden een kuiltje.
Verdeel de boter in klontjes
over de meelrand. Doe de geraspte kaas, het zout, de suiker
en de nootmuskaat in het kuiltje
en kneed alle ingrediënten vlug
van buiten naar binnen door elkaar. Verdeel het deeg in twee
porties, wikkel ze in aluminium-

folie of vetvrij papier en leg ze 1
uur in de koelkast. Verwarm de
oven voor op 200 °C. Rol de
twee stukken deeg na elkaar uit
tot een 4 mm dikke lap op een
met bloem bestoven tafel en
steek er met een radertje rechthoekjes of vierkantjes uit. Bestrijk de koekjes met eierdooier
en strooi er kummel over. Leg
ze op de ingevette bakplaat en
bak ze 15 minuten op de middelste richel van de voorverwarmde oven.

Croquant gebak

Zoute krullen met kaasdips

*300 g diepvriesbladerdeeg
(3 plakken),
1 ei, 1¹/₂ theel. zout,
³/₄ theel. witte peper,
400 g Mon Chou,
2 dl zure room,
10 eetl. slagroom,
30 g ansjovispasta,
1 eetl. fijngehakte dille,
zout en peper,
¹/₂ rode paprika,
1 eetl. mild paprikapoeder.*

Laat het bladerdeeg ontdooien.
Klop het ei los. Bestrijk de plakken deeg met ei. Bestrooi één
plak met zout en peper, leg er de
tweede plak met de eikant op.
Bestrijk de bovenkant met ei,
strooi er zout en peper op en leg
er de derde lap met de eikant

op. Rol de deeglap zachtjes uit
tot een lap van 10 × 20 cm en
snijd daar 32 reepjes uit van 5
cm lengte. Draai elk reepje eenmaal om zijn eigen as en leg de
krullen vervolgens op een met
water omgespoelde bakplaat.
Laat ze 15 minuten rusten. Bak
de krullen dan 15 minuten in
een oven van 200°C. Roer voor
de dips de Mon Chou, de zure
room en de slagroom door elkaar. Verdeel de kaascrème in
twee porties. Vermeng de ene
helft met de ansjovispasta en de
dille, maak hem op smaak met
zout en peper. Snijd de paprika
fijn, roer hem met het paprikapoeder door de andere helft.
Maak deze ook op smaak met
zout en peper.

Kaas-
halvemaantjes

*250 g bloem,
2 eierdooiers,
¹/₂ theel. zout,
1–2 eetl. water,
125 g boter,
200 g gesneden Cheddar,
2 eetl. fijngehakte peterselie,
1 eetl. melk,
2–3 eetl. sesamzaad.*

Zeef de bloem boven een platte
schaal, maak in het midden een
kuiltje en doe daarin 1 eierdooier, het zout en 1–2 eetlepels
water. Verdeel de boter in
klontjes over de rand van de
bloem en kneed alle ingrediënten vlug door elkaar. Wikkel het
deeg in aluminiumfolie en leg
het 1 uur in de koelkast. Verwarm de oven voor op 220°C.

Rol het deeg op een met bloem
bestoven vlak uit tot een rechthoek van 30 × 40 cm en snijd
daar twintig driehoekjes uit van
8 × 15 cm. Snijd de plakjes
kaas twee maal diagonaal door,
zodat u uit elke plak vier driehoekjes snijdt. Leg steeds twee
kaasdriehoekjes op één drie-
hoekje deeg, strooi er peterselie
over en rol het geheel op tot een
halvemaantje. Klop de tweede
eierdooier los met de melk. Bestrijk de halvemaantjes ermee
en strooi er daarna sesamzaad
over. Leg de kaashalvemaantjes
op de bakplaat en bak ze 15–20
minuten op de middelste richel
van de oven.

Herentaart

300 g diepvriesbladerdeeg,
1 ui,
$1^1/_2$ theel. groene peperkorrels
    (uit een pot),
1 kg kwark (20 %),
2 eierdooiers, 3 theel. mosterd,
8 druppels tabasco,
$1^1/_2$ theel. zout,
$1^1/_2$ theel. worcestershiresaus,
3 theel. tomatenpuree,
$1^1/_2$ theel. mild paprikapoeder,
2 eetl. gemengde, fijngehakte
    kruiden,
1 doosje geroosterd amandel-
    schaafsel,
10 piri-piri,
10 zilveruitjes (uit een pot),
10 plakjes Lachsschinken (fijne
    ham).

Ontdooi het bladerdeeg volgens
voorschrift. Verwarm de oven
voor op 220°C. Druk het bladerdeeg losjes tegen elkaar, rol
er drie plakken van 24 cm ⌀
van en leg deze achter elkaar op
een met koud water omgespoelde bakplaat. Bak ze 12–15 minuten op de middelste richel van
de oven, laat ze afkoelen. Schil
de ui en rasp hem fijn. Hak de
groene peperkorrels. Roer de
kwark, de eierdooiers, de mosterd, de tabasco, de geraspte ui,
het zout en de worcestershiresaus door elkaar. Verdeel de gekruide kwark in drie porties.
Roer door één portie de tomatenpuree en het paprikapoeder
en door de tweede de kruiden en
de groene peper. Bestrijk de eerste taartbodem met de rode
kwark, de tweede met de groene
kwark. Zet de taartbodem met
de groene kwark op de rode
kwark, leg de derde bodem er
bovenop en bestrijk deze met
witte crème. Doe de overgebleven kwark in de spuitzak met
gekarteld spuitmondje. Bestrooi
de rand met amandelschaafsel.
Spuit rozetten crème op de taart
en garneer deze met piri-piri,
zilveruitjes en rolletjes ham.

Kaassoezen

Voor het soezendeeg:
$^1/_4$ l water,
60 g boter of margarine,
een snufje zout,
200 g bloem, 4 eieren.
Voor de vulling:
600 g Mon Chou,
$^3/_4$ theel. zout,
een snufje witte peper,
een snufje selderiezout,
ruim een borrelglas sherry
   (fino),
1$^1/_2$ theel. paprikapuree (uit een
   tube).

Breng in een gesloten pan $^1/_4$ l
water aan de kook met de boter
en het zout. Zeef de bloem en
voeg hem in één keer aan het
water toe. Roer het deeg zolang
tot het als een bal van de pan-
bodem loslaat. Doe de deegbal
in een schaal en laat hem iets afkoelen. Verwarm de oven voor
op 230 °C. Roer de eieren één
voor één door het deeg. Doe het
deeg in de spuitzak met gekarteld spuitmondje en spuit toefjes
ter grootte van een kers op de
bakplaat. Spuit ze niet te dicht
bij elkaar. Bak de soezen 20 minuten op de middelste richel.
Snijd de soezen, terwijl ze nog
warm zijn, dwars door. Roer
voor de vulling de Mon Chou,
het zout, de peper en het selderiezout tot room. Verdeel de
kaas in twee porties. Maak de
ene portie af met de sherry en de
andere met de paprikapuree.
Spuit de kaascrème in de onderste helft van de soezen en zet de
bovenkant er dan weer op.

Kaaskransjes van bladerdeeg

1 pak diepvriesbladerdeeg
   (300 g),
1 eierdooier,
100 g geraspte Emmentaler,
een snufje zout,
een snufje witte peper,
250 g kwark (20 %),
$^1/_2$ theel. zout,
een snufje witte peper,
een snufje gemalen kummel.

Laat het bladerdeeg volgens
voorschrift ontdooien. Druk de
deeglappen dan losjes tegen elkaar en rol ze uit tot een lap van
24 × 38 cm. Steek er 24 rin-
getjes van 6 cm ∅ uit en leg
deze op de met water omgespoelde bakplaat. Verwarm de
oven voor op 220 °C. Klop de
eierdooier iets los en bestrijk de
kransjes ermee. Strooi er de geraspte kaas, het zout en de peper over. Laat de kransjes ongeveer 15 minuten rusten, bak
ze dan 12–15 minuten op de
middelste richel van de oven.
Laat de kransjes op een taartrooster afkoelen. Klop de
kwark, het zout, de peper en de
kummel door elkaar, doe de
crème in een spuitzak met gekarteld spuitmondje en spuit
twaalf kransjes vol. Zet de andere twaalf kransjes op de
kwarkcrème.

Cornish pastries

Voor het deeg:
250 g bloem,
150 g zachte boter,
een snufje zout, 1 ei.
Voor de vulling:
150 g runderlende,
150 g rauwe geschilde aardappe-
len,
1 gesneden sjalot,
1¹/₂ theel. gedroogde tijm,
4 eetl. vleesbouillon,
1¹/₂ theel. zout,
³/₄ theel. witte peper,
1 eierdooier.

Zeef de bloem boven het werkvlak en verdeel er de boter in
klontjes overheen. Voeg het
zout en het ei toe en kneed alles
vlug door elkaar. Laat het deeg
1 uur toegedekt in de koelkast
rusten.
Snijd voor de vulling de lende

en de aardappelen in blokjes.
Vermeng ze met de sjalot, de
tijm, de vleesbouillon, het zout
en de peper. Proef of de massa
goed op smaak is en verdeel
hem in vier gelijke porties. Snijd
het deeg ook in vier gelijke porties. Rol elke portie uit tot een
lapje van 18 cm ⌀. Leg de vulling midden op elke deeglap en
bestrijk de rand met losgeroerde
eierdooier. Vouw de lapjes dubbel en druk de randen tegen elkaar. Bestrijk de bovenkant met
eierdooier. Verwarm de oven
voor op 190°C. Bak de pastries
eerst 25 minuten op 190°C en
dan nog 20 minuten op 160°C.

Hamtaartjes

Voor het deeg:
250 g bloem,
100 g zachte boter,
1 ei, 1–2 eetl. water.
Om te bestuiven:
wat bloem.
Voor de vulling:
3 middelgrote uien,
100 g rauwe ham,
2 eetl. olie, 4 eieren,
¹/₈ l slagroom of koffieroom,
¹/₂ theel. zout,
een snufje witte peper,
100 g geraspte Emmentaler,
2 eetl. fijngehakte peterselie.

Zeef de bloem boven het werkvlak en verdeel er de boter in
klontjes over. Leg er het ei en
1–2 eetlepels water midden op.
Kneed alles vlug door elkaar,
laat het deeg 2 uur toegedekt in
de koelkast rusten. Verwarm de

oven voor op 220°C. Rol het
deeg op een met bloem bestoven
tafel uit en bekleed er acht taart-
vormpjes van 10 cm ⌀ mee.
Prik de bodem van de taartjes
met een vork in en bak ze 10 minuten op de middelste richel.
Laat ze afkoelen. Snijd de uien
en de ham fijn. Laat de uien in
de olie glazig worden, haal ze
uit de pan en laat ze afkoelen.
Klop de eieren, de room, het
zout en de peper door elkaar.
Vul de taartjes met de ham en
de ui, de geraspte kaas en de peterselie. Schenk de eierroom erover. Bak de taartjes nog 10–20
minuten in de oven bij een temperatuur van 210°C en dek ze
eventueel af met aluminiumfolie.

Kaasenvelopjes

300 g diepvriesbladerdeeg.
Om te bestuiven:
bloem.
30 g boter,
100 g geraspte Gruyère,
2 eieren,
2 eetl. fijngehakte peterselie,
$^1/_2$ theel. zout,
een snufje cayennepeper,
sap van 1 citroen,
1 eierdooier.

Ontdooi het bladerdeeg volgens
voorschrift en rol het op een
met bloem bestoven vlak ongeveer 2 mm dik uit. Smelt de
boter. Vermeng de kaas, de eieren, de peterselie, het zout, de
cayennepeper en het citroensap.
Roer de hete boter door het
kaasmengsel en laat het afkoelen. Steek uit het bladerdeeg
ovalen van 10 cm. Leg midden

op elk lapje een eetlepel kaasmengsel. Bestrijk de deegrand
met koud water en vouw de
ovalen dubbel. Druk de randen
goed tegen elkaar. Klop de eierdooier los en bestrijk de enve-
lopjes ermee. Leg ze op een met
koud water omgespoelde bakplaat en laat ze 10 minuten rusten. Verwarm de oven op
200 °C. Bak de kaasenvelopjes
na het rusten 12 minuten op de
middelste richel van de oven en
laat ze afkoelen.

Tartaar-pirogs

Voor het deeg:
300 g bloem,
$^3/_4$ theel. bakpoeder,
$^3/_4$ theel. zout,
80 g zachte boter,
1 ei, $^1/_8$ l zure room.
Voor de vulling:
1 ui, 60 g champignons,
40 g boter, 250 g tartaar,
$^1/_2$ theel. van elk: zout, peper en
knoflookpoeder,
2 hardgekookte eieren, 1 eier-
dooier.

Zeef de bloem met het bakpoeder in een schaal. Maak in het
midden een kuiltje, doe er het
zout en de boter in en stuif er
wat bloem overheen. Voeg het
ei en de zure room toe en kneed
alles door elkaar tot een glad
deeg. Laat het deeg 1 uur toegedekt in de koelkast rusten.

Schil voor de vulling de ui en
snijd hem fijn. Was de champignons, maak ze schoon en hak
ze. Verhit de boter. Bak de ui en
de champignons in de boter,
voeg de tartaar toe en maak het
geheel op smaak met zout, peper en knoflookpoeder. Pel de
eieren, snijd ze fijn en schep ze
door de tartaar. Verwarm de
oven op 200 °C. Rol het deeg uit
tot een 3 mm dikke lap en snijd
er rechthoekjes van 11 × 12 cm
uit. Leg op elk lapje 1 eetlepel
vulling. Bestrijk de randen van
de deeglapjes met losgeroerde
eierdooier, vouw ze dicht en
druk de randen tegen elkaar.
Bestrijk de pirogs met eierdooier. Bak ze 15–20 minuten
op de middelste richel.

Roquefort-peren met rookvlees

Voor 2 personen:
150 g rookvlees, 1 rijpe peer,
50 g Roquefort (Franse schape-
kaas),
50 g zachte boter,
3 theel. port,
2 halve gepelde walnoten,
2 blaadjes kropsla,
3 theel. rode-bessengelei,
2 sneetjes bruinbrood.

Schik de plakjes rookvlees op twee bordjes. Was en droog de peer, snijd hem door. Haal het klokhuis eruit en schep er met een puntige lepel wat vruchtvlees uit. Prak het vruchtvlees met een vork fijn in een kom. Prak er de Roquefort door. Voeg de boter en de port toe en roer alles tot een romige massa.

Spuit de Roquefort-crème met een kartelvormig spuitmondje in de halve peren. Garneer elke halve peer met een halve walnoot. Was de sla en laat hem goed uitlekken. Vul de slablaadjes met de bessengelei. Snijd het bruine brood in reepjes, rooster deze en geef ze bij de peren.

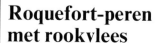

Tip
Deze Roquefort-crème is door het gebruik van boter behoorlijk rijk aan calorieën. U kunt de peren iets 'slanker' vullen door de boter te vervangen door 2 eetlepels magere kwark.

Bordje gerookte paling

Voor 2 personen:
2 eetl. bloemkoolroosjes,
1 wortel, ¹/₄ prei,
2 eetl. maïs (uit blik),
1 eetl. olie,
1¹/₂ theel. vruchtenazijn,
een snufje zout, een snufje peper,
200 g gerookte paling (midden-
stuk),
1 sinaasappel, ¹/₂ doos tuinkers,
3 theel. vers geraspte mieriks-
wortel,
een snufje suiker,
1 eetl. slagroom,
een paar takjes dille.

Maak de groente schoon, was ze en verpak ze per soort in aluminiumfolie. Breng een pan water aan de kook, leg de pakjes erin en laat ze 15 minuten zacht-

jes koken. Laat de maïs uitlekken. Laat de groente in de geopende folie afkoelen. Roer de olie, de azijn, het zout en de peper door elkaar. Vermeng de groente en de maïskorrels in een schaal en schep de saus erdoor. Laat dat een paar minuten toegedekt bij kamertemperatuur intrekken. Snijd de paling in vier gelijke stukken en haal het vel los. Was en droog de sinaasappel en snijd uit het midden vier schijfjes. Knip de tuinkers van de bodem, was hem in een zeef, laat hem uitlekken en schik hem op de sinaasappelschijfjes. Schep de mierikswortel, de suiker, de room en het sinaasappelsap uit de puntjes van de sinaasappel door elkaar. Schep het mengsel op de tuinkers. Garneer de paling met de dille en schik hem met de groente op twee bordjes.

Asperges met gerookte forel

Voor 2 personen:
500 g asperges,
1 l water,
$^1/_2$ theel. zout,
een snufje suiker,
1 gerookte forel,
2 hardgekookte eieren,
1 tomaat, een paar takjes dille,
1 kleine augurk,
1 kleine ui,
3 eetl. olie, 1 eetl. wijnazijn,
$1^1/_2$ theel. milde mosterd,
$^1/_2$ theel. van elk: zout, suiker en
    witte peper,
1 eetl. fijngehakte peterselie.

Schil de asperges, snijd het hou-
tige deel eraf en bind ze samen
tot twee bosjes. Breng 1 l water
aan de kook met het zout en de
suiker. Leg de asperges erin en
laat ze ongeveer 30 minuten koken. Laat ze goed uitlekken en
afkoelen. Snijd de bosjes los en
leg ze op twee bordjes. Haal de
middengraat uit de forel en de
kleine graten uit de filets. Leg
op elk bordje 1 forelfilet. Pel de
eieren, snijd 1 ei in plakjes en
hak het andere fijn. Was de tomaat, droog hem en verdeel
hem in plakjes. Garneer elk
bordje met plakjes ei en tomaat.
Was de dille, laat hem uitlekken
en leg een toefje op de tomaat.
Hak de augurk en de ui klein.
Roer de olie, de azijn, de mosterd, het zout, de suiker, de peper en de gehakte peterselie
door elkaar. Schep er het gehakte ei, de augurk en de ui
door. Schenk de saus over de asperges.

De kleine maaltijd

Lunch-bordje

Voor 2 personen:
$^1/_2$ krop ijsbergsla,
1 kropje rode sla,
2 middelgrote gare worteltjes,
$^1/_2$ doosje tuinkers,
$^1/_4$ suikermeloen,
2 gare kipfilets,
4 eetl. dressing (naar keuze),
2 eetl. van een andere dressing.

Haal alleen de mooie, hardgroene bladen van de ijsbergsla, was ze, maak grote bladen iets kleiner en laat ze uitlekken. Bekleed twee bordjes met de sla. Maak de rode sla schoon, was hem, laat hem uitlekken en snijd de blaadjes in reepjes. Snijd de wortel in reepjes. Knip de tuinkers van de bodem, was hem in een zeef en laat hem uitlekken. Schik de rode sla, de wortel en de tuinkers op de ijsbergsla.

Haal de pitten uit de meloen. Schil hem en snijd hem in vier partjes. Snijd de kipfilets in plakjes en leg deze dakpansgewijs op de sla. Leg de meloen tegen de kip. Schep de eerstgenoemde dressing in aparte schaaltjes en schenk de andere dressing hier in spiraalvorm overheen.

Kippeboutjes met salade

Voor 2 personen:
2 kippeboutjes,
een snufje zout, een snufje peper,
$1^1/_2$ theel. mild paprikapoeder,
een mespunt gemberpoeder,
2 eetl. olie,
3 grote tomaten,
1 stengel bleekselderie,
wat zout,
4 eetl. vinaigrettesaus (recept blz. 149),
2 eetl. dressing,
$1^1/_2$ theel. roze peperkorrels (uit een pot).

Was en droog de kip. Vermeng het zout, de peper, het paprikapoeder en de gemberpoeder. Wrijf de kip hiermee in. Verhit de olie. Bak de boutjes op een hoog vuur rondom bruin. Laat de kip dan nog 15 minuten op een laag vuur nabakken. Laat de kippebouten op keukenpapier uitlekken en afkoelen. Was en droog de tomaten, snijd ze in plakjes. Maak de selderie schoon, snijd hem in stukjes en kook deze met de blaadjes 3 minuten in kokend water met zout. Laat de selderie uitlekken en schik selderie, tomaat en kip op twee bordjes. Besprenkel de selderie met de vinaigrettesaus. Schep op elk bordje 1 eetlepel dressing en bestrooi deze met roze peper.

De kleine maaltijd

Gourmet-bordje

Voor 2 personen:
2 grote tomaten,
5 eetl. vinaigrettesaus (recept
* blz. 149),*
100 g Hüttenkäse,
2 gare kipfilets,
¹/₄ krop sla,
1 eetl. kappertjes,
4 eetl. dressing,
3 theel. ansjovispuree,
3 eetl. koffieroom of slagroom,
1¹/₂ theel. scherpe mosterd,
een snufje zout, een snufje peper.

Was en droog de tomaten en
snijd ze zo door dat ze onderaan
nog aan elkaar zitten. Haal de
pitten uit de tomaten en sprenkel een beetje vinaigrettesaus op
het vruchtvlees. Vul de tomaten
met de Hüttenkäse. Snijd de
kipfilets in plakjes en schik kip
en tomaten op twee bordjes.

Was de kropsla, laat hem uitlekken, snijd hem in reepjes en
maak deze aan met de rest van
de vinaigrettesaus. Leg de sla
ook op de bordjes. Hak de kappertjes. Vermeng de dressing
met de ansjovispuree, de room,
de mosterd, het zout, de peper
en de gehakte kappertjes.
Schenk de dressing over de gesneden kip.

Zweeds bordje

Voor 2 personen:
2 eetl. olie,
1 eetl. wijnazijn,
1 eetl. gesnipperde ui,
een snufje van elk: zout, peper en
* gedroogde lavas,*
150 g champignons (uit blik),
150 g gekookte worst,
50 g augurk in dille,
1¹/₂ groene paprika,
¹/₂ rode paprika,
4 eetl. dressing,
een snufje zout, een snufje peper,
1¹/₂ theel. mosterd,
2 eetl. koffie- of slagroom,
een paar blaadjes kropsla,
2 gerookte forelfilets,
4 dunne partjes suikermeloen,
2 hardgekookte eieren,
1¹/₂ theel. groene peperkorrels
* (uit een pot),*
1¹/₂ theel. cognac,
2 eetl. mayonaise.

Vermeng de olie met de azijn, de
ui, het zout, de peper, de lavas
en de champignons. Snijd de
worst en de augurk in reepjes.
Verdeel de paprika in blokjes.
Doe 1 eetlepel groene en 1 eetlepel rode paprika bij de champignons. Roer de dressing, het
zout, de peper, de mosterd en de
room door elkaar. Schep er de
worst, de augurk en de overgebleven paprika door. Leg de
blaadjes sla op twee bordjes.
Schik er de vleessalade, de forelfilets, de meloen, de gepelde, gehalveerde eieren en de champignonsalade op. Hak de peper,
roer hem met de cognac door de
mayonaise en schep deze saus
op de eieren.

De kleine maaltijd

Italiaans bordje

Voor 2 personen:
100 g dun gesneden parma-ham,
100 g gesneden Italiaanse sala-
mi,
4 tomaten,
$^1/_2$ kleine ui,
1 kleine krop rode sla,
$^1/_2$ theel. vinaigrettesaus (recept
blz. 149),
12 zwarte olijven,
2 eetl. dressing,
$1^1/_2$ theel. groene peperkorrels
(uit een pot).

Verdeel de plakjes ham en salami over twee bordjes. Was en
droog de tomaten, verdeel ze in
plakjes. Schil de ui, snijd hem in
ringen. Schik de tomaat en de
uieringen ook op de bordjes.
Haal de blaadjes rode sla los
van de krop. Was de sla, laat
hem goed uitlekken en snijd

hem in reepjes. Leg de sla op de
bordjes en sprenkel er de vinaigrettesaus over. Schik de olijven
op de bordjes. Schep de dressing
op de tomaten en strooi er groene peper over.

Herdersbordje

Voor 4 personen:
100 g Hüttenkäse,
1 rode paprika,
1 struikje lof,
$^1/_2$ doosje tuinkers,
1 pot artisjokhartjes (180 g),
1 hardgekookt ei,
1 kleine augurk,
3 eetl. olie,
1 eetl. wijnazijn,
een snufje van elk: zout, witte pe-
per en gemberpoeder,
1 eetl. gemengde, fijngehakte
kruiden: peterselie, bieslook
en dille,
6 zwarte olijven.

Verdeel de Hüttenkäse over
twee bordjes. Was en droog de
paprika. Snijd hem in ringen.
Haal de zaadlijst en pitten eruit.
Haal de blaadjes lof los van het
struikje, was ze en dep ze droog.

Knip de tuinkers van de bodem,
was hem in de zeef en laat hem
uitlekken. Laat de artisjokharten ook uitlekken. Schik al deze
ingrediënten om de Hüttenkäse
op de bordjes. Pel het ei en hak
het klein. Hak de augurk ook.
Roer de olie, de azijn, het zout,
de peper, de gember, de gehakte
kruiden, het ei en de augurk
door elkaar. Schenk deze dressing over de salade. Garneer de
kaas met de olijven.

Gerookte tong met reepjes groente

Voor 2 personen:
200 g gesneden gerookte tong,
1 tomaat,
2 eetl. maïs (uit blik),
een stuk rode paprika (uit een pot),
1 augurk,
een snufje zout, een snufje peper,
1 eetl. appelsap,
1 wortel, ¹/₂ komkommer,
¹/₂ koolrabi,
¹/₂ bos peterselie,
1 eetl. wijnazijn, 2 eetl. olie,
een snufje van elk: zout, witte peper en gedroogde oregano.

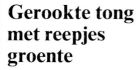

Vouw de plakjes tong dubbel en leg ze dakpansgewijs op twee bordjes. Was en droog de to-

maat, snijd hem door en hol hem uit. Haal de pitjes uit de kern van de tomaat. Laat de maïs uitlekken. Snijd de paprika en de augurk in blokjes. Vermeng de tomatekern met de maïs, de paprika, de augurk, het zout, de peper en het appelsap. Vul de uitgeholde tomaten met dit mengsel. Was de wortel, de komkommer en de geschilde koolrabi en verdeel ze in reepjes. Was de peterselie, laat hem uitlekken en snijd hem fijn. Vermeng de reepjes groente met de azijn, de olie, het zout, de peper en de oregano. Schep er de peterselie door. Leg de groenten op de bordjes.

Casseler rib met kaki's

Voor 2 personen:
6 dunne plakjes koude, gare casseler rib,
een paar blaadjes kropsla,
1 hardgekookt ei,
3 theel. Deense kaviaar,
60 g Mon Chou,
1 rijpe kaki,
2 eetl. slagroom,
een snufje zout,
een snufje gemberpoeder.

Leg op elk bordje drie plakjes casseler rib. Was de sla, laat hem goed uitlekken en leg hem ook op de bordjes. Snijd het ei door, leg op elk bordje op de sla een half ei en garneer het ei met de kaviaar. Doe de Mon Chou in een schaal. Was de kaki, droog hem en snijd hem in vie-

ren. Haal met een puntig mes het zachte vruchtvlees uit de schil en houd de kaki daarbij boven de kaas, zodat geen kostbaar sap verloren gaat. Snijd het vruchtvlees in reepjes; krab de binnenkant van de kakischil goed leeg boven de Mon Chou. Roer de Mon Chou romig met de room, het zout en de gemberpoeder en doe hem in een spuitzak met gekarteld spuitmondje. Spuit op elk bordje een rozet roomkaas. Leg er de reepjes kaki overheen.

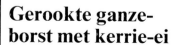

Gerookte ganzeborst met kerrie-ei

Voor 2 personen:
100 g gerookte ganzeborst,
$^1/_2$ mango,
1 hardgekookt ei,
2 eetl. slagroom,
een flinke snuf zout,
60 g Mon Chou,
2 volkoren-cocktailrondjes,
$1^1/_2$ theel. kerriepoeder,
1 eetl. zachte boter,
een mespunt gekneusde zwarte
peper,
$1^1/_2$ tomaat,
$^1/_2$ bos bieslook.

Snijd de ganzeborst in plakjes
en leg deze op twee borden.
Schil de mango, snijd hem in
schijfjes en leg deze op het vlees.
Snijd het ei door en haal de eierdooier eruit. Roer de room en

het zout door de roomkaas. Bestrijk de volkorenrondjes met
een gedeelte van deze kaas.
Druk de eierdooier door een
zeef bij de rest van de roomkaas. Roer er de kerrie en de boter door. Roer de kerriecrème
romig. Doe de crème in de
spuitzak met gekarteld spuitmondje en spuit een toef in de
eiwitten. Strooi er peper over.
Was en droog de tomaten. Snijd
ze in plakjes. Was het bieslook,
laat het uitlekken en snijd het
fijn. Leg op elk bordje een vol-
korenrondje, een gevuld ei en
twee plakjes tomaat. Strooi
bieslook over de tomaat.

Worstpennetjes en wortelsalade

Voor 2 personen:
12 cocktailworstjes (uit blik),
6 lange, smalle plakjes doorre-
gen spek,
2 middelgrote wortelen,
1 kleine appel,
$1^1/_2$ theel. citroensap,
2 eetl. koffieroom,
een snufje zout,
een snufje witte peper,
$^3/_4$ theel. suiker,
2–4 blaadjes kropsla,
2 sneetjes volkorenbrood,
2 boterkrullen.

Laat de worstjes uitlekken.
Snijd de plakjes spek dwars
door. Wikkel een reepje spek
om elk worstje en zet het met
cocktailprikkers vast. Leg de
worstjes in de droge koekepan

en bak ze onder voortdurend
keren knapperig bruin. Verdeel
de worstjes over twee bordjes en
laat ze afkoelen. Schrap de wortelen, was ze en rasp ze op de
groenterasp. Schil de appel,
rasp hem grof. Sprenkel citroensap over de appel. Roer de
room, het zout, de peper en de
suiker door elkaar en schep dat
vervolgens door de geraspte appel en wortel. Was de sla, laat
hem uitlekken en leg hem op de
bordjes. Schep de wortel-appel-
sla op de slablaadjes. Geef bij
elk bordje een sneetje volkorenbrood met een boterkrul.

Koud vlees met vruchtensalade

Voor 2 personen:
250 g koud gebraden rundvlees,
2 sinaasappels,
100 g witte en 100 g blauwe drui-
ven,
1 eetl. gehakte amandelen,
sap van 1/2 citroen,
2 eetl. sinaasappellikeur,
3/4 theel. suiker,
1 kleine grapefruit,
3 eetl. vossebessencompote,
1 1/2 theel. vers geraspte mieriks-
wortel,
2 blaadjes kropsla,
vers stokbrood.

Snijd het vlees in dunne plakjes
en schik deze op twee bordjes.
Snijd de sinaasappels door.
Haal het vruchtvlees uit de
schil. Haal de witte vliesjes eraf
en de pitten eruit. Was de druiven, laat ze uitlekken, snijd ze
door en haal de pitten eruit.
Vermeng de stukjes sinaasappel, de halve druiven en de
amandelen met het citroensap,
de likeur en de suiker. Laat de
sla 30 minuten toegedekt bij kamertemperatuur intrekken.
Schil de grapefruit en haal het
witte vlies er goed af. Verdeel de
grapefruitpartjes in stukjes en
haal de pitten eruit. Vermeng de
stukjes grapefruit met de vossebessencompote en de mierikswortel. Was de sla, laat hem uitlekken en leg hem op de bordjes. Schep de grapefruitsla erop.
Verdeel de gemarineerde vruch-
tensla over twee halve sinaasappels en zet deze ook op de bordjes. Geef er vers stokbrood bij.

Eendeborst met artisjokkensalade

Voor 2 personen:
1 eendeborstfilet,
een snufje zout,
een snufje witte peper,
1 eetl. olie, 2 eetl. boter,
1 1/2 theel. roze peperkorrels,
200 g artisjokhartjes (uit blik),
1/2 ui, 1 kleine tomaat,
1/2 eetl. fijngehakte peterselie,
1 eetl. wijnazijn,
3 eetl. olijfolie,
een snufje zout,
een snufje witte peper,
2–4 blaadjes kropsla.

Wrijf de eendeborst in met zout
en peper. Bestrijk hem daarna
met olie. Laat hem zo 2 uur toegedekt bij kamertemperatuur
staan. Bak de eendeborst 7 minuten in de boter onder voortdurend keren op een middelhoog vuur. De eendeborst is
dan nog roze; als hij helemaal
gaar moet zijn, moet u de
braadtijd verdubbelen. Laat het
vlees afkoelen, snijd het in plakjes en schik deze op twee bordjes. Verdeel er de roze peperkorrels over. Laat de artisjokhartjes uitlekken en snijd ze door.
Schil de ui en snijd hem in ringen. Pel de tomaat, haal de pitjes eruit en snijd hem in blokjes.
Vermeng de uieringen, de blokjes tomaat en de peterselie met
de artisjokharten. Roer de
azijn, de olie, het zout en de peper door elkaar. Schep de saus
door de salade. Was de slablaadjes, laat ze goed uitlekken
en leg de artisjoksalade erop.

Russische eieren in een rand van tomaat

Voor 2 personen:
150 g diepvrieserwten en wortel-
  tjes,
wat zout,
200 g gekookte worst,
een snufje van elk: zout, selderie-
  zout en witte peper,
³/₄ theel. sojasaus,
2 eetl. mayonaise,
50 g selderie (uit een pot),
2 tomaten,
1¹/₂ theel. grofgemalen zwarte
  peper,
3 hardgekookte eieren,
3 theel. zure room,
5 theel. Deense kaviaar.

Kook de diepvriesgroente 5–10 minuten in een beetje water met zout in een gesloten pan, spoel ze af met koud water en laat ze uitlekken. Haal het vel van de worst en snijd hem in dunne reepjes. Vermeng de groente en de worst. Roer het zout, het selderiezout, de peper en de sojasaus door de mayonaise. Schep de mayonaise door de geraspte selderie en het groente-worstmengsel. Was de tomaten, droog ze af en snijd ze in dunne plakken. Leg de plakjes tomaat dakpansgewijs langs de rand van twee bordjes. Schep de salades in het midden. Bestrooi de tomaten met de grofgemalen zwarte peper. Pel de eieren, snijd ze door en leg op elke salade drie eihelften. Garneer elke portie salade met 1¹/₂ theelepel zure room en elk ei met een beetje kaviaar.

179

Grote kinder-party

Geef de jongelui veel voedzame hapjes en royaal te drinken. Er is van alles kant en klaar te koop. Dien het dan gezellig op zoals op de foto te zien is: bijv. krakelingen, worstjes, mosterd-vruchten, pittige sausjes, snoeperij en allerlei sapjes. Het gebruik van bonte wegwerpbekers en -bordjes vermindert het werk en verhoogt de feestvreugde. Een paar ideetjes voor een bijdrage uit eigen keuken:

Voor 8–10 personen:

Gevuld stokbrood
2 grote stokbroden,
8 eetl. mayonaise,
100 g leverkaas,
100 g salami,
100 g gerookte kaas,
3 tomaten,
3 hardgekookte eieren,
een beetje peterselie,
een paar blaadjes kropsla,
150 g blauwe aderkaas,
500 g vleessalade (kant en klaar).

Snijd de broden in de lengte door en besmeer ze met mayonaise. Vouw de plakjes leverkaas, salami en gerookte kaas dubbel en leg ze op de onderste helft van een brood. Was en droog de tomaten. Snijd 2 tomaten in plakjes en 1 tomaat in acht partjes. Pel de eieren. Snijd 2 eieren in plakjes en 1 ei in achten. Leg de plakjes tomaat en ei tussen de worst. Garneer het geheel met peterselie en leg de bovenkant op het brood. Was de sla, laat hem goed uitlekken en leg hem op de onderste helft van het andere brood. Snijd de blau-we kaas in plakjes. Schep de vleessalade op de sla. Schik de plakjes kaas, de partjes tomaat en de plakjes ei ertussen. Leg de bovenkant op het brood.

Pikante rijstsalade
250 g Siam-rijst,
3³/₄ dl water, wat zout,
1 eetl. kerriepoeder,
400 g gekookt kippevlees,
2 peren,
3 schijven ananas (uit blik),
190 g mandarijntjes (uit blik),
1 eetl. fijngehakte pistachenoten,
3 eetl. citroensap,
³/₄ theel. zout, 5 eetl. olie.

Kook de rijst in 3³/₄ dl water met een beetje zout en de kerriepoeder. Laat hem afkoelen. Snijd het kippevlees in blokjes. Schil de peren, snijd ze door, haal het klokhuis eruit en verdeel ze in blokjes. Snijd de ananas en de mandarijntjes in stuk-jes. Vermeng al deze ingrediënten met de pistachenoten, het citroensap, het zout en de olie.

Bonte macaronisalade
500 g gekookte worst,
250 g Tilsiter kaas,
200 g augurken,
1 rode paprika,
150 g doperwtjes (uit blik),
600 g gare kleine macaroni,
4 eetl. wijnazijn,
1¹/₂ theel. zout,
³/₄ theel. witte peper,
6 eetl. olie.

Haal het vel van de worst. Snijd de worst, de kaas en de augurken in blokjes. Snijd de paprika door, haal de zaadlijst en de pitten eruit en verdeel hem ook in blokjes. Vermeng de erwtjes en de macaroni met deze ingrediënten. Roer de azijn, het zout, de peper en de olie door elkaar. Schep de saus door de salade.

Het party-buffet

Aardappelsalade met komkommer

1 kg bintjes,
1/4 l vleesbouillon,
2 uien, 1/2 komkommer,
100 g mayonaise,
4 eetl. yoghurt, 4 eetl. wijnazijn,
1 1/2 theel. zout, 3/4 theel. peper,
1 bos bieslook.

Was de aardappelen, kook ze, laat ze afkoelen, pel ze en snijd ze in schijfjes. Verhit de bouillon, schenk hem over de aardappelen en laat deze er toegedekt 30 minuten intrekken. Schil de uien, snijd ze fijn. Schaaf de komkommer in dunne plakjes. Schep de ui en de komkommer door de aardappelen. Roer de mayonaise, de yoghurt, de azijn, het zout en de peper door elkaar. Schep de saus door de salade. Snijd het bieslook fijn en strooi het over de sla.

Gehakt-sandwiches

2 uien,
6 sneetjes brood (van 1 dag oud),
1 1/2 kg gemengd gehakt,
4 eieren, 1 1/2 theel. van elk: zout, witte peper en mild paprikapoeder,
2 eetl. fijngehakte peterselie,
24 sneetjes casinobrood,
12 blaadjes kropsla, 4 tomaten,
2 hardgekookte eieren.

Verwarm de oven voor op 200 °C. Schil de uien en snijd ze fijn. Week het brood in een beetje lauw water en druk het uit. Vermeng het gehakt met het brood, de uien, de eieren, het zout, de specerijen en de peterselie. Vorm een lang brood van het gehakt en bak dit 40–45 minuten in de oven. Laat het gehaktbrood afkoelen en snijd het in twaalf dikke plakken. Leg op twaalf sneetjes casinobrood een blaadje sla en een plak gehakt. Was en droog de tomaten. Snijd ze in plakjes. Pel de eieren en verdeel die ook in plakjes. Leg op het gehakt een plakje tomaat en een plakje ei. Leg daar weer een sneetje brood op.

Rödgröd

200 g morellen,
250 g frambozen,
200 g rode bessen,
200 g suiker,
75 g maïzena,
1/4 l slagroom, 1 eetl. suiker.

Maak de vruchten schoon en was ze. Ontpit de morellen. Kook de vruchten in 1/2 l water tot ze uit elkaar vallen. Druk de vruchten door een zeef. Vul de vruchtenpuree met water aan tot 1 l, roer de suiker erdoor en breng hem weer aan de kook. Roer een glad papje van de maïzena met een beetje koud water, schenk dit bij de vruchtenpuree en laat hem al roerend even aan de kook komen. Schenk de rödgröd in een schaal en laat hem opstijven. Klop de slagroom stijf met de suiker en schep hem op de pudding.

Schotel
met vleeswaren

Voor 8 personen:
800 g zult of vlees in gelei,
150 g Lachsschinken,
200 g rauwe en 200 g gekookte
ham,
100 g salami, 100 g tongeworst,
150 g mortadella,
200 g leverkaas,
400 g tartaar, 2 uien,
3/4 theel. van elk: zout, peper en
scherp paprikapoeder,
2 eierdooiers,
een paar blaadjes kropsla,
wat paprikapoeder,
2 eetl. olie, 1 eetl. wijnazijn,
1 eetl. kummel,
2 hardgekookte eieren,
8–16 cornichons,
1 pot mixed pickles,
4 tomaten, 1 bos radijs,
1 bos peterselie.

U kunt de vleeswaren het best gesneden kopen. Leg de zult op een bord of schaaltje. Schik de overige vleeswaren op een grote schaal, zoals op het voorbeeld op de foto. Doe de tartaar in een schaal. Schil de uien. Snijd 1 ui in ringen en de andere heel fijn. Vermeng de helft van de uiesnippers, het zout, de peper, het paprikapoeder en 1 eierdooier met de tartaar. Was de sla, laat hem goed uitlekken en leg hem op de schotel. Schep de tartaar erop, maak in het midden een kuiltje en doe hier de andere eierdooier in. Garneer de tartaar met de rest van de gesnipperde ui en strooi er wat paprikapoeder over. Schik de uieringen op de zult. Roer de olie en de azijn door elkaar, sprenkel hem over de zult en strooi er kummel over. Pel de eieren en snijd ze in plakjes. Schik ze met de kleine augurken en het ge-

mengde tafelzuur op de schotel. Was en droog de tomaten, de radijs en de peterselie. Snijd de tomaten in achten. Garneer de schotel met partjes tomaat en toefjes peterselie. Geef de overgebleven tomaat en de radijs apart.
Geef bij deze grote schotel allerlei soorten brood, broodjes en crackers. Zet ook het zout, het paprikapoeder en de pepermolen op tafel.

Tip

Vanzelfsprekend zijn de genoemde vleeswaren maar een voorbeeld. U kunt de sortering naar eigen idee veranderen en bij voorbeeld ook in plaats van tartaar een vlees-, worst-, Waldorf- of garnalensalade op de schotel leggen. De zult kan vervangen worden door plakken wild- of vleespâté, een terrine of koud gebraden vlees. Ook de pikante bijgerechtjes kunt u vervangen door of aanvullen met olijven, paprika, zilveruitjes, komkommer of bleekselderie.

Koude schotels

Bijzondere smulschotels

Voor 6 personen – voor de worst-vleesschotel:
2 struikjes lof, 1 tomaat,
200 g gesneden hamworst,
100 g gesneden rauwe ham,
6 kalfsmedaillons met broccoli-
puree (recept blz. 139).
Voor de kaasschotel:
kaasballetjes (recept blz. 143),
200 g blauwe aderkaas,
200 g gesneden Emmentaler.
Voor de paprikaschuitjes:
2 rode paprika's,
1 sjalot,
1¹/₂ theel. selderiezout,
1 eetl. cognac,
250 g Mon Chou,
3 gevulde olijven.

Maak het lof schoon, was het en snijd het in reepjes. Maak de lofsla aan met een slasaus naar keuze en schep hem op een schaal. Snijd de tomaat in plakjes, leg deze op de sla. Schik de worst, de ham en de kalfsmedaillons om de lofsla heen. Leg de kaasballetjes op een schaal. Snijd de blauwe kaas in partjes en leg deze met de Emmentaler op de schaal. Snijd de paprika's in brede repen en haal de pitten en de zaadlijst eruit. Was en droog ze. Schil de sjalot, rasp hem en roer hem met het selderiezout en de cognac door de Mon Chou. Spuit de kaas op de paprika-reepjes. Garneer met plakjes olijf.

Landelijke worstschotel

Voor 6 personen:
150 g tongeworst,
150 g knoflookworst,
100 g snijleverworst,
200 g mortadella,
200 g gekookte ham,
300 g gekookte casseler rib,
200 g salami aan een stuk,
een paar blaadjes kropsla,
300 g vleessalade,
kleine augurken,
maïskolfjes (uit een pot),
tomaten, radijs en peterselie.

Koop de vleeswaren gesneden. Schik ze op een of twee schotels; kijk naar het voorbeeld op de foto. Leg het stuk salami op de rest van de vleeswaren. Was de sla, laat hem goed uitlekken en leg hem op de worstschotel.

Schep de vleessalade erop. Garneer de schotel met augurkjes, maïskolfjes, tomaten, radijs en peterselie. Geef verschillende soorten brood en crackers bij de schotels.

Tip

U kunt schotels met worst gemakkelijk een paar uur van tevoren klaarmaken en garneren. Dek ze af met huishoudfolie en zet ze op een koele plaats.

Bijzondere hamschotel

Voor 6–8 personen:
1 kop diepvrieserwten,
wat zout,
1 avocado,
1 ¹/₂ theel. citroensap,
¹/₂ rode paprika,
100 g koud gaar kalfsvlees,
1 zoetzure augurk,
4 eetl. mayonaise,
een snufje zout,
een snufje witte peper,
³/₄ theel. kerriepoeder,
een paar takjes dille,
¹/₂ mierikswortel,
1 zure appel,
¹/₄ l slagroom, een mespunt sui-
ker, ¹/₂ theel. zout,
300 g rauwe ham (gesneden),
400 g gerookte ham (gesneden),
100 g Lachsschinken (gesne-
den),

2 hardgekookte eieren,
5 piri-piri,
5 cornichons,
¹/₂ bos peterselie,
een paar blauwe druiven,
¹/₂ suikermeloen.

Kook de erwten volgens voorschrift gaar in een beetje water met zout. Laat ze in een zeef uitlekken en afkoelen. Was en droog de avocado, snijd hem door en haal de pit eruit. Hol de avocado zover uit dat er nog een rand vruchtvlees van ¹/₂ cm overblijft. Snijd het vruchtvlees in blokjes. Besprenkel de blokjes avocado en de binnenkant met het citroensap. Was en droog de paprika, snijd hem door, haal de zaadlijst en de pitten eruit en verdeel de paprika, het kalfsvlees en de augurk in reepjes. Vermeng de erwtjes, de blokjes avocado en de verschillende reepjes in een schaal. Roer

de mayonaise, het zout, de peper en de kerriepoeder door elkaar. Schep de mayonaise door de salade. Vul de halve avocado's met de salade en garneer ze met een takje dille. Schil en was de mierikswortel. Schil de appel, snijd hem door en haal het klokhuis eruit. Rasp appel en mierikswortel fijn. Klop de slagroom stijf met de suiker en het zout. Schep hem door de appel en de mierikswortel. Doe de mierikswortelroom in een spuitzak. Neem zes plakjes rauwe ham, rol ze op en spuit ze vol met mierikswortelroom. Bekleed een grote schaal met de gerookte ham. Schik er de hamrolletjes op. Leg het overgebleven stuk rauwe ham op de schaal. Vouw de Lachsschinken dubbel of rol hem op en leg hem ook op de schaal. Zet de halve avocado's op de schaal. Pel de eieren en snijd ze in plakjes.

Schik ze met de kleine pepers, de kleine augurken en toefjes peterselie op de schotel. Was de druiven en laat ze uitlekken. Snijd de meloen in partjes, haal de pitten eruit. Schik meloen en druiven ook op de schaal. Geef bij deze hamschotel geroosterd wittebrood, bruinbrood, volkorenbrood en boter.

Kaasschotel met kaashoorntjes

Voor 6 personen:
6 roomhoorns (van bladerdeeg;
    kant en klaar te koop),
1 eierdooier,
2 eetl. geraspte kaas,
200 g Mon Chou,
een snufje zout,
een snufje cayennepeper,
$1^1/_2$ theel. citroensap,
2 olijven.
Voor de 'Obatzten':
250 g rijpe Camembert,
175 g zachte boter, 1 eierdooier,
$^1/_2$ teen knoflook,
1 kleine ui,
$^3/_4$ theel. zout,
$1^1/_2$ theel. mild paprikapoeder,
een mespunt witte peper,
een mespunt gemalen kummel,
een paar takjes peterselie,
250 g van elk: Gruyère, gerookte
    leverkaas en cervelaatworst,
125 g blauwe aderkaas.

Verwarm de oven voor op
220 °C. Bestrijk de hoorns met
eierdooier en strooi er geraspte
kaas over. Zet ze in de oven tot
de kaas begint te smelten. Roer
de Mon Chou, het zout, de
cayennepeper en het citroensap
door elkaar en spuit dat in de
hoorns. Garneer elk kaashoorn-
tje met een plakje olijf. Vermeng
voor de 'Obatzten' (een Beierse
specialiteit) de Camembert met
de boter en de eierdooier. Pel de
knoflook en pers hem. Schil de
ui en snijd hem door. Snijd de
ene helft in ringen en rasp de andere boven de kaas. Roer de
knoflook, het zout, het paprikapoeder, de peper en de kummel
door de kaasmassa. Doe de
'Obatzten' in een schaaltje. Garneer die met uieringen en peterselie. Garneer de schotels zoals
u dat op de foto ziet.

Bijzondere visschotel

Voor 8 personen:
1 middelgrote ananas,
3 eetl. mayonaise,
5 eetl. koffieroom,
1¹/₂ theel. citroensap,
1¹/₂ theel. suiker,
een mespunt zout,
200 g garnalen,
1¹/₂ theel. groene peperkorrels
(uit een pot),
2 forellen,
verse dille,
gesneden zalm met groentesalade
(recept blz. 121).

Snijd over de lengte een derde deel uit de ananas. Verdeel het vruchtvlees hiervan in blokjes en snijd harde stukjes eruit. Roer de mayonaise, de room, het citroensap, de suiker en het zout door elkaar. Schep in een schaal de stukjes ananas, de garnalen en de mayonaise door elkaar. Vul de uitgeholde ananas met deze salade. Strooi er de groene peper over. Pocheer de forellen met veel dille, verwijder het huidje en laat ze afkoelen. Bestrooi ze rijkelijk met gehakte dille. Schik de plakken zalm, de dilleforellen en de ananas op een schotel volgens het voorbeeld op de foto. Maak de schotel naar keuze nog af met gevulde eieren, mierikswortelroom (recept blz. 184), partjes appel en aspergesalade.

Kopenhaagse schotel

Voor 6 personen:
150 g garnalen,
¹/₂ rode paprika (uit een pot),
3 eetl. mayonaise,
1 eetl. kleingehakte ananas,
200 g gekookte ham,
een paar takjes dille, 8 tomaten,
³/₄ theel. zout,
een mespunt witte peper,
¹/₄ l slagroom, een snufje suiker,
1–2 eetl. geraspte mierikswortel,
400 g leverpastei,
100 g dun gesneden doorregen
spek.

Hak de garnalen en de paprika grof. Vermeng ze met de mayonaise en de stukjes ananas. Strijk de garnalenmayonaise op de plakken ham, rol ze op. Was de dille, laat hem uitlekken. Was en droog de tomaten. Snijd 2 tomaten in plakjes. Leg op elk hamrolletje een plak tomaat en een toefje dille. Snijd van de overgebleven 6 tomaten een kapje af. Hol de tomaten uit en wrijf ze vanbinnen in met zout en peper. Klop de slagroom stijf en schep er de suiker en de mieriksgortel door. Vul de tomaten met de mierikswortelroom. Snijd de leverpastei in plakjes en schik deze op een schaal. Laat de plakjes spek in de koekepan bruin en knapperig worden en leg ze bij de leverpastei.

Klein worstbuffet

Voor 8–10 personen:
$1^1/_2$ kg fijne, gesneden worstsoorten,
2 tomaten,
1 groene paprika,
20 gevulde olijven,
$^1/_2$ kop mixed pickles,
een paar takjes krulpeterselie,
2 hardgekookte eieren,
1 kop diepvrieserwten,
250 g mortadella,
200 g Edammer kaas,
1 rode paprika,
2 eetl. geroosterd amandelschaafsel,
4 eetl. mayonaise,
4 eetl. yoghurt, 2 eetl. azijn,
$^1/_2$ theel. zout, $^1/_2$ theel. peper,
1 kleine ui,
1 ananas, 1 marasquinkers.

Schik de worstsoorten zoals op
de foto te zien is. Snijd de tomaten in achten. Verdeel de paprika in ringen. Garneer de schotels met alle groenten tot en met
de peterselie. Pel de eieren.
Snijd 1 ei in plakjes en het andere in achten. Kook de erwten.
Laat ze uitlekken en afkoelen.
Maak van de mortadella, de
kaas en de rode paprika fijne
reepjes. Vermeng ze met de
erwtjes en het amandelschaafsel. Roer de mayonaise, de yoghurt, de azijn, het zout en de
peper door elkaar. Schil de ui en
rasp hem boven de saus. Schep
de saus door de salade. Snijd
een derde deel wigvormig uit de
ananas. Haal daar het vruchtvlees uit en hol ook de rest van
de ananas uit. Verdeel het
vruchtvlees in blokjes en meng
deze door de salade. Leg de uitgeholde ananas op zijn kant en
schep er de salade in. Garneer
hem met de kers.

Landelijk buffet

Voor 8–10 personen:
Geef bij een landelijk buffet boerenbrood, crackers, verse boerenboter, 1–2 grote rettichs en verschillende soorten kaas aan het stuk. Leg op een plank stukken Edammer, Tilsiter, blauwe aderkaas en Camembert en garneer ze met druiven, appelen, peren en noten. Bovendien moeten er gekookte casseler rib zonder been, rauwe ham, pittige leverworst, gerookte metworsten en een groot stuk cervelaatworst klaarliggen. Kies dan nog een haringspecialiteit uit het hoofdstuk 'Bijzondere haringgerechten' (blz. 128–131).
En ook bier, liefst uit het vat, mag niet ontbreken. Voor echte liefhebbers kunt u jenever koud zetten. Bovendien bevelen we nog wat kaasmengsels en een nagerecht aan:

Uienkwark
1 grote ui,
1 teen knoflook,
¹/₈ l melk,
750 g kwark (20 %),
1¹/₂ theel. zout,
een paar takjes gemengde kruiden.

Schil de ui, pel de knoflook en snijd ze heel fijn. Roer de melk door de kwark. Meng er vervolgens de ui, de knoflook en het zout door. Schep de kwark in een schaal. Was de takjes kruiden en laat ze uitlekken. Garneer de kwark ermee.

Aangemaakte Camembert
1 kleine ui,
250 g rijpe Camembert,
70 g zachte boter,
1¹/₂ theel. mild paprikapoeder,
¹/₂ theel. witte peper,
³/₄ theel. kummel,
1 hardgekookt ei,
¹/₂ bos peterselie.

Schil de ui en snijd hem fijn. Prak de Camembert met een vork fijn en schep er de boter en de ui door. Maak hem af met het paprikapoeder, de peper en de kummel. Schep een berg Camembert op een bordje. Pel het ei en snijd het in plakjes. Was de peterselie en laat hem uitlekken. Garneer de Camembert met ei en peterselie.

Koude rode-bessensoep
800 g rode bessen,
1 l rode-bessensap,
250 g suiker,
5 eetl. aardappelmeel.

Was de bessen, ris ze en laat ze uitlekken. Laat het bessensap, de bessen en de suiker 3 minuten zachtjes koken in een gesloten pan. Roer het aardappelmeel aan met een beetje koud water en roer het door het bessensap. Laat het even aan de kook komen. Doe de soep in een schaal en laat hem afkoelen. Geef bij de koude, gebonden soep verse melk of ongeklopte slagroom.

Zwitsers etentje

Voor 6–8 personen:
Bij een Zwitsers etentje is er natuurlijk een royaal assortiment
echte Zwitserse kaassoorten,
bijv. Appenzeller, Emmentaler,
Gruyère, Sbrinz, Vacherin of
Walliser. Flinterdun gesneden
Bündnerfleisch mag niet ontbreken, en ook een verse salade
van kropsla of andijvie met tomaten en mandarijn niet. Ook
raden wij u voor dit etentje nog
een kaassalade en hamtaartjes
aan.

Emmentaler salade
een paar blaadjes kropsla,
een stuk Emmentaler van 400 g,
200 g gaar kippevlees,
1 grote rode paprika,
1 grote appel,
1 schijf ananas (uit blik),
150 g gare erwtjes,

6 eetl. slasaus,
3 eetl. ananassap,
3 eetl. zure room,
een snufje witte peper,
³/₄ theel. kerriepoeder.

Was de sla, dep hem droog en
bekleed er een grote slabak mee.
Snijd de kaas en het kippevlees
in smalle reepjes. Snijd de paprika door, was en droog hem en
haal zaadlijst en pitten eruit.
Maak blokjes van de paprika.
Schil de appel, snijd hem in vieren en haal het klokhuis eruit.
Verdeel de appel ook in blokjes.
Snijd de ananas in stukjes. Vermeng de kaas, de kip, de erwten,
de ananas, de paprika en de appel in een grote schaal. Roer de
slasaus, het ananassap, de zure
room, de peper en de kerrie
door elkaar. Meng de saus door
de salade. Schep de salade op de
slablaadjes.

Zwitserse hamtaartjes
125 g gekookte ham,
125 g Emmentaler,
1 ui,
50 g doorregen spek,
¹/₈ l koffieroom,
1 ei,
¹/₂ theel. zout,
een snufje witte peper,
1 eetl. fijngehakte peterselie,
6–8 zandtaartbakjes (zo gekocht
of zelf gebakken).

Snijd de ham in blokjes. Rasp
de kaas grof. Schil de ui en snijd
hem fijn. Maak blokjes van het
spek. Laat de blokjes spek in de
koekepan glazig worden en haal
ze daarna uit de pan. Fruit de
gesnipperde ui goudbruin in het
spekvet en haal deze dan uit de
pan. Vermeng het spek, de ui en
de ham met de kaas. Klop de
room, het ei, het zout, de peper
en de peterselie door elkaar.
Verwarm de oven voor op

220 °C. Verdeel het ham-kaas-
mengsel over de taartjes en
schenk er het roommengsel
over. Bak de taartjes 10 minuten op de middelste richel van
de hete oven.

Smörgås-bord

Dit koude buffet – in het
Zweeds smörgås-bord – is voor
10–12 personen.

Voor de schaal met vleeswaren:
*1 kg gesneden worst, rauwe ham
en leverpastei.*
Voor de haringschotel:
5 zure haringen,
5 gare worteltjes,
¹/₂ bos dille, 8 haringen,
2 tomaten, 1 ui.
Voor de rode haringsalade:
10 haringen, ¹/₂ l melk,
175 g rode bieten (uit een pot),
2 zure appels,
4 zoetzure augurken,
1 dl zure room,
2 eetl. mayonaise,
een beetje dille, 1 schijfje citroen.
Voor de groene haringsalade:
10 halve zoute haringen,
3 eetl. fijngehakte dille,

sap van 2 citroenen, 6 eetl. olie,
2 groene paprika's,
300 g sperziebonen (uit blik),
1 kop zilveruitjes,
300 g rode paprika (uit een pot).
Voor de vleesballetjes:
1 ui,
1 eetl. fijngehakte peterselie,
2 eetl. boter, 500 g tartaar,
1 ei, 6 eetl. paneermeel,
³/₄ theel. zout,
³/₄ theel. gedroogde marjolein,
1¹/₂ theel. mild paprikapoeder,
4 eetl. olie.

Schik voor de worstschotel de
verschillende soorten worst op
een schotel. Snijd een deel van
de ham en de leverpastei in
plakken.
Wikkel voor de haringschotel
de zure haringen om de wortels.
Snijd de rolletjes in brede plakken, garneer ze met dille en leg
ze op een schaal. Leg de haring
er midden op. Garneer met

partjes tomaat en uieringen.
Leg voor de rode haringsalade
de haringen 30 minuten in de
melk. Snijd ze in stukjes. Snijd
de rode bieten klein. Was de appels en snijd ze evenals de augurken in blokjes. Roer de zure
room en de mayonaise door elkaar en schep deze saus door
alle ingrediënten. Garneer de
salade met dille en een schijfje
citroen.
Leg de haringen voor de groene
salade een tijdje in water. Snijd
ze in stukjes, strooi er dille over
en besprenkel ze met citroensap
en olie. Verdeel de paprika in
blokjes en schep deze met de bonen, de zilveruitjes en de in
reepjes gesneden rode paprika
door de haringsla.
Snijd de ui voor de vleesballetjes
fijn en fruit hem met de peterselie in de boter. Laat hem afkoelen en vermeng de tartaar met
de ui, het ei, het paneermeel, het

zout, de marjolein en het paprikapoeder. Vorm er balletjes
van. Bak ze 8–10 minuten in
hete olie onder voortdurend keren.
U kunt het smörgås-bord nog
uitbreiden met gevulde eieren
(recepten blz. 103) en gevulde
tomaten (recepten blz. 110).
Op het buffet hoort ook nog
1 kaasschotel, verschillende
broodsoorten en broodjes en
koud bier of ijskoude aquaviet.

Koud buffet

Deens buffet

Voor 10–12 personen – voor de
schotel koud vlees:
20 gedroogde pruimen,
600 g rodekool (uit een pot),
1 ui,
750 g gegrilleerde varkens-
rollade,
750 g koude rosbief.
Voor de versierde garnalen:
400 g garnalen,
een paar blaadjes kropsla,
sap van 1 kleine grapefruit,
1¹/₂ dl yoghurt,
een flinke snuf cayennepeper,
een flinke snuf zout,
2 eetl. kaviaar.
Voor de haringhapjes:
6 zure haringen,
6 gekookte worteltjes, 1 ui,
een paar blaadjes kropsla,
50 g kaviaar, 4 eierdooiers.
Voor de scholfilets:
6 scholfilets,

1¹/₂ theel. zout,
sap van 1 citroen,
4 eetl. bloem, 2 eierdooiers,
6 eetl. paneermeel,
olie (om te bakken),
1 pot remouladesaus.
Voor de 'Kransekager' (Deens
amandelgebak):
1 kg amandelspijs,
200 g suiker, 200 g poedersuiker,
3 eiwitten,
geraspte schil van 1 citroen,
1¹/₂ theel. citroensap.
Voor het bestrooien: *suiker.*
Voor het glazuur:
250 g gezeefde poedersuiker,
2 eiwitten.

Week de pruimen voor de vleesschotel 12 uur, ontpit ze en
kook ze gaar met de rode kool.
Laat ze geheel afkoelen en garneer de kool met gefruite uieringen. Snijd de helft van het vlees
in plakjes en leg ze op een
plank. De rest van het vlees legt

u er aan het stuk bij.
Schep de garnalen op de slablaadjes, sprenkel er grapefruit-
sap over en doe sla en garnalen
in een schaal. Roer de yoghurt,
de cayennepeper en het zout
door elkaar, schenk dat over de
garnalen en garneer het met kaviaar.
Snijd voor de haringhapjes de
zure haringen in stukjes, de
worteltjes in plakjes en de ui in
ringen. Leg de slablaadjes op
een schaal. Schik alle voorbereide ingrediënten en de kaviaar
op de sla. Zet de eierdooiers in
de eierschalen op de kaviaar.
Wrijf de scholfilets in met zout
en besprenkel ze met citroensap.
Paneer ze met de bloem, de losgeroerde eierdooiers en het paneermeel. Bak de scholfilets in
de hete olie aan beide kanten
goudbruin. Geef er de remouladesaus bij.
Verwarm de oven voor op

150 °C voor het amandelgebak.
Kneed een deeg van de amandelspijs, de suiker, de gezeefde
poedersuiker, de eiwitten, de citroenschil en het sap. Vorm er
op een met suiker bestrooid
werkvlak vingerdikke rolletjes
van en maak hier tien kransen
van. De grootste krans moet
een doorsnee van 17 cm hebben
en elke volgende krans is 1 cm
kleiner. Leg de kransjes op een
met vetvrij papier beklede bakplaat. Bak ze in 20–25 minuten
goudbruin. Zet de ovendeur de
laatste 10 minuten op een kier.
Stapel de afgekoelde kransjes
op elkaar.
Maak glazuur van de poedersuiker en het eiwit en garneer
het gebak daarmee.
Bovendien hoort bij het Deense
buffet nog zalm, gerookte paling en een kaasschotel.

Italiaans buffet

Zelfs bij een heel royaal koud buffet wil de Italiaan nog een pizza als voorgerecht. Dat is heel gemakkelijk te regelen voor de gastheer of -vrouw, want er zijn allerlei pizza's – volgens origineel recept bereid – in de diepvries te koop.
Als middelpunt van de koude gerechten is de Italiaanse kalfshaas met mosterdfruit (recept blz. 132) gekozen. Natuurlijk is er ook een schotel met parmaham en salami en een schotel met Italiaanse kaasspecialiteiten, rijpe tomaten, artisjokken, fruit, wittebrood en Italiaanse wijn.

Voor 6–8 personen:

Pikante pizza's

1 'pizza mare' (diepvries),
1 'pizza carne' (diepvries),
1 'pizza Margherita' (diepvries).

Bak de pizza's volgens aanwijzing 14–18 minuten in de voorverwarmde oven en geef ze heet.

Schotel van groentesalade met salsa verde

450 g diepvrieserwten en -worteltjes,
300 g diepvriesbroccoli,
300 g diepvriesperziebonen,
200 g artisjokhartjes,
1 kleine krop rode sla,
een paar blaadjes kropsla,
2 hardgekookte eieren,
10 zwarte olijven,
50 g fijngehakte tuinkruiden,
4 voorjaarsuien,
1 teen knoflook,

¹/₂ rode paprika,
4 ansjovisfilets,
6 eetl. olijfolie,
3 eetl. sherry-azijn,
een flinke snuf zout,
een flinke snuf peper.

Kook de diepvriesgroenten volgens voorschrift gaar en laat ze op een zeef uitlekken en afkoelen. Laat de artisjokhartjes uitlekken en snijd ze door. Pluk de rode sla, was hem samen met de kropsla en laat ze goed uitlekken. Pel de eieren en snijd ze in plakjes. Bekleed de ene helft van een grote schotel met rode sla en de andere helft met kropsla. Schik de groenten soort bij soort op de schotel. Garneer met plakjes ei en zwarte olijven. Vermeng voor de groene saus de kruiden in een schaal. Maak de uien schoon, was ze en snijd ze in dunne ringen. Pel de knoflook en hak hem fijn. Haal

zaadlijst en pitten uit de paprika, was hem en hak hem fijn met de ansjovis. Vermeng de uieringen, de knoflook, de paprika en de ansjovis met de kruiden. Roer er de olie, de azijn, het zout en de peper door. Geef de salsa verde apart bij de groente.

Tomatensalade met Mozzarella

6 grote vleestomaten,
2 Mozzarella-kaasjes,
een mespunt zout,
een mespunt peper,
naar smaak 1 theel. van elk: ver-
se oregano en vers basilicum,
5 eetl. olijfolie.

Was en droog de tomaten en
snijd ze in plakken. Haal de
kaas uit de pekel, laat hem uitlekken en verdeel hem ook in
dunne plakjes. Schik de plakjes
tomaat en kaas dakpansgewijs
op een schotel. Strooi er zout,
peper en de kruiden over.
Sprenkel er olie over.

Gemarineerde olijven

400 g zwarte olijven,
2 stengels bleekselderie,
2 tenen knoflook, 3 sjalotten,
4 blaadjes pepermunt,
6 eetl. olijfolie.

Laat de olijven uitlekken. Was
de selderie, maak hem schoon,
snijd hem in de lengte door en
snijd hem in stukken van 4 cm.
Pel de knoflook en schil de uien.
Hak de knoflook fijn en verdeel
de uien in smalle ringen. Leg
alle ingrediënten liefst in een
brede pot. Hak de pepermunt
en strooi hem over de olijven.
Schenk er de olijfolie over. Sluit
de pot. Zet de olijven 2 uur op
een koele plaats.

Italiaanse vruchtensalade

500 g gemengde vruchten, bijv.
peren, meloen, kaki's, druiven
en vijgen,
1 borrelglas amandellikeur,
$^1/_2$ l vanille-ijs,
2 eetl. kleingehakte pistache-
noten.

Schil de vruchten, haal de pitten
eruit, snijd ze in schijfjes en vermeng ze in een grote schaal.
Schenk de likeur over de vruchten. Laat alles een halfuur toegedekt intrekken. Verdeel de salade over schaaltjes. Leg op elke
portie één bolletje vanille-ijs.
Strooi de noten over het ijs.

Sinaasappelsap met Sekt

1 blikje diepvriessinaasappelsap,
drie maal zoveel Sekt of mine-
raalwater.

Laat het sinaasappelsap ontdooien. Vermeng het met de
ijskoude Sekt of het mineraalwater. Geef sinaasappelsap met
Sekt als aperitief.

Koud buffet

Klassiek koud buffet

U kunt officiële gasten met dit klassieke buffet een hele avond ontvangen! Hoofdattracties zijn de kalfsvleesterrine (recept blz. 51) die met kumquats wordt gegarneerd, en gevulde varkenshaas (recept blz. 139). Alle andere recepten zijn voor 6 personen.

Dilleforellen

2–3 l water,
5 eetl. wijnazijn, 1 eetl. zout,
een stuk citroenschil,
1 bos dille, 6 forellen,
2 eetl. fijngehakte dille,
¹/₄ l witte-wijngelei (recept blz. 224).

Breng 2–3 l water aan de kook met azijn, het zout, de citroen- schil en de dille. Pocheer de ge- wassen forellen hier 15–20 mi- nuten in. Haal ze uit de bouil- lon, haal het vel eraf en laat ze afkoelen. Roer de dille door de wijngelei, schenk hem over de forellen en laat hem in de koel- kast opstijven.

Middellandse-zeesalade

1 kleine krop ijsbergsla,
¹/₂ komkommer, 3 tomaten,
3 hardgekookte eieren,
2 uien,
150 g schapekaas,
5 ansjovisfilets,
150 g sperziebonen (uit blik),
8 groene en 8 zwarte olijven,
4 eetl. olijfolie,
sap van 1 citroen,
1¹/₂ theel. mosterd,
¹/₂ theel. suiker,
een flinke snuf zout,
een flinke snuf peper,
1 eetl. gemengde fijngehakte kruiden.

Maak de sla schoon, was hem en laat hem goed uitlekken. Was en droog de komkommer en de tomaten. Schaaf de kom- kommer. Snijd de tomaten en de gepelde eieren, in achten. Schil de uien en maak er ringen van. Verbrokkel de kaas en hak de ansjovis grof. Vermeng de bonen, de olijven en de ansjovis met de overige voorbereide in- grediënten. Roer de olie, het ci- troensap, de mosterd, de suiker, het zout en de peper door el- kaar. Schep de saus door de sa- lade en strooi er de kruiden over.

Waldorf-salade

2 zure appels (250 g),
¹/₂ knolselderie (250 g),
250 g ananas in stukjes (uit blik),
100 g gehakte walnoten,
sap van ¹/₂ citroen,
100 g mayonaise,

een snufje van elk: zout, witte pe- per en suiker.

Schil de appels, snijd ze in vie- ren en haal het klokhuis eruit. Snijd de appel en de geschilde selderie in smalle reepjes en ver- meng ze met de ananas, de no- ten en het citroensap. Maak de mayonaise op smaak met het zout, de peper en de suiker en schep hem door de salade.

Klein buffet voor zondag

Met dit koude buffet kunt u op een zondag uw familie eens verwennen. Misschien heeft u het middagmaal een keer overgeslagen. Het is ook heel geschikt voor geliefde gasten. Het hoofdgerecht is kalfsvlees 'Vitello Tonnato' (recept blz. 142).

Voor 6 personen:

Grote slaschotel
1 kleine krop rode sla,
2 eetl. olijfolie,
1 eetl. citroensap,
een snufje suiker,
zout en peper naar smaak,
125 g champignons,
2 eetl. olie, 1 eetl. citroensap,
1 eetl. fijngehakte peterselie,
50 g veldsla of ezelsoren,

2 eetl. olie, 1 eetl. wijnazijn,
^{1}/$_2$ ui,
100 g garnalen,
2 eetl. zure room,
1^1/$_2$ theel. citroensap,
1 eetl. kleingehakte dille,
1 groot blad kropsla,
2 hardgekookte eieren.

Maak de rode sla schoon, was hem, laat hem uitlekken en snijd hem in smalle reepjes. Maak de sla aan met de olie, het citroensap, de suiker, het zout en de peper. Was de champignons en maak ze schoon. Snijd een stukje van de steel en verdeel ze in plakjes. Vermeng de champignons met de olie, het citroensap, de peterselie, zout en peper en laat ze 30 minuten intrekken. Was de veldsla goed en laat hem uitlekken. Maak hem aan met de olie, de azijn, de fijngehakte ui, zout en peper.
Vermeng de garnalen met de

zure room, het citroensap, zout, peper en dille. Schep de garnalen op het slablad. Pel de eieren, snijd ze in achten en schik ze op de sla.

Kaasschotel met kaassalade
Voor de kaasschotel:
250 g van elk: blauwe aderkaas,
   gekruide Brie en Tilsiter.
Voor de kaassalade:
250 g jonge Goudse,
1 kiwi,
100 g aardbeien,
^{1}/$_2$ kop mandarijntjes (uit blik),
1 eetl. citroensap,
2 eetl. yoghurt,
^{3}/$_4$ theel. suiker,
^{3}/$_4$ theel. zout,
een mespunt cayennepeper.

Snijd de blauwe kaas en de Brie in puntjes. Snijd de Tilsiter in blokjes. Leg al deze kaassoorten op een plank. Verdeel de Goudse kaas in reepjes. Schil de kiwi

dun, maak er schijfjes van en snijd deze door. Was de aardbeien, snijd ze in vieren. Vermeng de kaas met alle vruchten. Roer het citroensap, de yoghurt, de suiker, het zout en de cayennepeper door elkaar. Schep de saus door de salade en laat hem toegedekt in de koelkast intrekken.

195

Koud buffet

Champagne-ontbijt

Als u gasten heeft, kunt u een feestelijk champagne-ontbijt samenstellen met recepten uit dit boek. Middelpunt vormt natuurlijk goed gekoelde, droge champagne. Zo'n ontbijt vindt niet in de vroege ochtend plaats, maar meestal pas later op de dag. De gerechten mogen ook niet verzadigend, maar wel eetlust opwekkend zijn. We stellen u voor 6–8 personen de volgende samenstelling voor: Langoest met truffel (recept blz. 123) met gevulde eieren uit het overeenkomstige hoofdstuk. Geef er getruffeerde ganzeleverpaté bij – kant en klaar te koop – op een sneetje geroosterd wittebrood. Voor elk sneetje brood is ongeveer 40 g pâté nodig. Garneer elke portie met in blokjes gesneden maderagelei (recept blz. 224). Als dessert bevelen wij aan:

Kaascrème met vruchten

500 g verschillende verse vruchten: kiwi's, druiven, kumquats, kersen, meloen,
400 g Mon Chou of roomkwark,
sap van 1 citroen,
4 eetl. suiker,
$^1/_4$ l slagroom.

Was de vruchten, schil ze en snijd ze in schijfjes. Pel de druiven, snijd ze door en haal de pitten eruit. Ontpit de kersen. Steek balletjes uit de meloen met de aardappelboor. Roer de kaas of kwark romig met het citroensap, de suiker en de slagroom. Verdeel hem over schaaltjes en schep de vruchten erover.

Oudejaar aan de Seine

Voor 6 personen – voor de kwarteleieren met kaviaar:
180 g Deense kaviaar,
6 hartige zandtaartbakjes (kant en klaar gekocht of zelf ge-bakken),
24 kwarteleieren (uit een pot),
6 eetl. crème fraîche of zure room,
1 bos bieslook.

Verdeel de kaviaar over de taartbodems en leg op elk taartje 4 kwarteleieren. Klop de crème fraîche luchtig. Was het bieslook, laat het uitlekken en snijd het klein. Roer het bieslook door de crème fraîche. Schep op elk taartje 1 eetlepel crème fraîche.

Voor de mosselsoep:
2¹/₂ kg verse mosselen,
2 middelgrote uien,
1 tak peterselie,
¹/₂ stengel bleekselderie,
1¹/₂ theel. witte peper,
¹/₂ l droge, witte wijn,
³/₈ l vleesbouillon,
³/₈ l slagroom.

Maak de mosselen goed schoon. Maak de groenten schoon en snijd ze in stukken. Doe ze met de peperkorrels bij de wijn en de bouillon. Kook hierin de mosselen gaar. Haal ze uit het kookvocht, laat ze af-koelen en haal ze uit de schel-pen. Laat het kookvocht tot on-geveer twee derde inkoken. Roer de slagroom door de ko-kende bouillon en laat hem nog 2 minuten zachtjes koken. Maak de soep op smaak af en roer er vervolgens de mosselen door.

Geef geroosterd wittebrood bij de soep.

Voor de salade Maxim:
2 kroppen sla,
1 stengel bleekselderie,
400 g sperziebonen (uit blik),
250 g artisjokharten (uit blik),
310 g ganzeleverpastei met truffel,
2 hardgekookte eieren,
2 kleine augurken,
6 eetl. olie, 3 eetl. wijnazijn,
2 eetl. gemengde, kleingehakte kruiden: peterselie, kervel, lavas en bieslook,
2 eetl. middelscherpe mosterd,
3 eetl. gesnipperde ui,
¹/₂ theel. zout,
een mespunt witte peper.

Haal de slabladen van de krop, was ze en maak erg grote bladen kleiner. Was de selderie en snijd hem in 1 cm dikke plakjes. Laat de bonen en artisjokharten uit-

lekken. Snijd de artisjokharten door. Maak dunne plakjes van de ganzeleverpastei. Schik alle ingrediënten, zoals op het voor-beeld op de foto, op een grote schotel. Pel de eieren en hak eie-ren en augurken fijn. Roer de olie, de azijn, de kruiden, de mosterd, de ui, het zout en de peper door elkaar. Roer er ei en augurk door en geef deze saus bij de sla.
Maak dit buffet compleet met een poulet-Bresse (recept blz. 136).

Groot feestelijk buffet

Een groot feestelijk buffet wordt uit heel veel gerechten samengesteld. Natuurlijk zijn er lichte salades, gevulde eieren, canapés, 1 worst- en hamschotel, 1 kaasschotel, 1–2 desserts, eventueel 1–2 schotels koud vlees, 1 visschotel, 1 terrine of 1 pastei.
Kies als hoofdschotels getruffeerde fazanteborst en geglaceerd wildzwijnzadel (recepten blz. 134). Ideeën voor gevulde eieren en canapés vindt u in de desbetreffende hoofdstukken in dit boek. Reken per persoon 2 gevulde eieren en 4–5 canapés. Vul een schotel met een pâté in korstdeeg, gegrilleerde Parijse ham en een zachte rauwe ham met partjes meloen.

Schik een kaasschotel volgens de ideeën op blz. 143. Geef bij de pâté een appel-mierikswortelroom en voor de liefhebbers een mayonaisesaus.

Appel-mierikswortelroom

$^{1}/_{2}$ appel,
1–2 eetl. vers geraspte mierikswortel,
$^{1}/_{4}$ l slagroom, een snufje zout.

Schil de appel, rasp hem en schep hem door de mierikswortel. Klop de slagroom stijf met het zout en meng hem door de appel en de mierikswortel.

Mayonaisesaus

1 middelgrote augurk,
2 hardgekookte eieren,
1 bos peterselie,
1 bos bieslook, $^{1}/_{2}$ bos dille,
250 g mayonaise,
3–4 eetl. zure room.

Hak de augurk en de gepelde eieren heel fijn. Was de kruiden, laat ze uitlekken en snijd ze heel fijn. Roer de mayonaise, de zure room en de fijngehakte ingrediënten door elkaar.

Maïs-paprikasalade

680 g maïs (uit blik),
2 rode, 2 groene en 2 gele paprika's,
3 uien, 8 eetl. olie,
3 eetl. wijnazijn, $^{3}/_{4}$ theel. zout,
$^{1}/_{2}$ theel. zwarte peper,
1 eetl. gemengde, kleingehakte kruiden.

Laat de maïs in een zeef uitlekken. Snijd de paprika's door, haal zaadlijsten en pitten eruit, was en droog ze en maak er dunne reepjes van. Schil de uien en snijd ze in ringen. Roer olie tot en met peper door elkaar, schep de saus door de salade en strooi er de kruiden over.

Appel-rijstsalade

200 g Siam-rijst,
3 dl water,
2 appels, 2 kleine sinaasappels,
150 g crème fraîche of zure room,
3 eetl. droge witte wijn,
2 eetl. citroensap,
een flinke snuf suiker,
een flinke snuf gemberpoeder.

Kook de rijst gaar in 3 dl water, laat hem afkoelen. Was de appels, snijd ze in vieren en haal het klokhuis eruit. Verdeel ze in blokjes. Schil de sinaasappels, haal het witte vlies er zorgvuldig af. Haal de vliesjes van de sinaasappelpartjes en haal de pitten eruit. Vermeng de rijst met de vruchten. Roer de crème fraîche, de wijn, het citroensap, de suiker en de gemberpoeder door elkaar en schep de saus door de salade.

Salade van artisjokkenhartjes

*400 g artisjokkenhartjes (uit
blik),*
3 tomaten, 2 sjalotten,
5 eetl. olie, 2 eetl. wijnazijn,
½ theel. zout,
een snufje witte peper,
*2 eetl. gemengde, gehakte krui-
den: bieslook, kervel en peterselie.*

Laat de artisjokkenhartjes uitlekken en snijd ze door. Pel de
tomaten en snijd die ook door.
Haal de pitjes eruit en snijd het
vruchtvlees in blokjes. Schil de
sjalotten en maak er ringen van.
Vermeng alle ingrediënten losjes
in een schaal. Roer de olie, de
azijn, het zout en de peper door
elkaar. Schep de saus door de
salade. Strooi er de kruiden
over.

Bonte salade

2 kroppen sla,
2 kroppen rode sla,
100 g veldsla of ezelsoren,
1 doosje tuinkers, 2 uien,
7 eetl. olie, 3 eetl. kruidenazijn,
*een snufje van elk: zout, suiker
en witte peper,*
1 bos bieslook.

Maak de kropsla en rode sla
schoon, was ze en laat ze goed
uitlekken. Was de veldsla goed,
zoek hem uit en laat hem uitlekken. Knip de tuinkers van de
bodem en was hem in een zeef.
Schil de uien en snijd ze in ringen. Roer de olie, de azijn, het
zout, de suiker en de peper door
elkaar. Schep de saus door de
salades en de uien, meng er ook
de tuinkers door. Snijd het bieslook fijn en strooi het over de
sla.

Bijzondere chocolademousse

4 blaadjes gelatine,
150 g suiker,
4 eierdooiers,
*ruim een borrelglas sinaasappel-
likeur,*
200 g bittere chocolade,
2 eetl. heet water,
³/₄ l slagroom, 50 g suiker,
merg uit 1 vanillestokje,
*1 eetl. kleingehakte pistache-
noten.*

Week de gelatine in koud water.
Roer de suiker door de eierdooiers, meng er ook de likeur
door en klop ze dan au bain-
marie schuimig. Smelt de chocolade au bain-marie en schep
de gesmolten chocolade door de
eierdooiers. Knijp de gelatine
goed uit, los hem op in 2 eetlepels heet water en roer de gelati-
ne-oplossing door de chocola-
decrème. Klop de slagroom stijf
met de suiker en het vanille-

merg. Houd 3 eetlepels slagroom achter. Schep de rest door
de crème. Doe de chocolade-
mousse in een schaal en garneer
hem met de 3 eetlepels slagroom. Strooi er de pistachenoten over.

De belangrijkste basisingrediënten

De ingrediënten voor de koude keuken zijn in principe dezelfde als die voor warme gerechten, de bereide spijzen worden alleen koud opgediend. Extra zijn er verse salades, rauwkostgerechten, belegde broodjes en sinds de grote hervorming in Frankrijk, de 'nouvelle cuisine', ook rauwe of bijna rauwe groente en rauwe vis.

En als de koude keuken zich van zijn beste kant moet laten zien, geldt hier nog meer dan bij de andere manieren van koken: van alle ingrediënten is beslist de hoogste kwaliteit noodzakelijk. Per slot van rekening worden de lekkerste gerechten bereid van kostbare eiwitrijke, dus bederfelijke levensmiddelen als vis, vlees, worst, ham, kaas en eieren, die na de bereiding niet onmiddellijk worden opgediend, maar eerst moeten afkoelen voor ze verder worden verwerkt. Bovendien worden fruit, bladsalades, groente en kruiden zowel als boter, brood, gekruide sauzen en ingemaakte produkten in een vorm aangeboden waarin mindere kwaliteit nauwelijks te verbergen is. Heel belangrijk zijn daarom een juiste manier van inkopen en een juiste manier van bewaren. Bij de beschrijving van de belangrijkste ingrediënten van de koude keuken worden deze aspecten ook belicht.

Brood als basis

Brood, dat in meer dan tweehonderd soorten te koop is, wordt in de koude keuken niet alleen gebruikt in de vorm van belegde broodjes, maar is ook een vullend bijvoegsel bij salades, cocktails, gerechten in gelei, eieren en koud vlees. Het is belangrijk dat het niet te vers maar ook niet te oud is, als het wordt gebruikt. Te vers brood is moeilijk te snijden en te smeren en bovendien is het zwaar verteerbaar. Oud brood is droog, kruimelt en heeft ook veel van zijn bijzondere smaak verloren. Het beste is wittebrood van 1 dag en bruin- of roggebrood van 2–3 dagen oud. Broodjes moeten echter altijd vers zijn!

Brood in de koude keuken

Het serveren van belegde broodjes, sandwiches of opgemaakte sneetjes lijkt wel erg gemakkelijk, maar de bereiding vraagt toch veel werk en tijd. Houdt u zich daarom aan het volgende werkschema.

● Snijd het brood of de broodjes eerst in gelijke dikke of dunne sneetjes. De ideale dikte voor kleine sneetjes is $\frac{1}{2}$ cm, voor grote belegde sneetjes krap 1 cm. Dit lukt het best met de snijmachine. Koop het brood gesneden als u deze niet heeft.

● Beslis nu of u de korstjes van het brood wilt snijden. Snijd ze er dan ook direct af. De korstjes moeten er in ieder geval af bij kleine modellen zoals vierkantjes, ruiten, reepjes en driehoeken van ongeveer 3 × 4 cm. Bij gehalveerde belegde broodjes of sandwiches blijft de korst aan het brood en ook als u uit hele sneetjes brood stukjes snijdt of ze uitsteekt met een glas.

● Nu besmeert u de ongesneden sneetjes brood. Deze basislaag kan boter of margarine zijn. Afhankelijk van het beleg kan ook kruidenboter worden gebruikt (zie botermengsels, blz. 203). Als basislaag kan echter ook kant en klaar gekochte sandwich-spread, gekruide mayonaise, een kwark- of Mon-Chou-mengsel, smeerworst, pâté of een tartaarmengsel worden gebruikt. Een crème-achtige basislaag kan ook als toefjes of in kransvorm op het brood worden gespoten.

● Snijd het brood vervolgens met een lang, dun, heel scherp mes in de gewenste modellen op een gladde ondergrond.

● Pas het beleg aan bij de vorm en de grootte van het brood. Hier moet u uw fantasie laten werken. Leg plakjes worst of ham niet zo maar op het brood, zeker niet als het 'basissmeersel' geraffineerder is dan gewoon boter. Vouw plakjes koud vlees, ham, worst of kaas losjes dubbel, maak er rolletjes of hoorntjes van, snijd ze in heel kleine blokjes en strooi deze op het brood of leg ze in reepjes gesneden als een raster op het gesmeerde brood. Maak de benodigde hoeveelheid beleg klaar en leg het even opzij.

● Maak ook vast de garneringen klaar die gesneden moeten worden, zoals plakjes olijf, schijfjes of waaiertjes augurk, plakjes ui, kruiden en schijfjes of partjes tomaat, om maar eens de meest gebruikte te noemen. De vele voorbeelden op de foto's in het receptengedeelte van dit boek zullen u zeker uitgebreid inspireren.

● Beleg de broodjes pas vlak voor de gasten komen.

● Leg de belegde broodjes op een schaal en garneer deze pas op het laatste moment naar keuze met toefjes kruiden, partjes tomaat, blaadjes sla, partjes ei, augurk of radijs. Schik de broodjes in een bonte mengeling of gesorteerd naar beleg op de schalen.

● Leg bonte sneetjes in het gelid op een met servetjes beklede schaal en maak steeds een rij van één soort. Extra garnering is op zo'n schaal niet nodig, omdat de broodjes zo al voldoende lust voor het oog zijn.

● Dek de broodjes tot u ze opdient in ieder geval af met huishoudfolie. Als de gasten pas na 2–3 uur komen, kunt u de broodjes het best in de koelkast bewaren, zodat alles zo vers mogelijk blijft. Haal de schotels wel een halfuur voor gebruik uit de koelkast; de koude gerechten kunnen dan weer op kamertemperatuur komen.

● Indien u de belegde broodjes voor 's avonds al 's middags moet klaarmaken, verpak dan de besmeerde broodjes, het in model gesneden beleg en de garnering ieder apart in huishoudfolie en bewaar ze in de koelkast.

● Let erop dat kwetsbare garneringen, toefjes mayonaise, mosterd, tomatenpuree, room of kaascrème pas op het allerlaatste moment gespoten mogen worden. Als u met een tube werkt, is dit geen probleem. Als u de spuitzak gebruikt, moet u hem bijtijds vullen en in de koelkast bewaren tot u er gebruik van maakt.

● Volwassenen zijn net kinderen als zij schotels vol aantrekkelijke broodjes of sneetjes zien: ieder wil er zeker één van elke soort proberen. Houd daarom bij het maken van de broodjes rekening met het aantal gasten.

- Als de belegde broodjes als maaltijd worden gegeven, reken dan per gast 2–3 hele sneetjes brood. Indien de broodjes een hapje bij een drankje zijn – dus geen volle maaltijd – of een borrelhapje of bodempje voor alcoholische dranken, reken dan 4–5 kleine canapés per persoon.

Tips
- Donkere broodsoorten, roggebrood, grof bruinbrood en volkorenbrood zijn vooral lekker bij pittige worstsoorten, zoals grove leverworst, en bij gerookte ham en kaas.
- Zwart roggebrood wordt hoofdzakelijk met kaas gecombineerd.
- Lichte broodsoorten, wittebrood, broodjes, licht knäckebröd en crackers kunt u royaal beleggen met de meest verschillende dingen: vooral met fijne worstsoorten, eieren, zachte kaas, kaas- en kwarkmengsels, koud gevogelte, koud vlees, gerookte vis en aangemaakte salade.
- Belegde broodjes voor een volledige maaltijd snijdt u niet in modellen. Zij worden alleen gehalveerd.
- Gebruik voor sandwiches zacht brood: bruin of gemengd roggebrood, wittebrood of boerenbrood. Typisch voor een sandwich is het royale beleg tussen twee sneetjes brood, die in tweeën of in vieren worden gesneden. Sandwiches kunnen gemakkelijk uit de hand worden gegeten; zij zijn daardoor een ideaal hapje voor onderweg.
- Voor de fijne, kleine sneetjes, die vooral bij de borrel of een andere gezellige ontvangst zonder maaltijd worden gegeven, snijdt u wittebrood, casinobrood, (gemengd) roggebrood of boerenbrood in kleine vierkantjes, rechthoekjes of ruitjes. Snijd de harde korstjes eraf, besmeer de hele sneetjes met de basislaag en snijd ze dan met een mes in het gewenste model of steek er met een glas of uitsteekvormpje een model uit. Breng daarna pas beleg en garnering aan.
- Prik het beleg, als het niet erg stevig ligt, of de garnering, als zij heel hoog is of gemakkelijk valt, met een cocktailprikker vast.
- Hapjes van brood, zoals Franse canapés, moeten zo klein zijn dat ze met duim en wijsvinger kunnen worden beetgepakt en naar de mond gebracht.
- Behalve sneetjes brood kunnen voor deze fijne creaties ook crackers, ronde broodjes of sneetjes Frans stokbrood als basis worden gebruikt.
- Snijd knäckebröd dat u als basis gebruikt, eerst op een gladde ondergrond in rechthoekjes, reepjes of vierkantjes ter grootte van één hap. Knäckebröd kruimelt namelijk erg bij het eraf happen.
- Gegrilleerde broodjes vallen niet onder de 'koude keuken', toost wel. Behalve casinobrood kunt u ook wittebrood en alle soorten bruinbrood in het broodrooster of op het rooster in de oven roosteren. Geef het geroosterd brood in driehoekjes gesneden met of zonder boter bij fijne salades en cocktails en bij koude vis, vlees of gevogelte.
- De geroosterde sneetjes brood moeten vanbuiten knapperig lichtbruin en vanbinnen nog zacht zijn. Vouw ze om ze warm te houden ieder apart in een linnen servet. De warme damp van het geroosterde brood wordt door de stof opgenomen en het brood kan niet vochtig worden.
- Voor heel bijzondere gerechten is er melba-toost. Snijd daarvoor wit stokbrood in flinterdunne sneetjes, leg ze op de bakplaat en rooster ze goudbruin in een oven van 200 °C. De sneetjes brood krullen op en worden bijzonder knapperig. Besmeer de sneetjes brood, afhankelijk van het gerecht waarbij u ze geeft, voor het roosteren eens met knoflookboter.

Boter als begeleider

Boter is al sinds eeuwen bekend en zeer geliefd als broodsmeersel. Wie weet niet hoe heerlijk een verse bruine boterham met boter besmeerd en met zout bestrooid smaakt. In zijn functie van neutrale overgang tussen brood en beleg staat margarine al sinds lang op dezelfde plaats als boter. Of u boter of margarine gebruikt is een kwestie van eigen smaak, want beide produkten hebben hun voedingspsychologische waarde, zijn goede energieleveraars en bevatten vitamines en mineralen.

Op de juiste manier bewaren
- Boter blijft verpakt in de koelkast of in een gesloten blik in het botervak tot 10 dagen vers. Daarna verandert hij van smaak. Gebruik hem dan alleen nog om te koken en te bakken. Margarine blijft 4–6 weken vers, als hij goed verpakt in de koelkast wordt bewaard.
- Onverpakte boter en margarine nemen gemakkelijk vreemde geuren en smaakjes aan; bewaar ze daarom altijd goed verpakt.
- Ongezouten boter en margarine kunnen goed worden ingevroren. Stevig verpakt kunnen zij in het vriesvak bij −18 °C tot 6 maanden worden bewaard. Na het ontdooien moeten ze vlug worden opgebruikt.
- Boter is in tegenstelling tot margarine moeilijk te smeren als hij net uit de koelkast is. Als u de boter toch direct wilt gebruiken, moet u het mes steeds even in heet water dompelen.

Mooi opdienen
Als u boter of margarine op tafel zet, zodat de gasten zichzelf kunnen bedienen, geeft u hem allerlei mooie vormen: maak krullen door met een ronde, geribbelde boterkruller loodrecht over de zeer koude boter of margarine te gaan. Of steek met een theelepel heel kleine porties boter of margarine van de rest af en rol er tussen twee geribbelde houten plankjes balletjes van.
Leg deze krullen en balletjes liefst op glazen schaaltjes, die weer op een andere schaal met ijsblokjes worden gezet.

Botermengsels
Gekruide boter speelt bij de koude keuken een heel grote rol. Hij wordt vaak gebruikt om er crackers, kleine sneetjes of volkorencrackertjes die bij de borrel of een hapje vooraf worden gegeven, mee te besmeren.
Gekruide boter is tegenwoordig in vele variaties te koop, maar hij is ook gemakkelijk zelf te maken: haal, afhankelijk van wat u nodig heeft, 100–200 g boter of margarine bijtijds uit de koelkast en leg hem een paar uur op kamertemperatuur tot u hem kunt kneden of roeren. Vermeng hem met de

volgende ingrediënten: ansjovispasta uit een tube, tomatenpuree, tomatenketchup, mierikswortel, mosterd, kappertjes, Deense kaviaar, kleingesneden garnalen, peper of kerriepoeder. De hoeveelheid is afhankelijk van uw smaak.

Hier volgen een paar ideeën voor de meest gevraagde mengsels:

Kruidenboter: Roer de volgende ingrediënten door 100 g boter: 1 geschilde, heel fijngesneden en tot moes gedrukte ui, 2 gepelde, kleingehakte en met zout geplette teentjes knoflook, een snufje peper, een paar druppels citroensap en 4–6 eetlepels heel fijngesneden, gemengde kruiden.

Zalmboter: Snijd 100 g gerookte zalm en 2 sjalotten heel fijn. Vermeng 200 g boter met een mespunt cayennepeper, de zalm en de sjalotten. Als u in plaats van zalm ansjovisfilets kleinsnijdt, krijgt u echte ansjovisboter.

Haringboter: Druk de hom van 2–3 haringen door een zeef en roer dat met een snufje peper en heel weinig mosterd door ongeveer 200 g boter.

Tomatenboter: Vermeng 100 g boter met 2 eetlepels tomatenketchup of tomatenpuree, een paar druppels tabasco, een snufje zout en 1 gepelde, ontpitte, tot moes gewreven verse tomaat.

Kreefteboter: Roer door 100 g boter 50 g fijngemaakt kreeftevlees, een beetje zout en een paar druppels cognac.

● U kunt al deze botermengsels vooruit maken en 2–3 dagen toegedekt in de koelkast bewaren.
● Als u gekruide boter op tafel wilt zetten, legt u het nog zachte botermengsel tussen twee vellen vetvrij papier en vormt u er tussen twee handen een rol van ter grootte van een rijksdaalder. Laat de rol in de koelkast opstijven en snijd hem voor het serveren, eventueel met een canneleermesje, in plakjes. Leg deze boterrondjes, net als de krullen en balletjes, op een glazen schaaltje dat op een schaal met ijsblokjes wordt gezet.

Van ei tot mayonaise

Eieren zowel als mayonaise zijn uit de koude keuken niet weg te denken. Hardgekookte eieren worden gebruikt als beleg en garnering van broodjes en sneetjes. Ook worden zij tot allerlei voorgerechten en salades verwerkt.

Eieren behoren ook tot de belangrijkste basisingrediënten van fijne puddingen, desserts en klein gebak. Mayonaise bevat behalve olie eierdooiers als belangrijkste ingrediënt. Daarom wordt zij in dit hoofdstuk beschreven. De fijne, niet opdringerige smaak en de romige consistentie maken haar tot een ideaal bestanddeel van allerlei salades en een aantrekkelijke garnering van belegde broodjes en andere koude gerechten.

Eieren op de juiste manier inkopen en bewaren

● Het is aan te bevelen voor gebruik in de koude keuken kleine eieren te kopen. Zij kunnen, als ze hardgekookt zijn, gemakkelijker gesneden worden. De plakjes of partjes vallen niet zo gauw uit elkaar.

● Koop de eieren liefst bij een zaak waar de omzet groot is. De kans op verse eieren is daar het grootst. Dierenvrienden geven de voorkeur aan scharreleieren; dit is op de verpakking aangegeven.

● Of de eieren een bruine of witte schaal hebben, maakt voor de smaak niets uit. Belangrijk is wel dat de schaal onbeschadigd en liefst schoon is.

● Bewaar de eieren op een koele plaats, liefst niet in de koelkast. Als dit toch moet, haal ze dan voor gebruik bijtijds eruit, zodat ze weer op kamertemperatuur kunnen komen.

● Echt verse eieren zijn te herkennen aan de hoge, bolle eierdooier en het verhoudingsgewijs dikke eiwit dat vlak om de dooier ligt. Bij oudere eieren wordt de eierdooier vlak en het eiwit waterig.

Eieren in de koude keuken

● Splits het ei door met het ei zachtjes op de rand van een bord te slaan, breek het ei voorzichtig open en laat de eierdooier voorzichtig van de ene schaalhelft in de andere glijden. Het eiwit loopt daardoor uit het ei op een eronder staand schaaltje. De 'hagelsnoeren' – een geleiachtig stolsel aan beide kanten van de dooier – moeten worden weggehaald. Hoe koeler de eieren zijn, des te kleiner is het gevaar dat de eierdooier uitloopt.

● Eiwit stijfkloppen lukt alleen als er absoluut geen spoortje dooier in zit. Het eiwit wordt heel stijf als per eiwit ¹/₂ eetlepel water wordt toegevoegd. Klop het eiwit als het stijf is niet verder, anders loopt het weer terug. Klop voor zoete gerechten 1¹/₂–3 theelepels suiker door het eiwitschuim en voor andere gerechten een snufje zout; dan blijft het eiwitschuim stijf. Schep eiwitschuim pas op het laatste moment door een beslag of een pudding. Het is het beste het beslag of de pudding op het eiwitschuim te scheppen. Vervolgens schept u met een metalen lepel alles door elkaar. Roert u het schuim ergens door, dan maakt u alle luchtblaasjes weer kapot en vermindert de luchtigheid. Voor het stijfkloppen van eiwit moeten schaal en garde altijd vetvrij zijn.

● Eieren barsten niet in kokend water, als vooraf de bolle kant wordt ingeprikt met een naald of eierprikker.

● Leg altijd alle eieren tegelijk in het kokende water, gebruik voor een paar eieren tegelijk eventueel een eiermandje en reken de kooktijd vanaf het moment dat het water weer kookt.

● Gebruik voor het bepalen van de kooktijd een eierwekker. Laat heel zachte eieren 3¹/₂–4 minuten koken, zachte eieren 4–4¹/₂ minuut en harde eieren 10–12 minuten.

● Giet de eieren direct na het beëindigen van de kooktijd af en laat ze onder koud stromend water schrikken. Alleen geschrokken eieren kunnen gemakkelijk worden gepeld. Het zachte vlies onder de schaal laat dan gemakkelijk los.

● Als u niet weet of een ei rauw of gekookt is, moet u het ei op tafel laten rollen. Gekookte eieren draaien gelijkmatig als een tol; rauwe eieren rollen heen en weer, omdat de vloeibare inhoud heen en weer schuift.

De mayonaisesoorten

Mayonaise is de meest geconcentreerde vorm die in de handel is. Zij wordt gebruikt om ermee te garneren. Sauzen bij koud vlees, gevogelte en vis worden meestal van

mayonaise afgeleid; er worden verdunnende en smaak geven-
de ingrediënten aan toegevoegd. De klassieke, onverdunde
mayonaise bevat zeker 80 % vet.
Slasaus bevat slechts 50–79 % vet.
Lichte, romige sauzen voor salades, vaak aangeduid als dressing, worden ook op basis van mayonaise bereid. Hun vetgehalte ligt onder de 50 %.

Mayonaise op de juiste manier bewaren

● Doe mayonaise uit potten of tubes niet over in een andere
pot. Bewaar ze donker en koel (niet in de koelkast; de mayonaise gaat daar schiften). Mayonaise blijft in ongeopende
potten en tubes tot 9 maanden goed. Aangebroken moeten
ze binnen 4–6 weken worden opgebruikt.
● Mayonaise uit zakjes kan – mits ongeopend – tot 2 maanden worden bewaard; in geopende zakjes tot 10 dagen.
● Bewaar zelf gemaakte mayonaise op z'n hoogst 6 dagen
in gesloten glazen, aardewerk of kunststof potten op een koele plaats.

Recepten voor een zelf gemaakte klassieke mayonaise, een
'snel'-mayonaise en van mayonaise afgeleide sauzen vindt u
op blz. 218.

Knoflookbrood

Een knapperig knoflookbrood – of het nu wordt gemaakt
van zelf gebakken wittebrood of van een gekocht wit stokbrood – is altijd erg lekker. Heel bijzonder smaakt het bij een
verse groene of gemengde sla.

Ingrediënten:

*125 g boter ● 3 tenen knoflook (of meer naar keuze)
● 1–2 mespunten zout ● ¹/₂ bos peterselie en ¹/₂ bos bieslook
(of 1 bos andere gemengde verse kruiden) ● 1 wit stokbrood
van 500 g of hetzelfde gewicht aan baguettes.*

Werkwijze
● Roer de boter tot room.
● Pel de tenen knoflook, snijd ze klein, voeg zout toe en plet
ze met de achterkant van een mes. Roer ze door de boter.
● Verwarm de oven voor op 200 °C. Spoel de kruiden vlug
af, laat ze uitlekken, hak ze heel fijn en roer ze door de boter.
● Maak de knoflookboter eventueel op smaak af met zout.
● Snijd het stokbrood op 2–3 cm afstand van elkaar schuin
en diep in, maar snijd het brood niet helemaal door.
● Smeer de knoflookboter in de inkepingen.
● Verpak het brood in aluminiumfolie. Sluit de folie goed.
Bak het brood midden in de voorverwarmde oven 15 minu-
ten op de bakplaat.

Kaas in de koude keuken

In Nederland is kaas op de eerste plaats broodbeleg, al wordt
hij ook wel gebruikt als laatste gang bij de maaltijd, bij een
feestelijk menu of als belangrijk onderdeel bij een koud buffet.

Kaas wordt gemaakt van koe-, schape- of geitemelk. Door
toevoeging van fermenten of natuurlijke zuren stolt het
melkeiwit. De stollende eiwitvlokjes sluiten het fijnverdeelde
melkvet in. Door zeven, centrifugeren of roeren wordt de ei-
witkoek van de wei gescheiden. De kwark of verse kaas die
op deze manier ontstaat, rijpt dan onder speciale voorwaar-
den met behulp van bacteriën en schimmels tot een kostelijke
Camembert, een geurige Roquefort of een pittige Emmentaler.

Kaas op de juiste manier inkopen en bewaren

De echte kaasliefhebber koopt kaas in een zaak die daar speciaal voor ingericht is of bij de kaaskraam op de markt. Hij
wordt dan door de vakman voorgelicht en kan de kaas ook
proeven.
● Koop liefst niet meer kaas dan in een paar dagen wordt
opgebruikt. Natuurkaas is een verduurzaamd levensmiddel;
het leeft en verandert. Alleen smeerkaas kan 3–4 weken in
de originele verpakking in de koelkast bewaard worden.
● Het is een beroemde regel dat kaas koel en luchtig bewaard
moet worden. De beste plaats is een lattenrooster in de koele
kelder. De lucht kan in dat geval aan alle kanten bij de kaas.
Vouw grote stukken kaas in een vochtige doek om ze tegen
uitdrogen te beschermen. Geperforeerde huishoudfolie ver-
vult dezelfde rol. Kaas kan natuurlijk ook prima worden opgeslagen in een goed geventileerde provisiekast.
● Als u geen kelder of provisiekast bezit, bewaart u de kaas,
liefst in een gesloten plastic doos, in de koelkast. De beste
plaats in de koelkast is de groentela; het is daar minder koud
dan in de koelkast zelf.
● Kaas ontplooit zijn volledig aroma pas bij kamertemperatuur. Haal hem daarom een uur voor u hem gebruikt uit de
koelkast.

Tips

● Reken per persoon voor ontbijt of avondmaal 30–50 g
kaas. Voor een kaasschotel is 100 g per persoon voldoende.
Reken voor een maaltijd van kaas en wijn 200–300 g per persoon.
● Een broodmaaltijd, en zeker een koud buffet, is niet volledig zonder kaasschotel. Hij moet met liefde worden gekozen
en samengesteld. Kies zachte en pittige kaassoorten, kazen
van verschillend vetgehalte en harde en zachte kazen van verschillend model.
● Kies een royale platte schaal. Een houten plank is heel geschikt.
● Snijd de kaas niet in plakjes; gesneden kaas droogt vlug
uit. Schik verschillende stukken kaas op de plank, zodat uw
gasten zelf kunnen beslissen hoe groot het stuk is dat zij kie-
zen. Bedenk dat smakelijk opgediende kaas uitnodigt tot
proberen. Neem daarom royale stukken en niet te veel verschillende soorten.
● Kaasschotels kunnen mooi worden gegarneerd met radijs,
noten, augurk, mixed pickles, olijven en gedroogde vijgen.
Gebruik niet te veel garnering.
● Geef bij kaasschotels verschillende soorten brood. Vooral
grof boerenbrood, roggebrood, vers stokbrood, knäckebröd
en crackers zijn lekker.

• U kunt de kaasschotel een paar uur van tevoren klaarmaken. Dek de schotel af met huishoudfolie en zet hem in de koelkast. Haal hem er wel bijtijds uit, zodat de kaas weer op temperatuur kan komen en zijn volledig aroma kan ontplooien.

• Scherpe kaassoorten – bijv. blauwe kaas – zijn heel geschikt om er sauzen mee te kruiden.

Vis in de koude keuken

Vis wordt in de koude keuken even vaak geserveerd als vlees, worst, groente, eieren of kaas. Heerlijke haringspecialiteiten, vissalades en gerookte vis – in het bijzonder gerookte zalm – zijn een geliefd onderdeel van het koude buffet, koude schotels en veel koude gerechten. Wij onderscheiden verse vis; zeevis en zoetwatervis, en gerookte vis of vis op andere wijze geconserveerd.

Zeevis en zoetwatervis kunnen op verschillende manieren worden bereid. Heel geschikt zijn een ovenschotel, een vuurvaste schotel of braad- en aluminiumfolie; de zachte vis kan hierin heel voorzichtig worden bereid.

• Bekleed de ovenschotel of de vuurvaste schotel met een paar plakjes spek, leg op de vis ook plakjes spek en laat hem in 30–40 minuten gaar worden in een oven met een temperatuur van 200 °C.

• Of wel verpak de vis met alle kruiderij en een beetje witte wijn of vleesbouillon in braadfolie, sluit hem goed en leg het pakje op het koude rooster in de oven. Laat hem, afhankelijk van de grootte van de vis, in 20–25 minuten bij 200 °C gaar worden.

• Vet aluminiumfolie in met boter of olie, verpak de gekruide vis erin en sluit de randen goed. Leg het pakje of de pakjes op het rooster in de oven met een temperatuur van 200 °C of in kokend water en laat hem, afhankelijk van de grootte van de vis, in 12–15 minuten gaar worden.

Vis pocheren in een fond
Ook wordt de vis voor verdere verwerking in de koude keuken gaar gemaakt in een kruidige bouillon.
Pas op: de vis mag in geen geval koken in de bouillon. Hij mag alleen tegen de kook aan gehouden worden tot hij gaar is! Gekookte vis verliest zijn smaak en valt uit elkaar.

• Leg de vis in de kokende bouillon en temper het vuur direct zodat de bouillon niet meer kookt, maar de vis wel zachtjes gaar kan worden. Zet voorzichtigheidshalve een kopje koud water naast de vispan om, als het nodig is, met een scheutje 'kou' koken te voorkomen.

• De pocheertijd is afhankelijk van de grootte van de vis. Kleine vissen hebben ongeveer 10 minuten, middelgrote 12–15 minuten en grote vissen 15–20 minuten nodig.

• Om te weten of de vis gaar is, probeert u of de rugvin gemakkelijk loslaat. Grote en dikke vissen worden echter niet gelijkmatig gaar van binnen. Kerf ze daarom voor het pocheren op 3–5 plaatsen schuin in van de rug naar de buik tot op de middengraat.

• Maak om visgeur te vermijden al het keukengerei dat met de vis in aanraking komt en ook uw handen eerst met keukenpapier schoon. Spoel het keukengerei daarna af met koud water en schenk er azijn over. Leg tijdens het pocheren van vis een in azijn gedrenkte theedoek over de pan onder het deksel. Dat vermindert de geur ook.

Allerlei soorten koud vlees

Vlees van kalf, rund, varken – zelden van het lam –, maar ook gevogelte, wildbraad en wild gevogelte hebben een vaste plaats in de koude keuken. Om koud vlees, vleespastei, tong en wat er nog meer is aan heerlijke koude gerechten op dit gebied, goed te laten lukken, geven wij u een paar praktische aanwijzingen voor het behandelen van het vlees in het algemeen en in het bijzonder voor de koude keuken.

Vlees op de juiste manier bereiden
• Braad heel grote stukken vlees in de braadslee in de oven. Spoel de braadslee met koud water om en leg het vlees erin. Zet hem op de onderste richel van de voorverwarmde oven. Bedruip het vlees regelmatig met het uitlopende braadvocht, met hete bouillon of met heet water. Keer het halverwege de braadtijd. Laat kruidige toevoegsels, zoals ui, wortel, paddestoelen of kruiden, pas de laatste 20 minuten meebraden en zorg voor voldoende vocht in de braadslee, zodat ze niet verbranden.

• Leg kleinere stukken vlees in een aardewerk ovenschaal met deksel of in een Römertopf. Het vlees mag rondom de kant niet raken, zodat de hete lucht in de schaal kan circuleren. Bekleed de schotel met spek als het vlees erg mager is. Zet de gesloten schaal in de voorverwarmde oven.

• Ook kan vlees in folie worden gebraden. Leg het aangebraden vlees met de overige ingrediënten naar keuze op de folie. Sluit de folie goed. Prik de bovenkant van het pakje met een vork in en leg het op het koude rooster op de onderste richel of de tweede richel van onderaf in de voorverwarmde oven. Let erop dat de folie nergens de kant van de oven raakt. De braadtijd is korter dan bij braden in de schaal of de Römertopf.

• Bind vlees dat wordt gegrilleerd van tevoren in een gelijkmatig model. Snijd uitstekende delen eraf. Bestrijk het vlees met olie en strooi er kruiden over, maar wacht met zouten tot het gaar is. Bedek heel mager vlees met plakjes spek. Steek het vlees aan het spit en zet het met de klemmetjes vast. Let erop dat het vlees de zijkanten van de grill niet raakt, ook niet als het tijdens het grilleren in volume toeneemt.

• Haal het vlees na het braden uit braadslee, schaal, folie of van het spit. Laat het afkoelen en bewaar het in de koelkast in aluminiumfolie tot u het gaat gebruiken. Trancheer koud vlees vlak voor het opmaken of het serveren van de schotel.

Trancheren van gebraden vlees
• Om te trancheren is een mes met een dun, scherp lemmet nodig, of een elektrisch mes. Houd het vlees met een puntige trancheervork met twee tanden vast op de trancheerplank. Druk het vlees liefst met de achterkant van de vork naar beneden en prik er alleen bij uitzondering in, om geen kostelijk vleessap verloren te laten gaan.

● De trancheerplank moet groot zijn en een vleesgootje hebben. Spoel hem voor gebruik met koud water om, zodat het hout niet te veel vleesnat opzuigt. Het vleessap dat in het gootje wordt opgevangen, wordt weer over het gesneden vlees uitgeschonken.

● Snijd vlees in principe dwars op de draad. Snijd kleine stukjes schuin, zodat de plakjes wat groter worden. Snijd vlees zonder been in gelijkmatig dunne plakken en snijd rosbief altijd heel dun.

● Bij vlees met been wordt de manier van snijden bepaald door de vorm van het been. Gebraden rug van varken, kalf of lam wordt eerst aan beide kanten van het been losgesneden en daarna worden beide stukken vlees in schuine plakken gesneden.

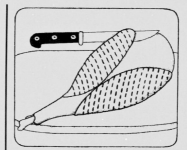
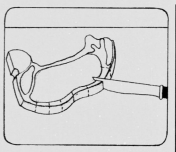

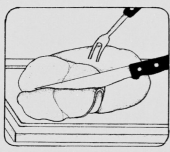

● Trancheer een grote bout op de volgende manier: snijd de vleeskant van de bout loodrecht op het bot en tot op het bot in plakken. Zet de bout dan rechtop en snijd de plakken vlees met één snee van boven naar beneden van het bot. Keer de bout om en snijd de andere kant parallel aan het bot in plakken.

● Snijd bij kleinere bouten het vlees parallel aan het bot in plakken en draai de bout bij elke volgende plak iets door. Of snijd de stukken vlees aan beide kanten van het bot af en verdeel ze in plakken.

● Snijd het vlees van een ribstuk of van casseler rib door de kromming van het bot te volgen in een halfronde vorm van het bot af. Maak er daarna plakken van.

Schnitzels en koteletten in de koude keuken

Ook Schnitzels en koteletten kunnen koud worden geserveerd. Let ook hier weer net als bij elke andere soort vlees voor de koude keuken op hoge kwaliteit, want gaar koud vlees droogt gemakkelijk uit en een taaie kotelet wordt ook in gelei niet zacht.

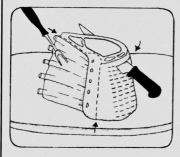
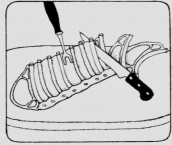

● Klop kalfs- en varkensschnitzels voor het bakken gelijkmatig dun uit met de muis van de hand. Snijd velletjes aan

de rand met een scherp mes weg. Kerf de eventuele vetrand om de 5 cm in of snijd hem weg, zodat het vlees tijdens het bakken niet krom kan trekken.

● Zout Schnitzels en koteletten nooit voor het bakken.

Gevogelte op de juiste manier voorbereiden en braden

Koud vlees van gevogelte is niet alleen lekker in salades. Ook gevuld of ongevuld gebraden en mooi gesneden kunstig getrancheerd, gekookt en in gelei is het erg in trek.

● Diepvriesgevogelte is klaar voor gebruik; het moet alleen ontdooid worden. Gooi het vocht dat bij het ontdooien vrijkomt weg. Was diepvriesgevogelte en ook vers gevogelte voor het bereiden en dep het goed droog.

● Vul gevogelte maar voor twee derde; anders springt het vel tijdens het braden. Naai de buikopening dicht of steek deze met cocktailprikkers vast.

● Diepvriesgevogelte en gevogelte bij de poelier zijn altijd gebonden. Ze moeten tijdens het braden of grilleren gebonden blijven.

● Zout het gevogelte alleen vanbinnen. Zout maakt het vel droog.

● Bardeer mager gevogelte voor het braden (zie volgende bladzijde) en bestrijk niet gebardeerd gevogelte voor en tijdens het braden regelmatig met olie. Het vel wordt dan bruin en knapperig, maar niet droog. Bedruip het gevogelte iedere 10 minuten met braadvocht.

● Bak gevogelte altijd eerst aan de borstkant, keer het pas ongeveer halverwege de braadtijd en laat het helemaal gaar worden.

● Prik het gevogelte tijdens het braden op verschillende plaatsen met een dikke naald in, zodat het vet eruit kan lopen. Controleer ook met zo'n naald of het vlees gaar is door het in het dikste deel van de dij te prikken. Als er kleurloos vleessap uitloopt is het gevogelte gaar.

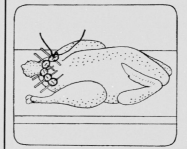
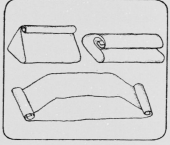

● Klein gevogelte of stukjes gevogelte kunnen ook in de Römertopf, in een ovenvaste schaal met deksel of in braadfolie bereid worden. Bekleed voor mager gevogelte een Römertopf of ovenvaste schaal met plakjes spek. Leg vet gevogelte met uien, kruiden en specerijen in de schaal of in de iets ingevette folie.

● Open de laatste 15 minuten van de braadtijd schalen of folie en zet het gevogelte een richel hoger, zodat het kan kleuren.

Wild en wild gevogelte

Wildbraad behoort tot de culinaire hoogtepunten van de klassieke koude keuken. En omdat ook de prijs van het wild een hoogtepunt genoemd kan worden, moet het heel zorgvuldig worden klaargemaakt. Hoe jonger het dier, hoe zachter het vlees, of het nu haar- of veerwild is. Vlees van oudere dieren moet men marineren, zodat het mals en zacht wordt. Daarbij is het onvermijdelijk dat het smaakstoffen opneemt die het kostelijke wildaroma verdoezelen.

● Laat wild en wild gevogelte door de poelier panklaar maken.

● Spoel wild of wild gevogelte voor het bereiden vlug af onder koud water en dep het droog. Wrijf aanhangende specerijen van gemarineerd wild af en dep het droog.

● Er zijn voor wild twee soorten marinade.

Een natte marinade: breng $^1/_8$ l water met 4 peperkorrels, 3 pimentkorrels, 4 jeneverbessen, $^3/_4$ theel. gedroogde, fijngewreven tijm, 1 laurierblad en 1 ui in dunne plakken aan de kook en roer er $^1/_4$ l rode wijn door.

Een iets zachtere marinade, die ook minder sterk van smaak is, is een marinade van karnemelk met 3 kruidnagels, 3 peperkorrels, 3 jeneverbessen en 1 gesneden ui. Leg het vlees in een schaal en schenk er de marinade over. Het vlees moet helemaal onderstaan. Zet het 2–3 dagen op een koele plaats en keer het vlees één keer.

Een droge marinade: rasp 2 geschilde uien grof of vermeng 2 takjes peterselie en 2 geraspte wortelen. Voeg dezelfde specerijen toe als voor de wijnmarinade. Bestrijk het vlees rondom goed met olie. Leg het vervolgens op een in kruidige wijn gedrenkte doek, druk het kruidenmengsel stevig op het vlees en wikkel de doek er stevig omheen. Leg het 2 dagen in de koelkast. Bevochtig de doek tussendoor nog met wijn.

● Lardeer of bardeer rug en bout voor het braden. Larderen doet u vlak onder het vel. Gebruik daarvoor ongezouten, ongerookte spek. Snijd het in ongeveer 6 cm lange dunne reepjes en vries deze even aan in de diepvries. Het larderen gaat dan gemakkelijker. Klem de reepjes spek in de lardeernaald en steek ze op 3 cm afstand van elkaar ongeveer 1 cm onder de huid. De uiteinden moeten aan de bovenkant 1–2 cm uitsteken. Lardeer veerwild nooit.

● Bij barderen wordt de fijne structuur van het vlees niet kapotgemaakt. Het wordt alleen met plakjes spek bedekt. Wrijf het vlees eerst in met een beetje zout en peper. Al het veerwild, behalve kwartels – deze hebben een natuurlijke vetlaag – wordt gebardeerd; bekleed borst en poten – kleine dieren helemaal – met dunne plakjes ongerookt vet spek en bind het vast met keukengaren.

● Bedruip wild gevogelte tijdens het braden met eruit lopend braadvocht.

● Bak ongebardeerd wildgebraad voor het braden in de oven

aan in een mengsel van geklaarde boter en uitgesmolten spekvet. Leg het op de braadslee (kleine stukjes in een vuurvaste schotel met deksel), leg er plakjes spek op en braad het op de middelste richel of iets lager in de oven gaar. Bedruip het vlees zeer regelmatig met braadvocht of bouillon. Kleurt het te vlug bruin, dan moet u het afdekken met aluminiumfolie en de oventemperatuur verlagen.

● Keer veerwild zeker drie maal gedurende de braadtijd. Braad het een derde deel van de braadtijd op de ene bout, een derde van de tijd op de andere en het laatste een derde deel op de rug. Haal de laatste 10 minuten het spek eraf, zodat het wild kan kleuren.

Als u met de vinger op het vlees drukt en het terugveert is het gaar, maar nog roze van binnen. Als er na inprikken kleurloos vocht uitkomt, is het vlees door en door gaar.

● Laat het wild als het gaar is eerst iets afkoelen in de open oven, wikkel het als het helemaal koud is in folie en bewaar het in de koelkast tot het wordt gebruikt.

● Aluminiumfolie of braadfolie voorkomt het best het uitdrogen van het vlees tijdens het braden.

● Voor het grilleren zijn eigenlijk alleen kleine stukjes als medaillons of steaks geschikt. Bestrijk ze met olie of wikkel ze in spek en grilleer ze vlug.

● Alle stukjes vlees die niet geschikt zijn om te braden of te grilleren kunnen worden gestoofd of gebruikt voor een wild-pâté of terrine.

Groenten van a tot z

Groente wordt in de koude keuken vaak gaar gebruikt, maar vaker nog rauw tot salades verwerkt. Omdat elk gerecht zo lekker is als de ingrediënten waarvan het wordt gemaakt, moet deze groente met zorg worden gekocht en bereid. Houd met het bepalen van het menu liefst rekening met het aanbod van verse groente. Voor elke groentesoort is er een seizoen waarin hij bijzonder voordelig is; dan smaakt hij ook het lekkerst. Een typisch voorbeeld daarvan is de tomaat. Tomaten zijn wel het hele jaar door te koop, maar zij hebben alleen in het warme zomerseizoen de echte tomatensmaak. Als de kwaliteit van de verse groente eigenlijk niet echt aan uw verwachting voldoet, koop ze dan liever uit de diepvries als zij er is. De volgende beschrijving geeft u een overzicht van de dingen waar u bij de verschillende groentesoorten op moet letten wat betreft inkoop, bewaren en verwerken.

Aardappelen

Er zijn bloemige en meer of minder glad kokende aardappelen in de handel. Voor salades worden meestal stevige gladde aardappelen gebruikt, bijv. bintjes.
Seizoen: het hele jaar door.
Let op onbeschadigde ongekiemde knollen zonder groene plekken.
Haal ze eventueel uit de plastic verpakking en bewaar ze in een mand of schaal op een koele, donkere en droge plaats. Snijd voor het koken de witte kiemen die zich tijdens een lange bewaartijd kunnen vormen eraf. Kook aardappelen voor salades liefst in de schil. Borstel deze goed af onder stro-

207

mend water en kook ze 20 minuten in een beetje water met zout of stoom ze 30–40 minuten. Pel ze als ze nog warm zijn en laat ze afkoelen. Snijd ze in plakken of blokjes en gebruik ze voor aardappelsla of met andere ingrediënten voor een gemengde sla.

Andijvie
Een bladgroente aan een grote krop; de buitenste bladeren zijn donkergroen, naar binnen toe worden ze lichter. Voor salades wordt bij voorkeur krulandijvie gebruikt.
Seizoen: mei tot december van de koude grond, de rest van het jaar uit de kas.
Let op knaperige, frisse bladen. De donkergroene bladen zijn pittig en iets bitter van smaak; ze zijn harder dan de lichtere.
Bewaar andijvie verpakt in huishoudfolie op z'n hoogst 4 dagen in de groentela van de koelkast.
Houd de krop stevig vast en snijd hem vanaf het uiteinde tot aan de wortelschijf in heel smalle reepjes. Zachte bladen hoeven alleen maar geplukt te worden. Andijviesla is erg lekker met een vinaigrettesaus die wordt afgemaakt met kruiden, fijngehakte ui, knoflook, mosterd of blokjes uitgebakken spek.

Artisjokken
Seizoen: van juli tot september vers, het hele jaar door in pot of blik, of ingelegd in olie en azijn.
Artisjokbodems worden meestal gevuld en artisjokharten worden gebruikt voor salades. Laat ze in een zeef uitlekken en gebruik de olie voor de slasaus.

Asperges
Seizoen: vers van eind april tot half juni, en het hele jaar door een goede kwaliteit in blik of pot.
Let bij verse asperges op verse, niet verkleurde of rimpelige stelen.
Bewaar asperges niet langer dan 24 uur in een vochtige doek in de groentela van de koelkast.
Schil asperges voor een salade van boven naar beneden niet te dun. Snijd de houtachtige uiteinden eraf. Was de asperges in koud water en zet ze op met kokend water met zout en een beetje suiker. Laat ze 25–35 minuten koken. Laat de asperges uitlekken en afkoelen. Schenk er een vinaigrette over en marineer ze 30 minuten of snijd ze klein en gebruik ze als onderdeel van een gemengde sla. Gebruik als kruiden geraspte citroenschil, suiker en bieslook. Asperges zijn goed te combineren met hardgekookt, kleingehakt ei.

Aubergines
Langwerpig ovale vruchten met donkerpaarse schil.
Seizoen: mei tot oktober.
Koop alleen stevige vruchten met een glanzende schil. Bewaar ze niet langer dan 3 dagen in de groentela van de koelkast.
Schil ze voor een salade en snijd ze daarna in plakken of blokjes. Leg ze op een bord, bestrooi ze met zout, verzwaar ze met een tweede bord en laat ze 5 minuten 'zweten'. Spoel er dan het zout, dat de bittere stoffen uit de aubergines haalt,

af. Blancheer de aubergines ongeveer 5 minuten. Snijd voor gevulde aubergines de ongeschilde vrucht doormidden en schep er met een scherpe lepel het vruchtvlees en de zaden uit tot er nog een rand van $1/2$ cm vruchtvlees in zit. Bewaar het vruchtvlees voor de vulling. Strooi zout in de uitgeholde aubergines en zet ze omgekeerd neer, zodat ze kunnen uitlekken. Dep ze voor het vullen droog met keukenpapier. Blancheren is nu niet nodig, omdat de aubergines in de oven gaar worden.

Avocado's
Donkergroene of groenpaarse steenvrucht met een zachte, nootachtige smaak.
Seizoen: het hele jaar door uit verschillende delen van de wereld geïmporteerd.
Alleen rijpe vruchten waarvan het vruchtvlees meegeeft als erop wordt gedrukt, zijn geschikt om gegeten te worden. Laat harde vruchten 1–2 dagen bij kamertemperatuur narijpen. Verwerk rijpe vruchten zo vlug mogelijk.
Snijd de avocado in de lengte door en haal de pit eruit. Lepel het vruchtvlees uit met een vinaigrettesaus, of schep het uit de schil, snijd het in reepjes of blokjes en gebruik deze voor een salade of mousse die naar keuze in de halve schil wordt opgediend.

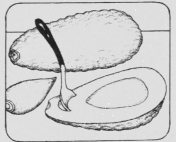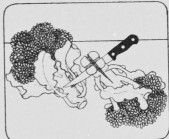

Bamboespruiten
Kegelvormige spruiten van de bamboe, 20–30 cm lang. Ze lijken qua smaak enigszins op asperges.
Seizoen: het hele jaar door als conserve; zelden vers.
Snijd de spruiten klein, maak ze aan met een vinaigrette en maak ze af met gemberpoeder en sojasaus.

Bindsla of Romeinse sla
Groene bladsla waarvan de buitenste bladen steviger zijn dan van kropsla. Het slahart is echter heel zacht. De sla smaakt wat kruidiger dan kropsla.
Seizoen: oktober tot februari.
Let erop dat de buitenste bladen onbeschadigd, groen en knaperig zijn.
Bewaar de sla op z'n hoogst 4 dagen in de groentela van de koelkast, verpakt in huishoudfolie.
Snijd de stronk van de sla en haal de bladen los. Was ze onder koud stromend water en sla ze droog in een schone theedoek of in de slacentrifuge. Verdeel de bladen al plukkend in stukjes en haal de harde nerven eruit. De sla is lekker met alle slasauzen en kruiden die voor kropsla worden gebruikt.

Bloemkool
Seizoen: april tot en met november volop; de rest van het jaar importbloemkool.
Let op een gesloten, witte krop.
Bewaar hem niet langer dan 4–6 dagen in de groentela van de koelkast.
Kook de hele bloemkool in een beetje water zonder zout en liever nog in een zeef boven kokend water. Als geen zout aan het kookwater wordt toegevoegd, blijven de roosjes witter. Laat hem afkoelen en marineer hem in zijn geheel of gebruik hem als onderdeel van een groentesla.

Broccoli
Groene soort bloemkool die qua smaak aan asperges doet denken. Hij heeft 5–10 cm lange, dikke stelen met losse bloemknoppen. De stelen worden ook gegeten.
Seizoen: mei tot en met januari.
Let op verse buitenbladen, donkergroene gesloten blad-bloemknoppen en stevige stelen.
Bewaar hem niet langer dan 3 dagen in de groentela van de koelkast, verpakt in huishoudfolie.
Broccoli wordt alleen gekookt gegeten. Was de kool onder koud stromend water, schil de stelen en snijd de onderkant eraf. Snijd dikke stelen kruisgewijs in zodat alles tegelijkertijd gaar is. Kook de broccoli in een ruime hoeveelheid water met zout in 10–15 minuten gaar in de gesloten pan en laat hem uitlekken en afkoelen. Verdeel hem in roosjes en snijd de stelen in stukjes.
Lekker bij broccoli is een vinaigrette, afgemaakt met witte wijn, port of een beetje sojasaus. Als kruiderij zijn geschikt: mild paprikapoeder, knoflook, mosterd, blokjes ui en kruiden als citroenmelisse of bieslook. Ook kappertjes, noten en mierikswortel kunnen met broccoli worden gecombineerd. Erg lekker is broccoli gemarineerd in een vinaigrette en daarna met een sauce béarnaise bedekt.

Brussels lof
Witte tot geelwitte langwerpige struikjes met stevig gesloten bladen. Het lof smaakt enigszins bitter.
Seizoen: oktober tot en met april.
Kies alleen stevig gesloten struikjes, waarvan de bladen en bladpunten niet bruin gekleurd zijn.
Bewaar lof, verpakt in huishoudfolie, niet langer dan een week in de groentela van de koelkast.
Snijd voor salades een stukje van de onderkant van de struikjes en snijd met een scherp mes de bittere kern ongeveer $2^1/_2$ cm diep weg. Deze stevige kern bevat meer bittere stoffen dan de rest van het struikje. Snijd de struikjes door en verdeel ze in smalle reepjes, of gebruik de losse bladen in hun geheel. Lof kan goed gecombineerd worden met sinaasappel, mandarijn, banaan en noten. Vul hele bladen met een fijne dressing of serveer ze met verschillende dipsauzen.

Champignons
Champignons zijn vaak een onderdeel van een fijne sla, maar eveneens hoofdbestanddeel van een champignonsalade. Ook zijn ze heel geschikt als garnering van koude vleesschotels, wild en gevogelte.
Seizoen: het hele jaar door vers en in blik of pot.
Let op gesloten hoedjes.
Gebruik champignons zo vers mogelijk en bewaar ze op z'n hoogst 1–2 dagen, losjes verpakt in huishoudfolie, in de groentela van de koelkast.
Snijd het onderste stukje van het steeltje. Was ze voorzichtig onder koud water – als ze erg vuil zijn, in een bak met water – en laat ze uitlekken.
Kook de champignons in plakjes gesneden ongeveer 5 minuten in een beetje water met zout in de gesloten pan op een laag vuur. Een salade van rauwe champignons is erg lekker. Een saus van room, yoghurt of mayonaise, maar ook een vinaigrette met mild paprikapoeder, witte peper, knoflookpoeder en peterselie is zowel bij rauwe als bij gesmoorde champignons lekker.

Chinese kool
Langwerpige struiken van zachte, lichtgroene bladen. Zij kunnen tot 1 kg zwaar zijn.
Seizoen: oktober tot maart.
Let op onbeschadigde bladen en een liefst gesloten krop.
Hij kan tot 10 dagen bewaard worden in de groentela van de koelkast.
Chinese kool kan, afhankelijk van hoeveel nodig is, ook in gedeelten worden gebruikt. Snijd de stronk eraf. Haal de bladen los en was ze. Laat ze uitlekken. Snijd ze in smalle reepjes en vermeng deze met een saus van azijn, olie en kruiden of een room- of mayonaisesaus.

Courgettes
Kleine kalebassen die op komkommers lijken.
Seizoen: mei tot en met oktober.
Hoe kleiner de vrucht, hoe zachter van smaak.
Let op vruchten met een gladde, groengrijze kleur. Het vruchtvlees moet stevig zijn en niet meegeven als erop wordt gedrukt.
Een courgette kan tot 1 week worden bewaard in de groentela van de koelkast.
Courgettes worden in de koude keuken rauw en ongeschild gebruikt, zoals komkommers. U kunt ze naar smaak ook even blancheren of ze in stukjes snijden en deze rondom even in olie bakken. Maak sla van courgette aan met een vinaigrette of een mosterdsaus. Kruid hem met fijngesneden ui, dille, basilicum, witte peper of knoflook. Courgette is erg lekker te combineren met aubergines, paprika's of tomaten.

Doperwten
Doperwten zijn vers maar een paar weken per jaar te koop. Heel zacht zijn de jonge peultjes, waarin piepkleine erwtjes zitten.
Seizoen: juni en juli.
Let op gladde groene peulen. Gele, droge peulen bevatten grote, melige erwten die hun zoete smaak verloren hebben. Verwerk verse doperwten liefst direct na het doppen. Bewaar de ongedopte erwten op z'n hoogst 2 dagen in de groentela van de koelkast.
Zachte, jonge erwten en ook diepvrieserwtjes kunt u rauw eten en dat meestal als onderdeel van een gemengde sla. U

kunt ze eventueel ook $^1/_2$–1 minuut blancheren of 4–6 minuten zachtjes koken in een beetje water met zout. Voor grotere erwten is de kooktijd 10–15 minuten. Erwtjes zijn lekker in fijne vlees-, gevogelte-, rijst-, deegwaren- en groentesalades. Gaargekookt en gepureerd in vleesbouillon worden ze tot een heerlijke doperwtensoep. Maak hem af met verse mint of basilicum en dien hem koud op.

Komkommers

Komkommers zijn er in verschillende maten en modellen. Voor salades is de slanke, donkergroene komkommer het geschiktst, om te vullen de wat kleinere mini-komkommer.
Seizoen: juli tot oktober.
Let op een gladde, onbeschadigde schil en stevig vruchtvlees zonder beurse plekken.
Verwerk de komkommers liefst vers. Bewaar ze op z'n hoogst 5 dagen in de groentela van de koelkast.
Snijd jonge komkommers ongeschild in plakken, rasp ze of verdeel ze in blokjes. Haal de harde schil van de oudere komkommer af. Maak een komkommersla aan met een vinaigrette of met een saus van citroensap, room, suiker, mosterd en zout. Erg lekker bij komkommersalade zijn kruiden als dille, bonekruid, bernagie en basilicum en specerijen als peper, mosterd en knoflook. Komkommers zijn heel goed te combineren met garnalen en hardgekookte eieren en ze zijn geschikt als onderdeel van een gemengde sla.

Kropsla

Seizoen: mei tot september sla van de koude grond; de rest van het jaar kassla.
Let op knapperig verse, onbeschadigde groene bladen en een liefst gesloten krop.
Bewaar hem, losjes verpakt in papier of huishoudfolie, niet langer dan 3 dagen in de groentela van de koelkast.
Snijd het stronkje van de krop en haal de bladen los. Was de sla in een bak met koud water. Beweeg de bladen voorzichtig heen en weer in het water en ververs dit een paar keer. Deze voorzichtige methode is zeker aan te bevelen bij de kwetsbare kassla. Laat de sla uitlekken en slinger hem droog in een schone theedoek of in de slacentrifuge.
Maak de droge slabladen al plukkend kleiner, haal grote nerven eraf of snijd de bladen in smalle reepjes. Maak hem pas vlak voor het serveren of aan tafel aan met een dressing naar keuze. Om te kruiden zijn geschikt: knoflook, gember, paprikapoeder, groene peper, peterselie, dragon, basilicum, bonekruid, tuinkers, dille, kervel en bieslook. Kropsla kan goed gecombineerd worden met uien, tomaat, paprika, komkommer, olijven, radijs en hardgekookte eieren.

Palmharten

Het zachte merg van de spruiten van verschillende palmsoorten. Vlezig maar zacht van consistentie en licht zuur van smaak.
Seizoen: het hele jaar in blik.
Haal de hele inhoud uit het geopende blik en bewaar die ten hoogste 4 weken toegedekt in de koelkast.
Laat de palmharten in een zeef uitlekken en snijd ze in plakjes, reepjes of onregelmatige stukjes. Gebruik ze in een sala-

de. Maak ze aan met een dressing naar keuze, citroensap, een vinaigrette, olijfolie en gesnipperde ui.
Palmharten zijn lekker bij vlees en gevogelte, hardgekookte eieren, tomaten en sinaasappels.

Paprika's

Er zijn groene, gele en rode paprika's. De groene zijn scherp van smaak, de gele en rode zachter; rode paprika's – ze zijn ook gaar in een pot te koop – smaken zelfs iets zoet.
Seizoen: augustus tot oktober. Groene paprika's het hele jaar.
Let op stevige paprika's met een gladde, glanzende schil. Bewaar verse paprika's tot 4 dagen in de groentela van de koelkast.
Snijd de paprika in de lengte door, haal de zaadlijst en de pitten eruit, was hem en snijd hem in reepjes. Of snijd de paprika met een scherp mes in ringen en haal zaadlijst en pitten eruit. Gebruik de paprika's rauw of geblancheerd in salades (door blancheren worden ze minder scherp). Om ze aan te maken is vooral een vinaigrette afgemaakt met peper, suiker of mierikswortel erg lekker. Paprika's zijn lekker gecombineerd met ui, appel en bladsla, maar ze zijn ook vaak onderdeel van een gemengde sla.

Radijzen

Seizoen: maart tot en met mei en september.
Let op onbeschadigde, stevige knolletjes met verse, groene blaadjes. Grote radijsjes zijn vanbinnen dikwijls voos, en te kleine drogen vaak vlug uit en zien er dan verwelkt uit. Bewaar ze niet langer dan 4 dagen in een plastic zakje in de groentela van de koelkast.
Was radijs voor salades, snijd er het bladgroen en de worteltjes af en snijd hem in dunne schijfjes. Maak een sla van radijs aan met een fijne vinaigrette of met een saus van citroensap, suiker en yoghurt. Radijs kan goed worden gecombineerd met gemengde sla op basis van kropsla of komkommer. Geeft u radijs bij kaasschotels of vleeswaren, was hem dan en snijd wortel en blad eraf, maar laat ongeveer 2 cm van de groene steel eraan zitten. Snijd radijs voor garnering 2–3 maal kruiselings in, zodat een bloemvorm ontstaat. Leg de radijzen 15–30 minuten in koud water; de rozetjes gaan dan open.

Rettich

Seizoen: mei tot en met juli en september.
Let op een onbeschadigde, stevige en veerkrachtige wortel. Bewaar hem niet langer dan 4 dagen in de groentela van de koelkast in een plastic zakje.
Salade van rettich wordt op dezelfde manier als radijssla gemaakt. Ook is het lekker hem te schillen, in spiraalvorm te snijden en met zout te bestrooien. Geef er vers bruinbrood en boter bij.

Rode bieten

Seizoen: voor zomerbietjes: juni tot en met september, en voor winterbiet: oktober tot en met mei. Ook verkrijgbaar in potten.
Kies bij verse rode biet alleen kleine tot middelgrote on-

beschadigde knollen met vers bladgroen.

Bewaar ongekookte biet niet langer dan 3 weken in de groentela van de koelkast.

Rode biet wordt ook in de koude keuken meestal gaar gebruikt. Kook de bieten ongeveer 1 uur in een ruime hoeveelheid water met zout. Pel de afgekoelde biet en snijd hem met een canneleermesje in plakken. Maak rode-bietensalade aan met een zoetzure saus. Om te kruiden zijn lekker: ui, mierikswortel, komijn, gemalen peper, koriander en anijs. Als sla is rode biet lekker in combinatie met appel en selderie. Sinds kort zijn bij ons ook de in Amerika gekweekte 'Baby Roots' te koop, een heel kleine bietesoort. Kook ze gaar in veel water met zout, schil ze dan zo dat ronde balletjes ontstaan en geef deze aan een cocktailprikker als borrelhapje.

Rode sla

Kleine stevige krop sla met donkerrode wit geaderde bladen. Hij is kruidig en licht bitter van smaak.

Seizoen: augustus tot maart.

Let op een gesloten krop met frisse, niet verkleurde bladen.

Bewaar de sla, verpakt in huishoudfolie, niet langer dan 3 dagen in de groentela van de koelkast.

Snijd de stronk eraf en bewaar hem. Haal de bladen los van de krop, was ze en laat ze uitlekken. Slinger ze droog in een theedoek of in de slacentrifuge. Maak de sla aan met een vinaigrette en strooi er ui, knoflook en de heel fijngesneden stronk van de sla overheen. Of was de krop in zijn geheel, snijd hem in vieren en serveer de kwarten met een fijne dressing. Rode sla kan goed worden gecombineerd met kropsla, tomaat, ui en paprika.

Selderie

Er zijn knolselderie en bleekselderie. Beide soorten worden in salades verwerkt. Knolselderie is ook gaar in blik of als salade in een pot te koop.

Seizoen voor knolselderie: oktober tot maart; voor bleekselderie: juli tot september.

Let bij knolselderie op een stevige knol zonder zachte plekken; daaronder is hij vaak vanbinnen hol.

Kies liefst kleine knollen met fris blad. Bij bleekselderie moeten de stengels elastisch en recht zijn en het blad fris.

Bewaar knolselderie luchtdicht verpakt niet langer dan 14 dagen in de groentela van de koelkast en bleekselderie ten hoogste 3 dagen.

Kook knolselderie geschild onder water met zout en een scheutje azijn in een gesloten pan op een laag vuur 35 minuten in zijn geheel of – een zuiniger manier – snijd de gewassen ongeschilde knol in plakken, kook ze gaar in een beetje water met zout en schil ze dan. Laat de selderie afkoelen en snijd hem met het canneleermesje in plakken, blokjes of reepjes. Maak de selderie aan met een vinaigrette of met een saus op mayonaisebasis. Gebruik als kruiderij citroensap, citroenmelisse, tuinkers of geraspte nootmuskaat. Knolselderie is lekker in combinatie met appel, ui, rode biet en noten.

Bleekselderie wordt voor salades rauw gebruikt. Was de stengels, laat ze uitlekken en snijd ze in 1 cm brede schijfjes. Kruid de bleekselderie als onderdeel van een gemengde sla met citroensap, dragon, gember en mosterd. Snijd bleeksel-

derie ook eens in stukken van 5–6 cm, serveer ze met een dressing of vul ze met een kaascrème.

Sperziebonen

Seizoen: juli tot oktober.

Let erop dat de bonen knapperig zijn en dat ze breken als ze gebogen worden.

Bewaar ze niet langer dan 2 dagen in de groentela van de koelkast.

Kook ze in een gesloten pan in een beetje water met zout afhankelijk van de dikte in 10–20 minuten gaar. Laat ze uitlekken en verwerk ze in salades.

Tomaten

Voor salades en rauwe gevulde tomaten zijn de geurige zomertomaten van de koude grond het lekkerst.

Seizoen: zomertomaten van juni tot augustus; andere het hele jaar door.

Kies rode, rijpe vruchten die geen lelijke plekken hebben en een gladde, glanzende schil.

Onrijpe vruchten kunnen schadelijk voor de gezondheid zijn.

Bewaar ze niet in de koelkast, maar 4–5 dagen bij kamertemperatuur.

Was de tomaten voor salades, droog ze en snijd ze met een tomatenmes in plakken of in achten. Pel de tomaten voor fijne salades of cocktails. Snijd de tomaten aan de bolle kant kruiselings in, dompel ze even in kokend water en pel ze. Maak tomatensalade aan met een vinaigrette. Als kruiderij is geschikt: bieslook, dille, peterselie, basilicum, dragon, oregano, tijm, knoflook en vers gemalen peper. Tomaten kunnen goed worden gecombineerd met ui en komkommer of groene peper uit een pot.

Was de tomaten, als u ze wil vullen, droog ze en snijd er aan de bolle kant een kapje af. Schep de pitten er met een scherpe lepel uit. Vul de tomaten en zet het kapje er weer op.

Truffel

Een kostbaar ingrediënt. Eigenlijk alleen vers te koop in de plaatsen waar hij wordt geoogst en verder in blik. Er zijn maar een paar schijfjes truffel nodig om een gerecht een bijzonder aroma te geven. Geconserveerde truffel heeft al veel van zijn smaak verloren.

Als garnering kan men ook imitatietruffel gebruiken. Qua smaak niet te vergelijken, maar veel goedkoper.

Tuinkers

Is in doosjes als ontkiemde jonge plantjes te koop. Tuinkers is net als rettich scherp van smaak.

Seizoen: maart tot april en september tot november.

Let op verse, groene, kaarsrecht opstaande blaadjes.

Bewaar ze niet langer dan 2 dagen in de groentela van de koelkast.

Knip de tuinkers met de keukenschaar van de kiembodem, spoel hem af in een zeef en laat hem uitlekken. Maak sla van tuinkers aan met citroen- of sinaasappelsap en kruid hem voorzichtig. Tuinkers is goed te combineren met partjes mandarijn en geraspte appel; ook is hij een kruidig bestanddeel van andere salades.

Uien

Gewone bruine uien zijn zacht van smaak; daarom wordt daar voor een uiensalade de voorkeur aan gegeven. Gebruik kleine sjalotten of kleine bruine uien als kruiderij.
Seizoen: gewone uien: zij worden tegen het eind van de zomer geoogst en kunnen lang worden opgeslagen; kleine bruine uien: het hele jaar door.
Let op stevige knollen met een onbeschadigde schil. Bewaar uien in een koele, droge ruimte; zij blijven dan lang goed.
Snijd de geschilde uien liefst in ringen, als u ze voor een groentesalade, als garnering en als bestanddeel van een gemengde sla gebruikt. Snijd de uien heel fijn, indien u ze als kruiderij toepast. Snijd daarvoor de geschilde ui in de lengte door, leg hem plat op de plank en maak er rondom dunne plakken van; verdeel de ui overdwars weer in plakken. Hij valt dan in bokjes uit elkaar. Maak een uiensalade op smaak met dille, peterselie, basilicum, kummel, gemberpoeder, salie en naar smaak ook een snufje suiker.

Veldsla

Seizoen: oktober tot maart.
Let op verse, donkergroene, ongekneusde blaadjes.
Bewaar hem, verpakt in huishoudfolie, niet langer dan 3 dagen in de groentela van de koelkast.
Zoek de veldsla voor het wassen goed uit: verwijder verwelkte en lelijke blaadjes en breek er de fijne worteltjes af.
Veldsla moet heel goed worden gewassen. Men laat hem een paar keer achter elkaar even in schoon water staan tot geen zand meer in de bak achterblijft. Bij veldsla is een vinaigrettesaus van azijn of citroensap lekker, die op smaak wordt gemaakt met gesnipperde ui, suiker, komijn of worcestershiresaus.
Veldsla is ook goed te gebruiken als bestanddeel van een gemengde sla en combineert goed met hardgekookte eieren.

Venkel

Stevige, geelwitte knol, die bestaat uit losse, vlezige bladeren met ronde stelen en naaldvormig blad. Venkel heeft een zachte anijssmaak.
Seizoen: oktober tot mei.
Let op stevige, onbeschadigde knollen en fris blad.
U kunt ze tot 1 week in de groentela van de koelkast bewaren.
Was de knollen onder koud stromend water, snijd de stelen eraf en bewaar het bladgroen. Snijd er met een mes de buitenste harde bladnerf af en snijd de knol doormidden en vervolgens in plakken. Deze vallen in losse repen uit elkaar. Venkelsalade is het lekkerst met een saus van citroensap en olie, die naar smaak kan worden afgemaakt met worcestershiresaus. Omdat de bladeren heel hard zijn moeten ze wel 30 minuten in de saus gemarineerd worden. Schep er voor het serveren het fijngesneden blad door. Erg lekker is venkel als kruidig bestanddeel van een gemengde sla van kropsla, tomaat, paprika en komkommer of gemengd met rode sla.

Witte kool

Witte kool en rodekool worden in de koude keuken op dezelfde manier bewaard en verwerkt.

Seizoen: juli tot maart.
Let bij witte kool en rodekool op een stevige, gesloten kool met een buitenste blad, dat onberispelijk is.
Bewaar hem niet langer dan 1 week op een koele plaats. Haal zo nodig de lelijke plekken van de buitenste bladen. Snijd dikke nerven met een scherp mes weg. Snijd de stronk eraf. Was de kool en verdeel hem in vieren. Snijd de witte stronk uit de kwarten en snijd of schaaf de kool in smalle reepjes. Bestrooi voor koolsalade de gesneden kool met zout en plet hem met een houten stamper of met gebalde vuist zolang dat hij smeuïg wordt. Ook kunt u kokend water over de gesneden kool schenken en hem na 5 minuten goed laten uitlekken in een zeef. Deze methode verzacht de sterke koolsmaak. Koolsalade moet op z'n minst 30 minuten intrekken in de saus.

Wortelen

Er zijn bospeen: met het loof verkocht, klein en gelijkmatig van model; waspeen: dikker en ongelijkmatig, per gewicht verkocht en winterpeen: dik en oranje.
Seizoen: het hele jaar door.
Let op dat de wortels onbeschadigd en niet gescheurd zijn. Als de wortel met loof wordt verkocht, moet dit fris en groen zijn.
U kunt wortels tot 10 dagen in de groentela van de koelkast bewaren.
Borstel wortels schoon onder koud stromend water.
Schrap jonge zachte worteltjes niet; schrap of schil de oudere wortels.
Voor rauwkostsalades raspt u de wortel, voor groentesalades snijdt u ze in reepjes of blokjes. Gebruik in dat geval en ook als ze als garnering worden gebruikt een canneleermesje.
Stoof worteltjes gaar in een gesloten pan op een laag vuur in een beetje water met zout. Jonge worteltjes zijn in 5–15 minuten gaar, oudere pas na 30–40 minuten.
Rauwkost van wortel is lekker, als die gemengd is met geraspte appel en een saus van citroensap, zure room of yoghurt afgemaakt met suiker of zout, of met een zoetzure vinaigrette. Salade van gekookte of rauwe wortel kan worden afgemaakt met verse kruiden als peterselie, mint, dille en citroenmelisse, maar ook met gemberpoeder en honing.

IJsbergsla

Groene bladsla met zachte, maar toch knapperige gesloten bladen. Zwaarder dan kropsla en heel voordelig, omdat er minder nodig is dan van kropsla.
Seizoen: van oktober tot mei geïmporteerd; de rest van het jaar uit eigen land.
Let op onbeschadigde, zachtgroene en liefst gesloten bladen.
IJsbergsla kan, verpakt in huishoudfolie of plastic, tot ruim een week worden bewaard in de groentela van de koelkast.
IJsbergsla kan ook in gedeelten worden gebruikt. Haal de bladen los van de krop en maak ze al plukkend kleiner; maak de sla aan als kropsla. Of snijd de krop in vieren en serveer de kwarten met een zachte dressing. Eet de sla met mes en vork.

Vruchten van a tot z

De hier volgende beschrijving van de vruchten die voor de koude keuken het belangrijkst zijn, de raadgevingen voor inkoop, opslag en bereiding en ook de praktische tips aan het eind van het hoofdstuk zullen u helpen veel profijt te hebben van het grote aanbod aan vruchten.

Aardbeien

Er zijn veel soorten te koop; in het algemeen geldt dat kleine donkerrode soorten sterker van smaak zijn dan de grotere.
Seizoen: april tot juli en september en oktober.
Let op rijpe, droge vruchten zonder beurse plekjes. Koop niet direct de eerste aardbeien die op de markt zijn; zij zijn vaak hard en hebben weinig smaak.
Bewaar verse aardbeien liever niet, maar verwerk ze op de dag van aankoop. Bewaar ze hooguit tot de volgende dag en was ze dan niet. Leg ze vlak naast elkaar op een koele plaats, maar niet in de koelkast.
Zoek de slechte vruchten eruit en haal de blaadjes eraf. Was de vruchten met de steeltjes in een ruime hoeveelheid koud water, haal de steeltjes er vervolgens af en snijd grote aardbeien in tweeën of in vieren. Aardbeien zijn goed te combineren met alle soorten bessen, ananas en meloen. Voor een bowl zijn de geurige bosaardbeien het lekkerst. U kunt grote aardbeien ook vullen met een amandel of er reepjes amandel in steken en ze zo als borrelhapje geven.

Abrikozen

Abrikozen zijn erg gevoelig voor vervoer; daarom worden zij meestal onrijp geoogst. De vruchten rijpen niet erg goed na.
Seizoen: mei tot augustus, in Nederland gekweekte abrikozen: juli en augustus; het hele jaar in blik.
Bewaar onrijpe vruchten een paar dagen bij kamertemperatuur en verwerk rijpe abrikozen zo vlug mogelijk.
Voor fijne salades pelt u de abrikozen. Schenk er kokend water over; de schil kan er dan gemakkelijk worden afgetrokken. Abrikozen zijn erg lekker in een koude vruchtensoep.

Ananas

Seizoen: voornamelijk in de winter, maar hij wordt het hele jaar door geïmporteerd. Ook het hele jaar in blik.
Rijpe ananas herkent men aan de zware geur. Ook laten de binnenste blaadjes van de bladkroon gemakkelijk los. Overrijpe ananas geeft mee als men erop drukt. Koop, als ananas uit blik wordt gebruikt, afhankelijk van het recept, gesneden ananas; deze is goedkoper dan ananasringen.
Verse, rijpe ananas kan een paar dagen worden bewaard op een koele plaats (niet in de koelkast). Hang onrijpe ananas liefst op aan de bladkroon en laat hem bij een temperatuur van ongeveer 15°C narijpen. Als hij bij 5°C wordt bewaard, bederft hij. Haal voordat u hem gaat schillen de bladkroon en de steel van de ananas en snijd hem in 2 cm dikke schijven. Schil de ananasschijven en steek de harde kern eruit.
Ananas is erg lekker met gezoete slagroom of als salade gecombineerd met verse aardbeien of andere verse vruchten. In hartige salades is ananas lekker in combinatie met gevogelte, garnalen of kreeft.

Appels

Seizoen: het hele jaar door.
Appels kunnen, afhankelijk van de soort, bij kamertemperatuur tot ongeveer 14 dagen worden bewaard. Alle zure appelsoorten zijn eigenlijk geschikt voor alle soorten salade. Als de hele appel moet worden geschild of in plakken gesneden, schil dan de ongesneden appel en haal er met de appelboor het klokhuis uit. Snijd voor salades de appels in vieren, haal het klokhuis eruit, schil de kwarten appel en verdeel ze in schijfjes of blokjes. Maak appels op smaak met citroensap, witte wijn, suiker, honing, kaneel en kruidnagel. Appels zijn met bijna elke fruit- of groentesoort te combineren.

Bananen

Er zijn gele, groene en heel smakelijke, geurige, kleine roodachtige bananen. Bij ons is alleen de gele banaan te koop, omdat alleen deze geschikt is voor vervoer. Bakbananen, bekend uit de Indonesische en Surinaamse keuken, rekenen we onder de groenten.
Seizoen: het hele jaar door.
Let er bij inkoop op dat de bananen niet te zacht zijn en geen grote bruine vlekken hebben. Deze bananen zijn overrijp en het vruchtvlees is dan ook bruin op sommige plaatsen.
Bewaar bananen niet in de koelkast. Bananen rijpen goed na bij een temperatuur tussen 12–20°C.
Bananen zijn te gebruiken voor hartige gemengde en voor vruchtensalades, voor een bananen-milkshake en als onderdeel van ijsgerechten.

Cactusvijg (woestijnvijg)

Afhankelijk van de soort zijn de rond ovale vruchten groen, lichtrood of geel van kleur. Zoetzuur en fris van smaak.
Seizoen: september tot december.
Eet cactusvijgen rauw. Let erop dat de scherpe stekeltjes van de vrucht niet in de huid dringen. Snijd de cactusvijg doormidden, pak hem met een servet op en lepel hem uit. Of schil hem – bescherm de handen met een handschoen of een theedoek – en schep hem door een vruchtensalade.

Citroen

Seizoen: het hele jaar door.
Citroensap is bijna onontbeerlijk voor het afmaken van salades, sauzen en allerlei soorten gerechten. Het bevat 6–7 % citroenzuur; wees er daarom voorzichtig mee. Meestal zijn een paar druppels al voldoende om een gerecht af te maken.

Cranberries

Amerikaanse veenbessen. Zij zijn verwant aan onze vossebessen; alleen zijn zij veel groter en niet zo bitter van smaak. De vruchten hebben een donkerrode schil en aan de onderkant witte vlekken.
Seizoen: van september tot april; het hele jaar in de diepvries.
Verse cranberries zijn in de koelkast een paar maanden houdbaar.
Van cranberries wordt een saus gemaakt die lekker is bij koud vlees, bijv. rosbief en reerug, maar ook bij koud gevogelte. Kook 1 kopje water met 4 eetlepels suiker op een laag vuur onder voortdurend roeren tot de suiker is opgelost. Pu-

reer 250 g rauwe gewassen cranberries in de mixer en roer deze puree door de afgekoelde suikerstroop. Cranberries zijn ook een mooie garnering voor alle gerechten waar die wrangig zoete smaak bij past.

Dadels

Tot voor kort kenden wij dadels alleen in gedroogde vorm. Tegenwoordig worden de dadels diepgevroren geïmporteerd, ontdooid en als verse dadels verkocht. Het vlees is stevig; zij smaken licht naar honing, maar zijn minder zoet dan gedroogde dadels. De schil is glanzend barnsteenkleurig tot donkerbruin.
Seizoen: verse importdadels bijna het hele jaar door.
Bewaar ze niet langer dan 2–3 dagen in de groentela van de koelkast.
Haal er eventueel de enigszins harde schil af. Vermeng ontpitte kleingesneden dadels in een vruchtensalade met sinaasappel, appel en noten. Gebruik kaneel en kardemom als specerij. Verse dadels zijn ook erg lekker bij kaas.

Druiven

De lekkerste tafeldruiven bevatten weinig pitten, hebben een dunne schil en zijn zoet van smaak.
Seizoen: augustus tot november en van december tot juli in kleine hoeveelheden.
Let erop dat de druiven droog en niet geplet zijn. Bedenk waarvoor u ze wilt gebruiken, als u ze koopt. Kies blauwe als garnering of als ingrediënt voor een hartige salade. Zij zijn niet zo zoet en geurig als de witte soorten, maar vormen door hun kleur een goed contrast met de overige ingrediënten en zijn als garnering zeer decoratief. Voor vruchtensalades en andere desserten zijn zoete, sappige druivesoorten geschikt.
Bewaar druiven niet langer dan 3 dagen in de koelkast. Eet ze liever zo vlug mogelijk. Druiven rijpen bij kamertemperatuur niet na.
De wijnstok wordt met chemische middelen bespoten; daarom moeten druiven voor gebruik altijd heel goed worden gewassen onder lauw water. Spoel ze daarna met koud water af. Haal de druiven van de trossen, snijd ze door en haal de pitten er met de punt van een mes uit. Deze zijn niet schadelijk voor de gezondheid, maar geven de druiven een iets bittere smaak.
Grote stevige druiven kunnen ook gepeld worden; haal er eerst met een puntig mes de schil af, snijd ze dan pas door en haal de pitten eruit.
Druiven zijn erg lekker bij kaas. Verdeel de gewassen druiven in trosjes en schik deze tussen de verschillende soorten kaas of prik ontpitte halve druiven op een blokje kaas.

Granaatappel

De verse rijpe vrucht heeft een roodachtige, heel stevige schil die tot $^1/_2$ cm dik is; hij is ongeveer zo groot als een appel. De schil wordt later bruingeel en leerachtig. Het vruchtvlees bestaat voornamelijk uit zeer geurig sap en veel pitten, die worden opgegeten.
Seizoen: van augustus tot januari; het hele jaar door als grenadine.
Let op een glanzende, gladde schil.

Granaatappels zijn 2–3 weken houdbaar, als ze koel en niet te droog worden bewaard.
Het zoetzure sap van de granaatappel is heel verfrissend. Kneed de vrucht in de hand tot hij iets zachter wordt, snijd een gat in de schil en knijp het sap eruit. Of snijd hem doormidden, pers de beide helften op de citroenpers uit en zeef het sap. U kunt de vruchten echter ook doorsnijden, naar smaak met citroensap besprenkelen en sap en pitten uitlepelen. Grenadine moet net als de hele vrucht altijd goed gekoeld worden geserveerd.

Grapefruit

Hij wordt gewaardeerd om zijn kruidige fijn bittere smaak.
Seizoen: het hele jaar door.
Serveer hem gekoeld, gezoet met honing of suiker bij het ontbijt of als voorgerecht. Snijd daarvoor de vrucht overdwars en snijd de partjes rondom los uit de vliesjes met een grapefruitmes of een puntig keukenmesje. De partjes kunnen dan gemakkelijk met een lepeltje uit de grapefruit worden gegeten. Ontvlies de partjes ook als u ze voor een vruchtensalade gebruikt. Grapefruit is erg lekker in combinatie met tonijn of garnalen en mayonaise die met een beetje cognac wordt afgemaakt.

Guave

Groengele of gele schil en witgroen of zachtroze vruchtvlees. Zoetzuur van smaak. De geur doet denken aan die van peren en vijgen. Middenin zitten pitten omgeven door week vruchtvlees. De guave behoort tot de vruchten met het hoogste gehalte aan vitamine C. Gemiddeld bevat 100 g guave 200 mg vitamine C.
Seizoen: jammer genoeg is de vrucht bij ons vers maar zo nu en dan en niet in een vast seizoen te koop.
Bewaar deze kostbare vruchten niet, maar eet ze zo vlug mogelijk.
Schil de guave dun als een appel of een peer en eet hem rauw. Voor een vruchtensalade moet u hem schillen en in schijfjes snijden. Haal er naar smaak het zachte binnenste vruchtvlees uit, druk het door een zeef om de pitten eruit te halen en schep het door de sla. Maak hem op smaak met citroensap en likeur.

Kaki

Fel oranje vrucht in de vorm van een grote tomaat. Het vruchtvlees is geleiig en zoet en niet erg specifiek van smaak. Het is rijk aan vitamine A.
Seizoen: januari tot mei, november en december.
Uit Israël komt een nieuw gekweekte variëteit van de kaki, de 'Sharon'; hij is hier te koop van december tot februari. Deze vrucht bevat geen pitten.
Rijpe kaki's hebben een glazige schil en zacht vruchtvlees. Donkere vruchten zijn zoeter en fruitiger van smaak. Kaki's die nog niet rijp zijn kunnen 3 weken in de groentela worden bewaard. Gebruik rijpe kaki's zo vlug mogelijk. Eet ze geschild als een appel. Maak ze in een vruchtensalade af met citroensap.

Kersen

Wij onderscheiden zoete kersen en morellen. De zoete kersen zijn voor een deel al rijp in mei. Meikersen staan wat smaak betreft tussen de zoete kersen en de zure kersen (morellen) in. Morellen hebben de sterkste smaak, maar zijn erg zuur.
Seizoen: mei tot augustus.
Let op droge vruchten aan een steeltje met een gladde schil. Gebruik kersen liefst zo vlug mogelijk. Moeten zij toch bewaard worden, spreid ze dan naast elkaar uit op een blad of plank en zet ze op een koele plaats.
Haal stelen en pitten pas na het wassen van de kersen. Gebruik een kersenontpitter. Geef de kersen warm bij vanille-ijs of maak er een koude vruchtensoep van.

Kiwi (Chinese kruisbes)

De vrucht heeft het formaat van een ei en is groen; als kiwi's rijp zijn is de schil bruin behaard. Het groene vruchtvlees doet qua smaak denken aan kruisbessen.
Seizoen: mei tot en met februari.
De kiwi is rijp als hij bij de steel door een druk met de vinger meegeeft.
U kunt kiwi's tot 1 week in de groentela van de koelkast bewaren. Laat onrijpe kiwi's een paar dagen in een gesloten zak narijpen. Het rijpen kan worden versneld door een appel bij de kiwi's in de plastic zak te pakken.
Kiwi's zijn veelzijdig en gemakkelijk in gebruik. Het eenvoudigst is: de vrucht doorsnijden, met citroensap besprenkelen en uitlepelen. Kiwi is lekker in combinatie met veel vruchten, vooral met aardbeien, ananas, meloen en banaan, maar ook in vlees- en gevogeltesalades. Kiwi is eveneens lekker als vulling en garnering van vruchtentaart en gebakjes.

Kruisbes

Seizoen: juni tot augustus.
Onrijpe kruisbessen worden gebruikt voor compote of jam. Zij moeten heel rijp zijn om zo gegeten te kunnen worden. Snijd steeltjes en kroontjes eraf, was ze en snijd ze door. Gebruik ze in een vruchtensalade. Maak van groene onrijpe kruisbessen eens een chutney. Deze is net als mango chutney erg lekker bij koud gevogelte en vis.

Kumquat (dwergsinaasappel)

Vrucht ter grootte van een pruim met dunne oranje schil. Zurig bitter van smaak en heel geurig.
Seizoen: vers van juli tot februari; het hele jaar door in blik of pot.
Kumquat wordt rauw met de schil gegeten. Schijfjes kumquat geven een sterke sinaasappelsmaak aan alcoholische mix-dranken. Kook schijfjes kumquat eens in een suikerstroop en gebruik ze in vruchtensalades. Met vanille-ijs zijn ze zo ook erg lekker.

Limoen

Groene, zeer sappige citroensoort met dunne schil. In de koude keuken wordt hij graag gebruikt. Een limoen kan twee maal zoveel sap bevatten als een citroen en is ook zachter van smaak. De limoenen die hier te koop zijn, zijn meestal pitloos.
Seizoen: het hele jaar door.
Het sap wordt zoals citroensap gebruikt, als smaak gevend ingrediënt, maar ook wordt de vrucht ongeschild in partjes of schijfjes gegeven en als garnering toegepast.
Geef bij stukjes citroen of limoen die bij vis, vlees of andere gerechten worden gegeven, een citroenknijper.

Loquat (Japanse mispel)

Abrikooskleurige vrucht ter grootte van een pruim.
Seizoen: zo nu en dan tussen januari en juli vers te koop; het hele jaar in blik.
Rijpe vruchten zijn geel tot abrikooskleurig; zij geven mee, als je er met de vinger op drukt. Het vruchtvlees is zoet en verfrissend van smaak.
Verwerk rijpe vruchten vlug; zij zijn heel beperkt houdbaar. Bewaar ze in de groentela van de koelkast. Eet ze als pruimen of kersen. Haal wel de schil eraf; deze is vaak wat bitter. Gebruik de loquat geschild en kleingesneden in vruchtensalades.

Lychee

Een kleine ronde vrucht met een roodachtige, later bruine, dunne, ruwe schil. De vrucht is gemakkelijk te pellen. Het vruchtvlees is stevig en wit met een aangenaam zoetzure, muskaatachtige smaak. Lychees zijn er ook in blik; de smaak is dan flauwer.
Seizoen: november tot en met februari en juli.
Eet verse lychees gekoeld zonder andere ingrediënten of gebruik ze in een vruchtensalade met loquat, mango en meloen.

Mandarijn

Mandarijnen, clementines, satsuma's en tangerines zijn kleiner dan sinaasappels, hebben een rondere afgeplatte vorm en een niet erg strak zittende schil die helder oranje is. Zij verschillen qua smaak en zuurgehalte.
Mandarijnen zijn sappig, zoet en geurig, maar bevatten veel pitten. Clementines zijn pitarm tot pitloos. Het vruchtvlees is donkerder dan dat van de mandarijn, heel sappig en geurig en met een uitgelezen verhouding zuur-suiker. Satsuma's hebben licht vruchtvlees, een pittige smaak en zijn relatief zuurarm. Tangerines zijn de kleinste mandarijnachtige vruchten. Zij hebben weinig pitten en een zacht, niet zo sappig vruchtvlees, dat niet veel zuur bevat.
Seizoen: oktober tot maart.
Mandarijnen zijn geschikt als garnering van hartige en zoete gerechten waarbij de zure, milde citrussmaak past. Bovendien zijn zij lekker in vruchtensalades en groene salades, vooral gecombineerd met tuinkers, waarvan zij de scherpte op een plezierige manier verminderen. De vliesjes van de mandarijnpartjes zijn meestal zo zacht dat zij niet gefileerd hoeven te worden, maar u moet ze eventueel wel ontpitten.

Mango

Langwerpig ronde boomvrucht met een vaste lichtgroene en roodgele schil, die tot 3 kg zwaar kan worden. Het vruchtvlees is stevig, zoet en licht kruidig van smaak.
Seizoen: het hele jaar door.
De vruchten zijn rijp als de mango pittig van geur is en het

vruchtvlees meegeeft, als je er met de vinger op drukt. Laat harde vruchten bij kamertemperatuur nog wat narijpen. Bewaar rijpe vruchten, tot u ze gebruikt, in de koelkast. Snijd de mango met een groot mes door, haal de pit eruit en haal het vruchtvlees los uit de schil. Laat het wel in de schil zitten en snijd het met een scherp mes in blokjes. Besprenkel het naar smaak met citroensap en eet het als meloen. Schil voor vruchtensalades of compote de mango in zijn geheel en snijd het vruchtvlees vervolgens om de grote harde pit heen in plakken. Combineer de mango voor vruchtensalades met andere exotische vruchten en serveer hem koel. Van mangopuree kan een heerlijk dessert worden gemaakt.

Geef als voorgerecht een halve mango met zachte, rauwe ham of met gerookte zalm.

Meloen
Er zijn water- en suikermeloenen.

Een watermeloen heeft afhankelijk van de soort een donkergroene of lichtgroene gemarmerde schil en helder rood, glanzend vruchtvlees, waarin donkere pitten zitten. Alleen rijpe vruchten hebben geur en smaak. Een watermeloen is een uitstekende dorstlesser. Hij bestaat voor 95 % uit water. Snijd hem in parten en eet het vruchtvlees zonder toevoegsels. Ook in vruchtensalade of een koude meloendrank is watermeloen verfrissend.

Tot de suikermeloenen behoren de volgende.

Netmeloen
Zijn naam dankt hij aan de schil, die met een fijn geaderd netwerk is bedekt. Hij is rond van vorm en aan de uiteinden afgeplat. Het vruchtvlees is oranje. Als bij elke suikermeloen heeft het vruchtvlees in het midden een holle ruimte waarin de pitten zitten, die door draden met elkaar verbonden zijn. Als hij helemaal rijp is ontplooit zich een sterke meloengeur, maar hij is minder zoet dan de andere meloenrassen.

Suikermeloen of Spaanse meloen
Deze behoort tot de groep gladde meloenen met groene of gele schil. Hij heeft een helder gele schil die, afhankelijk van de soort, glad of sterk gegroefd is. Het vruchtvlees is zachtgroen tot geel en heel zoet.

Kanteloep
Deze heeft een geelgroene geribbelde schil met kleine wratachtige verhogingen. De kanteloep heeft een kruidig zoete smaak, maar hij is erg exportgevoelig en daarom duur. Hij is niet lang houdbaar en moet een paar dagen na het oogsten al worden gebruikt.

Ogenmeloen
Kleine, geurige meloen, ontstaan uit een kruising tussen netmeloen en kanteloep.

Suikermeloenen zijn van mei tot september altijd in grote hoeveelheden te koop; de rest van het jaar is het aanbod minder.

Zij zijn rijp als de schil scheurtjes vertoont. Bovendien herkent men de meloen aan de sterke geur. Ook een droog, ver-

schrompeld steeltje is een teken dat de vrucht rijp is. Meloenen rijpen nauwelijks na.

Bewaar suikermeloenen, tot u ze gebruikt op een koele plaats. De eenvoudigste manier voor het klaarmaken van een suikermeloen is: de gekoelde meloen doormidden snijden, de pitten eruit halen, de helften in partjes verdelen en deze op een bordje serveren. Strooi er naar smaak suiker over of besprenkel ze met likeur. Steek voor vruchtensalades met een aardappelboor balletjes uit het vruchtvlees. Gekoelde – geen ijskoude – schijven meloen zijn een heerlijk voorgerecht in combinatie met rauwe ham, garnalen of kreeft.

Noten
Deze spelen in de koude keuken een rommelige rol, als we er geen rekening mee houden dat ze graag als knabbeltje worden gegeven. Soms zijn ze een garnering of een smaak gevend onderdeel van ijs, vruchtensalades en zoete gerechten. Er zijn vele soorten, die qua smaak en consistentie allemaal op elkaar lijken. De harde, buitenste schil omsluit een stevige pit, die meestal nog door een bruin vlies is omgeven. Verwijder dit vlies, afhankelijk van het recept. De noten worden dus eigenlijk nog eens geschild. Daartoe legt u de noten – vooral bij amandelen is dit aan te bevelen – even in kokend water. Het vlies kan er dan spelenderwijs met de vingers worden afgewreven. Of rooster de noten op de bakplaat in de oven bij 100–200 °C tot het vlies bros wordt en openspringt, leg de noten vervolgens op een schone theedoek en wrijf hiermee het vlies eraf.

Rooster gehakte noten even in de droge koekepan. Laat ze niet te donker worden, want dan krijgen zij een bittere smaak.

Kokosnoot wordt in een saus of salade altijd geraspt verwerkt. U kunt hiervoor ook kokosmeel gebruiken.

Papaja (boommeloen)
De vruchten die hier te koop zijn, zijn kleiner en minder sappig en zoet dan in het land van herkomst. De papaja is gevoelig en bederft vlug. De langwerpige vrucht heeft een groene tot geel-lichtgroene schil en het vruchtvlees van de rijpe papaja is oranjegeel; het bevat net als de meloen veel kleine pitten. Papaja smaakt vooral zoet en heeft geen sterke geur.

Seizoen: oktober tot juni en december tot maart.

De papaja is rijp als het vruchtvlees meegeeft, wanneer je er met de vinger op drukt, en er gele plekken op de schil verschijnen.

Bewaar de papaja die na moet rijpen niet in de koelkast. Verwerk rijpe vruchten vlug.

Het is het lekkerst de gekoelde, maar niet ijskoude vrucht te halveren, de pitten eruit te halen en het vruchtvlees met citroensap – lekkerder nog limoensap – te besprenkelen. Omdat het vruchtvlees heel zacht is, kan het er zo uitgelepeld worden. Ook bij meloen met ham geserveerd is de papaja erg lekker. Besprenkel het vruchtvlees in ieder geval met citroensap. Papaja is niet zo'n succes als ingrediënt in een gemengde vruchtensalade. Probeert u eerst zelf eens of het u aanspreekt.

Passievrucht

Er zijn twee verschillende soorten: één met een roodpaarse tot bruine schil en één met een roodachtig gele schil. De smaak van de wat verschrompeld uitziende kleine paarse 'Granadilla' overtreft die van de mooie gele 'Maracuja'. Passievruchten hebben een sterke geur, sappig vruchtvlees en veel kleine pitten, die worden opgegeten.

Seizoen: het hele jaar door.

De vruchten die hier te koop zijn, zijn rijp. Let erop, dat de schil glad is. Maar ook de vruchten met een rimpelige schil zijn nog lekker; zij moeten wel vlug gegeten worden.

Snijd de passievrucht open en lepel hem uit. Besprenkel hem naar smaak met citroensap of Maracuja-likeur. Of hol de vrucht uit en voeg het zachte vlees toe aan een vruchtensalade. Roer voor vruchtenijs het vruchtvlees met citroensap en poedersuiker door elkaar en laat dit in de diepvries in een schaaltje bevriezen.

Peer

Om ze rauw te eten, bijv. in een vruchtensalade of voor gevulde peer, zijn de zoete, zachte en sappige soorten geschikt.

Seizoen: juli tot oktober de inheemse soorten; het hele jaar door importperen en ook in blik en pot.

Laat groene peren die nog niet helemaal rijp zijn bij kamertemperatuur narijpen. Heel zachte peren met een helder gele schil zijn overrijp; zij kunnen niet meer bewaard worden. Sommige soorten kunnen in een koele, droge kelder tot februari worden opgeslagen.

Peren zijn een goede aanvulling van een kaasschotel. Schil de peren en snijd ze in vieren, haal het klokhuis eruit en snijd de kwarten in $1\frac{1}{2}$ cm grote blokjes. Besprenkel ze met citroensap en steek ze aan cocktailprikkers. Vermeng de peren in een vruchtensalade met sinaasappel, banaan, appel en noten. Maak de salade op smaak af met perenjenever.

Perzik

Seizoen: vers van mei tot oktober; het hele jaar in blik.

Let er bij aankoop op dat de vruchten geen beurse plekken hebben.

Laat onrijpe perziken bij kamertemperatuur narijpen. Bewaar rijpe vruchten niet langer dan 3 dagen in de groentela van de koelkast. Als ze uit de hand worden gegeten, zet dan vingerkommetjes met koud water met citroensap klaar.

Pel de perziken voor vruchtensalades en andere desserten (bijv. Pêche Melba), maar ook als u ze toepast als bijgerecht bij koud gevogelte, wild of in bowl. Schenk kokend water over de perziken en trek het vel eraf. Geconserveerde perziken zijn al gepeld.

Schopappel (cherimoya)

Zoete boomvrucht met een bladgroene, geschubde schil, wit vruchtvlees en heel veel pitten. Hij wordt tot de lekkerste vruchten ter wereld gerekend.

Seizoen: oktober tot februari.

Rijpe vruchten hebben een donkere bruinige schil. Het vruchtvlees geeft mee, als je er met de vinger op drukt. Laat harde vruchten liefst narijpen bij een temperatuur van 12–18 °C. Op de juiste manier opgeslagen is de schopappel

2–3 weken houdbaar; bewaar hem niet te lang in de koelkast. Snijd de vruchten in de lengte door en lepel ze uit. Of besprenkel het vruchtvlees met likeur of citroensap en serveer het gekoeld. Haal voor een vruchtensalade het vruchtvlees uit de schil en verwijder de pitten. Vermeng het met mango, kaki of sinaasappel en maak het op smaak met suiker en citroensap. Ook overgoten met ijskoude mousserende wijn is de schopappel heerlijk.

Sinaasappels

Er zijn talrijke soorten sinaasappels.

Wij kennen gele sinaasappels en bloedsinaasappels.

Seizoen: het hele jaar door.

De kleur en de toestand van de schil zeggen weinig van de kwaliteit van de sinaasappel, te meer daar sinaasappels meestal met chemische middelen geconserveerd worden. U doet er verstandig aan de winkelier advies te vragen over de aangeboden rassen. Koop voor vers sinaasappelsap de goedkopere lichte soorten; zij bevatten wel veel pitten, maar ook veel geurig sap. Een schil met fijne poriën is meestal dunner; de vrucht dus groter. Voor vruchtensalades zijn grote pitloze vruchten geschikt. Zij zijn gemakkelijk te herkennen aan de navel. Zij zijn zoet en sappig. Sinaasappelsap kan naar smaak ook in plaats van citroensap in een saus worden gebruikt.

Schil de sinaasappel voor een vruchtensalade, verwijder het witte vlies zorgvuldig, snijd de vrucht met een zaagmes in dunne schijven, snijd deze door en verwijder eventuele pitten. Leg ze laag om laag met andere bijpassende vruchten, bijv. appel of banaan, in een schaal.

Bestrooi elke laag met suiker en maak de salade af met Cointreau of Grand Marnier.

Vossebessen

In het wild groeiende bosbessen, kruidig zuur van smaak.

Vossebessen zijn in blik of pot te koop als jam of compote.

Seizoen: vers in september; het hele jaar in pot of blik.

Vossebessen kunnen, omdat ze niet erg sappig zijn, 3 dagen worden bewaard, uitgespreid op een koele plaats. Zij zijn dik ingekookt als compote een klassiek bijgerecht bij wildgerechten en gebraden rundvlees (koude rosbief), maar ook bij gebraden gevogelte. Ook als finishing touch bij zoete desserten of andere vruchtengerechten zijn ze in trek door hun kruidige smaak.

Vijgen

Verse, rijpe vijgen smaken bijzonder zoet. Zij zijn er met gele en paarse schil. De lichtere soorten zijn zuurder van smaak.

Seizoen: september tot oktober.

Let op een vlekkeloos uiterlijk zonder beurse plekken. Overrijpe vijgen smaken niet lekker meer.

Verwerk rijpe vijgen vlug. Bewaar ze eventueel nog 2 dagen naast elkaar op een koele plaats. Was de vijgen met warm water. Als u ze rauw serveert, geef ze dan altijd gekoeld. Snijd de ongeschilde vijgen aan tafel door, besprenkel de helften met citroensap, cognac of vruchtenjenever en lepel ze uit. Geef geschilde vijgen als voorgerecht met ham of salami.

Tips

- Kies alleen onberispelijke vruchten zonder beurse of rotte plekken. Gelijkmatigheid van vorm en grootte zegt niets over de kwaliteit, maar de geur van de vrucht wel. Een sterke, specifieke geur duidt op een lekkere smaak.
- Fruit verliest ook door ondeskundige en lange opslag aan smaak en voedingsstoffen. Koop daarom liefst die soorten die pas geoogst en vers op de markt komen.
- Fruit dat rauw wordt gegeten moet rijp zijn. Onrijp fruit kan schadelijk voor de gezondheid zijn.
- Was al het fruit goed voor het wordt gegeten of verwerkt. Dit is noodzakelijk, omdat bij de moderne fruitteelt het fruit wordt behandeld met insekticiden en herbiciden of wordt ingewreven met groeistoffen (bijv. appels).
- Was ook bessen die in het wild groeien. Er zijn nog maar weinig plaatsen in onze omgeving waar geen schadelijke stoffen uit uitlaatgassen en door de wind vervoerde meststoffen en bespuitingsmiddelen zich op de vruchten vastzetten.
- Sommige vruchten kunnen worden uitgehold en met een salade waarin ook het vruchtvlees wordt verwerkt worden gevuld. Hiertoe behoren vooral meloen, ananas en grote citrusvruchten, maar ook de kokosnoot. Deze moet wel worden doorgezaagd. Bij de andere vruchten wordt een kapje afgesneden, het vruchtvlees wordt er voorzichtig met een scherpe lepel uitgeschept – uit de meloen ook wel met een aardappelboor – en de uitgeholde vrucht wordt met een salade gevuld.
- Besprenkel vruchten met licht vruchtvlees zoals appel, peer en banaan na het kleinsnijden direct met citroensap, zodat het vruchtvlees niet verkleurt.
- Wordt sinaasappel-, citroen- of limoenschil geraspt of kleingesneden gebruikt, vraag dan altijd onbespoten vruchten. De schil van dit onbespoten fruit is niet met een chemisch middel geconserveerd. Was deze vruchten voor gebruik in ieder geval goed met warm water.
- Voor fijne gerechten worden citrusvruchten gefileerd. Dat gebeurt bij alle soorten op dezelfde manier: schil de vrucht en pel het witte vlies zorgvuldig af. Halveer de vrucht. Snijd met een scherp mes van elk partje het vlies aan de binnenkant open en trek het los. Haal voorzichtig het vruchtvlees uit het vlies en haal er eventueel de pit nog uit.
- Ook de schil van sinaasappel en grapefruit is heel geschikt om er een salade in op te dienen. Snijd er aan de bolle kant een kapje af, haal het vruchtvlees aan de rand rondom los met een scherp mes en schep het er met een scherpe lepel uit. Het vruchtvlees kan in het gerecht gebruikt worden, afhankelijk van het recept.
Knip de rand van de schil kartelvormig in.

Hoewel het aanbod van kant en klaar ingrediënten voor de koude keuken groter is dan ooit te voren, is er toch voldoende ruimte voor eigen creaties van de huisvrouw. Sommige ingrediënten voor de koude keuken kunnen niet zo gekocht worden, bij voorbeeld pikante gelei voor pasteien en terrines. In het volgende hoofdstuk vindt u verschillende basisrecepten voor de koude keuken die veel worden gebruikt en waarvoor in het receptengedeelte niet voldoende plaats is ze steeds uitgebreid te beschrijven. Ook zijn er recepten voor ingrediënten die wel zo te koop zijn, maar die zelf gemaakt veel lekkerder smaken en waarmee u zeker grote lof zult oogsten.

Mayonaisevariaties

Omdat mayonaise in de koude keuken een grote rol speelt als ingrediënt maar ook als garnering, volgen hier een paar aanwijzingen over hoe u mayonaise zelf kunt maken en pittig kunt variëren.

Zelf gemaakte mayonaise

Ingrediënten:

2 eierdooiers, 2 mespunten zout en 2 mespunten suiker, een snufje peper, $1^1/_2$ theel. mosterd, $1^1/_2$ theel. citroensap, $^1/_4$ l olie, 1 eetl. wijnazijn.

Werkwijze:
- Alle ingrediënten moeten op kamertemperatuur zijn.
- Roer de eierdooiers schuimig met het zout, de suiker, de peper en de mosterd. Roer er het citroensap door en laat het zo even staan.
- Voeg de olie eerst druppelsgewijs erbij onder voortdurend roeren met de garde.
- Voeg als de saus dikvloeibaar wordt een paar druppels azijn toe. Blijf roeren en doe de olie er nu straalsgewijs bij. Voeg niet zoveel olie toe dat hij op de saus blijft staan. Roer er steeds als de saus te dik wordt een beetje azijn door, zodat hij weer olie op kan nemen. Maak alle olie op.
- Roer eerst een eetlepel heet water door de eierdooiers om er zeker van te zijn dat de saus niet gaat schiften (d.w.z. dat eierdooiers en olie zich scheiden).
- Roer er, als hij gaat schiften, langzaam 2–3 theelepels heet water door.

Variatie – remouladesaus
Bereid de mayonaise volgens het recept. Hak 3 hardgekookte eieren klein, snijd 1 ui heel fijn en hak ook $1^1/_2$ theelepel kappertjes, 2 ansjovisfilets, 1 augurk en 1 bos verse kruiden fijn. Roer al deze ingrediënten door de mayonaise.

'Snel'-mayonaise

Ingrediënten:

1 eetl. maïzena, $^3/_4$ l water, 1 ei, 2 mespunten suiker en 2 mespunten zout, $1^1/_2$ theel. mosterd, een snufje peper, $^1/_8$ l olie, 1–2 eetl. wijnazijn.

Werkwijze
- Roer de maïzena door het water, breng het mengsel al roerend aan de kook en laat het afkoelen.
- Klop het ei schuimig met de suiker, het zout, de mosterd en de peper. Voeg onder goed roeren de olie toe.
- Schep het maïzenasausje lepelsgewijs door het eimengsel en maak de 'snel'-mayonaise op smaak met azijn en eventueel nog wat zout, suiker en peper.

Champignonmayonaise

Ingrediënten:

125 g champignons (vers of uit blik), 1¹/₂ theel. boter, een snufje zout, 2 hardgekookte eieren, 2 bossen peterselie, 125 g mayonaise, 1¹/₄ dl yoghurt, 2–3 theel. citroensap, een snufje peper, een snufje nootmuskaat.

Werkwijze
- Maak verse champignons schoon, was ze en snijd ze in stukjes.
- Smelt de boter, voeg de champignons toe, strooi er heel weinig zout over en laat ze toegedekt in de boter gaar worden.
- Pel de eieren en hak ze klein.
- Was de peterselie, laat hem uitlekken en hak hem fijn.
- Roer de mayonaise, de yoghurt, het citroensap, de peper en de nootmuskaat door elkaar en meng er de kleingehakte ingrediënten door.

Kruidenmayonaise

Ingrediënten:

125 g mayonaise, 1¹/₂ dl yoghurt, een snufje peper, een mespunt knoflookzout, ¹/₂ doosje tuinkers, 1 bos van elk: peterselie, bieslook en dille.

Werkwijze
- Roer de mayonaise en de yoghurt door elkaar en maak hem op smaak met peper en knoflookzout.
- Knip de tuinkers van de bodem, was tuinkers en kruiden, sla ze droog, hak ze fijn en roer ze door de mayonaise.

Olijvenmayonaise

Ingrediënten:

125 g mayonaise, 1¹/₄ dl yoghurt, 1¹/₂ theel. citroensap, 1¹/₂ theel. mild paprikapoeder, een snufje peper, 10 olijven met piment, 1 teentje knoflook.

Werkwijze
- Roer de mayonaise, de yoghurt, het citroensap, het paprikapoeder en de peper door elkaar.
- Snijd de olijven doormidden, pel de knoflook, hak hem heel fijn en roer olijven en knoflook door de mayonaise.

Tomatenmayonaise

Ingrediënten:

2 tomaten, 125 g mayonaise, 1¹/₄ dl yoghurt, 3 eetl. tomatenketchup, een mespunt peper, een mespunt zout, 1¹/₂ theel. mild paprikapoeder.

Werkwijze
- Pel de tomaten en snijd het vruchtvlees in blokjes. Haal de pitten eruit.
- Roer de mayonaise, de yoghurt en de tomatenketchup door elkaar.
- Maak de saus op smaak met peper, zout en paprikapoeder en schep er de blokjes tomaat door.

Pickles-mayonaise

Ingrediënten:

125 g mayonaise, 1 klein of ¹/₂ gewoon blik gecondenseerde melk, 2 eetl. lichte mosterd, 1 kleine pot mixed pickles.

Werkwijze
- Roer de mayonaise, de gecondenseerde melk en de mosterd door elkaar.
- Laat de mixed pickles uitlekken en bewaar iets van de marinade.
- Hak de pickles klein en roer ze met 1 eetlepel marinade door de mayonaise.

Kerriemayonaise

Ingrediënten:

1 zure appel, 1 banaan, 125 g mayonaise, 1¹/₄ dl yoghurt, 3 theel. kerriepoeder.

Werkwijze
- Schil de appel, haal het klokhuis eruit en rasp hem fijn.
- Pel de banaan, snijd hem in de lengte door en snijd de helften in plakjes.
- Roer de mayonaise, de yoghurt en de kerrie door elkaar. Schep er de geraspte appel en de schijfjes banaan door.

Appelmayonaise

Ingrediënten:

3 eetl. slagroom, 125 g mayonaise, 1 eetl. witte wijn, 3 eetl. appelmoes, 1¹/₂ theel. geraspte mierikswortel, een mespunt zout, een mespunt suiker.

Werkwijze
- Klop de slagroom bijna stijf.
- Schep de slagroom, de mayonaise, de witte wijn, de appelmoes en de mierikswortel door elkaar. Maak hem op smaak met zout en suiker.

Ansjovismayonaise

Ingrediënten:

125 g mayonaise, 1¹/₄ dl yoghurt, 6 ansjovisfilets.

Werkwijze

- Roer de mayonaise en de yoghurt door elkaar.
- Hak de ansjovis heel klein en schep hem door de mayonaise.

Cocktailsaus

Ingrediënten:

1 dl mayonaise, 2 eetl. tomatenketchup, $^1/_2$ dl slagroom, $^1/_2$ eetl. cognac, 1 eetl. droge sherry, citroensap, worcestershiresaus.

Werkwijze

- Vermeng de mayonaise met de tomatenketchup, de stijfgeslagen slagroom, de cognac en de sherry.
- Maak het mengsel op smaak met citroensap en worcestershiresaus.

Tip

Als u mayonaise wilt verdunnen, moet u ze met dezelfde hoeveelheid yoghurt of gecondenseerde melk vermengen. U kunt hier ook slasaus voor gebruiken.

Pasteien en terrines

Eerst maar een korte aanduiding van het begrip, omdat hier nog altijd onduidelijkheid over bestaat: bij een echte pastei hoort een deegkorst. De bekendste zijn de koninginnepasteitjes van bladerdeeg, gevuld met een fijne ragoût. Ook is er de vol-au-vent: de grote pastei van bladerdeeg. Deze deegkorst wordt eerst apart gebakken en daarna vlak voor het serveren met een fijne ragoût gevuld.
De pasteien in dit boek zijn strikt vakmatig gesproken 'echt': een fijne farce verpakt in deeg en dan daarin gebakken.
Een terrine onderscheidt zich alleen van de pastei door het ontbreken van de deegkorst. De farce wordt in een vuurvaste aardewerk of porseleinen schaal met deksel au bain-marie in de oven gebakken.
De deegkorst van de pastei kan een fijn gistdeeg (briochedeeg), een bladerdeeg of een hartig zandtaartdeeg zijn; het laatste is de klassieke en meest gebruikte pasteikorst.

Zandtaartdeeg

De hoeveelheid deeg is voldoende voor het vullen van een springvorm van 26 cm ∅ of een middelgrote cakevorm en voor het kapje en de garnering.

Ingrediënten:

350 g bloem, 150 g boter (naar smaak ook reuzel), $^3/_4$ theel. zout, 1 dl lauw water, 2 eierdooiers.

Werkwijze

- Zeef de bloem boven het werkvlak en maak in het midden een kuiltje. Snijd de liefst zachte boter in blokjes en doe deze in het kuiltje. Strooi het zout en schenk het water erover.

- De eierdooiers moeten dezelfde temperatuur als de boter – nl. kamertemperatuur – hebben. Doe 1 eierdooier bij de boter en kneed het deeg vlug met koele handen van buiten naar binnen door elkaar. Hoe vlugger dat gaat, des te smeuïger blijft het deeg. Wordt het deeg toch te droog, kneed er dan een beetje lauw water door.
- Wikkel het deeg in vetvrij papier of huishoudfolie en leg het op z'n minst 1 uur in de koelkast.
- Verdeel het deeg in zoveel stukken als voor de pastei nodig zijn – dus één stuk voor de bodem, één voor de rand en één voor het kapje – en rol deze stukken na elkaar uit op een met bloem bestoven werkvlak (laat de stukken die niet direct nodig zijn in de koelkast liggen).
- Snijd het uitgerolde deeg in het juiste formaat en bekleed er de vorm mee of verpak de vulling in het deeg zonder vorm.
- Steek versieringen uit de deegresten. Kneed daarvoor de resten nog eens door elkaar, rol ze uit op een met bloem bestoven werkvlak en steek versieringen uit.
- Bestrijk de bovenkant van de pastei met eierdooier, leg de garnering erop en bestrijk deze ook.
- Hoewel de bakvorm gewoonlijk niet wordt ingevet als hij met zandtaartdeeg wordt bekleed, is dit wel aan te raden bij een pastei. Het deeg blijft bij het bekleden beter aan de vorm plakken.

Brioche-gistdeeg

De aangegeven hoeveelheid is voldoende voor 18–20 brioches van 50 g (middelgrote briochevormen) of voor 1 middelgrote cakevorm.

Ingrediënten:

450 g bloem, 25 g gist, $^1/_8$ l lauwe melk, 150 g boter, 2 eieren, $1^1/_2$ theel. zout, $^3/_4$ theel. suiker, 1 eierdooier.

Werkwijze:

- Zeef de bloem in een schaal en maak in het midden een kuiltje. Verkruimel de gist in het kuiltje, voeg de lauwe melk toe en roer hem met de gist en een beetje bloem uit het kuiltje tot een dunne brij. Stuif wat bloem over deze brij.
- Laat het zetsel 20–30 minuten rijzen tot de bloemlaag op het zetsel scheurtjes vertoont.
- Smelt de boter en laat hem weer afkoelen.
- Roer de eieren, het zout en de suiker door de afgekoelde boter en doe hem bij het zetsel.
- Kneed alles door elkaar en klop het deeg tot het glad en droog is en blazen trekt.
- Vorm een bal van het deeg en laat hem afgedekt 30 minuten rijzen. Het volume van het deeg moet zich nu gaan verdubbelen. Het deeg wordt heel fijn van structuur als u het nog even doorkneedt en het weer 15–20 minuten laat rijzen.
- Vorm nu een lange rol van het deeg en snijd het in twaalf even grote stukken. Verdeel elk stuk in een groter en een kleiner deel.
- Rol de grotere stukken uit en bekleed er de briochevormen mee. Rol de kleinere stukken uit tot kapjes van dezelfde dikte, bestrijk de randen met eierdooier en leg de kapjes op de gevulde vormen. Kneed de deegresten door elkaar, rol ze uit

en steek er garneringen uit. Bestrijk deze ook met eierdooier en leg ze op de deegkapjes. Als de pasteitjes met een farce zijn gevuld moet in het deksel een gat worden gesneden om de damp te laten ontsnappen.

Bladerdeeg

Uitgangspunt is een kant en klaar diepvriesbladerdeeg. Let bij de bewerking op de volgende aanwijzingen.

● Diepvriesbladerdeeg is te koop in pakjes tot 300 g; de inhoud bestaat uit of wel aparte blaadjes of wel een blok. Haal diepvriesbladerdeeg voor het gebruik uit de verpakking en laat het bij kamertemperatuur ontdooien. Leg daarvoor de losse blaadjes naast elkaar. Zij zijn in ongeveer 20 minuten ontdooid. Het ontdooien van een blok duurt ongeveer 1–2 uur.

● Rol bladerdeeg altijd uit op een met bloem bestoven werkvlak. Belangrijk bij het uitrollen is, dat u het deeg nooit uitrolt in één richting, maar altijd van boven naar beneden en van links naar rechts. Als het deeg maar in één richting wordt uitgerold, schrompelt het tijdens het bakken in die richting weer in elkaar.

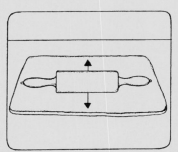

● Snijd bladerdeeg met een heel scherp deegradertje of met een dun, scherp mes. Als het mes of het radertje niet scherp genoeg is, worden de laagjes deeg tegen elkaar gedrukt in plaats van gesneden; zij kunnen in dat geval tijdens het bakken niet gelijkmatig rijzen.

● Als u bladerdeeg met ei bestrijkt, moet u erop letten dat de snijkanten niet bestreken worden; het deeg plakt daar dan aan elkaar en kan niet goed rijzen.

● Leg restjes bladerdeeg op elkaar, druk ze losjes tegen elkaar en rol ze weer uit. Het deeg rijst in dat geval niet meer zo mooi, maar is nog wel geschikt voor kleine lapjes of reepjes garnering voor een pastei. Bestrijk het deegkapje en de garnering met eierdooier.

● Snijd bladerdeeg dat wordt gebruikt om er een springvorm of vormpjes mee te bekleden, eerst in repen of stukken, druk deze losjes tegen elkaar en rol ze daarna uit. Het deeg wordt minder bladerig en luchtig, maar wel steviger en het valt niet zo vlug uit elkaar als er een vulling op wordt gelegd.

● Leg het bladerdeeg altijd op een met koud water omgespoelde bakplaat of spoel de vormpjes of de springvorm met koud water om. Laat het voor het bakken liefst nog 15 minuten rusten.

Het bekleden van de pasteivorm

● Rol het deeg eerst uit op een met bloem bestoven werkvlak tot een 3–4 mm dikke lap.

● Leg de vorm op de deeglap en geef de bodem, de zijkant en het kapje aan (maak de zijkanten ongeveer 2 cm hoger); geef bij een ronde vorm de bodem en het kapje aan en ook de zijrand. Omdat de buitenkant van de vorm wordt gemeten zijn de stukken deeg groot genoeg om ook de naden aan de zijkanten van de vorm goed af te sluiten.

● Snijd voor een cakevorm de bodem, de lange en de korte zijkanten aan één stuk uit, stuif wat bloem over het deeg en vouw het dicht. Vouw het in de dun beboterde vorm weer uit.

● Druk het deeg met een bolletje deeg rondom goed aan in de vorm; druk op het laatst de kanten en de hoeken goed aan met een duim (druk bij de springvorm de naad tussen zijwand en bodem goed tegen elkaar).

● Knip met een schaar de overstekende randen weg, zodat 2–3 cm deeg over de rand blijft hangen.

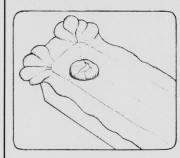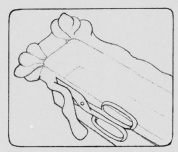

Vullen en sluiten van de pastei

● Vul de met deeg beklede vorm met de farce. Doe eerst een laag van ongeveer 3 cm in de vorm en druk de farce met een lepel goed uit in de hoeken. Leg op deze laag eventueel nog andere ingrediënten en bedek ze met de rest van de farce. Strijk de bovenkant glad en zorg dat de hoeken goed gevuld zijn.

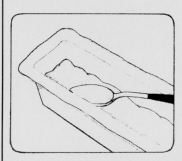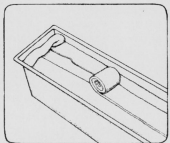

● Leg de overhangende deegranden over de farce en druk ze iets aan. Als de farce er niet helemaal door bedekt is, moet u de opening dichtmaken met een smalle reep deeg en de naden goed sluiten.

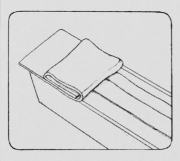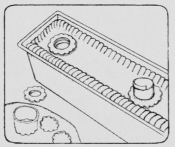

● Leg het deegkapje er nu boven op. Vouw het kapje losjes samen en vouw het in de vorm weer uit elkaar. Druk de rand van het kapje met de achterkant van een lepel op de pastei.
● Bestrijk de bovenkant van de pastei met losgeklopt ei en versier hem naar keuze. Plak de garnering met eierdooier op het kapje en bestrijk ze ook.
● Zorg voor afvoer van de stoom die tijdens het bakken wordt gevormd: prik het kapje met een houten pen op verschillende plaatsen in of maak liever nog met een uitsteekvormpje of een mes een gat midden op het kapje. Het gat moet door de hele deeglap gaan en de farce eronder blootleggen. Vorm een schoorsteen van een dubbelgevouwen stuk aluminiumfolie en steek deze in de opening. De schoorsteen verhindert dat het uitlopend vleesvocht de bovenkant van de pastei lelijk maakt.
● Bij ronde pasteien is één schoorsteen midden in de pastei voldoende; bij een pastei in een cakevorm moeten twee schoorstenen worden aangebracht. Het gat van deze schoorsteen wordt later ook gebruikt om de ruimte die ontstaat tussen korst en vulling op te vullen met gelei.

Een fijne farce als vulling

Het is heel belangrijk dat de farce voor de pastei of terrine met zorg wordt bereid. Daarom vindt u hier achter elkaar de belangrijkste werkhandelingen.
● Het is heel belangrijk, of de vulling nu uit vlees, vis, wild of gevogelte bestaat, dat het speciaal afgestemde kruidenmengsel langzaam op de ingrediënten kan inwerken. Het zout wordt er nu ook direct bij de kruiden aan toegevoegd in tegenstelling tot de gebruikelijke bereiding; het omsluit het eiwit van de hiervoor genoemde ingrediënten.
● Vlees voor een farce moet volkomen vrij zijn van vet, zenen en vellen. Er moet altijd de beste kwaliteit worden gebruikt. Past men spek toe in een farce, neem dan stevig, wit, vers en ongerookt varkensspek.
● Snijd vlees en spek in smalle reepjes of blokjes en leg deze op een schaal. Vermeng de in het recept aangegeven specerijen en strooi deze over vlees en spek. Voeg eventueel ook andere kruidige ingrediënten als piment, laurierblad of jenever toe. Dek de schotel af met aluminiumfolie of huishoudfolie en zet hem op z'n minst 12 uur in de koelkast.
● Afhankelijk van het recept wordt ook brood gebruikt om de farce luchtiger te maken en eveneens om die te binden.

Snijd in dit geval het brood zonder korst in reepjes of dunne sneetjes, bedek er de gekruide stukjes vlees en spek mee of verkruimel het brood erboven. Bevochtig het met room en losgeklopt ei en zet de schaal toegedekt in de koelkast.
● Maak voor u de farce helemaal afmaakt, eerst nog de geplande vullingen of afwerkingen van de farce klaar. Dit kunnen reepjes filet, gare lever, blokjes spek, paddestoelen of groente zijn, afhankelijk van het recept gaar, gekruid en in blokjes gesneden.
● Draai de specerijen, de goed gekoelde reepjes vlees en spek en eventueel ook het brood en de afwerking voor de farce twee keer achter elkaar door de fijnste schijf van de vleesmolen. (U kunt in plaats van de vleesmolen ook de blender gebruiken om de farce te pureren.)
● Kneed in een schaal alle fijngemaakte ingrediënten met de hand door elkaar en vermeng ze tegelijkertijd goed. De echte pasteikok strijkt dit mengsel dan nog eens met de schraper door de fijne trommelzeef.
● Heel belangrijk: de farce moet gedurende de bereiding voortdurend goed gekoeld blijven. Zet hem daarom na elke bewerking even in de koelkast. Roer de farce ten slotte tot hij glanst. Meng er dan ook bij gedeelten de slagroom of room en eventueel andere ingrediënten door. Zorg nog steeds dat de farce goed koel blijft; zet daarvoor de mengkom in een grote schaal met ijsblokjes.
● Vul nu de beklede vorm met de farce. Leg afhankelijk van het recept nog reepjes filet of andere vullingen tussen twee lagen van de farce in.

De fijne fond

Voor de bereiding van pasteien en terrines is een fond nodig die bijzonder fijn van smaak moet zijn. Hij wordt gemaakt van botten en vlees, gevogelte of restjes wild met kruiden en specerijen.
● Hak de botten eerst klein en braad ze onder voortdurend roeren aan in braadvet. Voeg kruiderij als ui, peterselie, selderie, tomatenpuree en specerijen toe en laat ze even meebakken. Laat ze niet te donker worden, omdat ze anders bitter gaan smaken.
● Voeg royaal koud water toe (voor de terrine van konijn op blz. 50 heeft u 1$\frac{1}{2}$ l koud water nodig) en laat alles in een open pan op een middelhoog vuur 2 uur zachtjes koken. Schep het schuim dat zich steeds vormt eraf.
● De fond moet in deze tijd tot $\frac{1}{2}$ l inkoken. Zeef de fond vervolgens door een fijne zeef en laat hem afkoelen.
● Schep het gestolde vet van de bovenkant en zeef de fond nog eens, zodat ook de kleinste vetdeeltjes verdwijnen.
● Breng de fond weer aan de kook en laat hem nog eens inkoken tot de benodigde hoeveelheid.

Bekleden en gaar maken van de terrine

Voor de klassieke terrine wordt de vorm bekleed met dunne plakjes vers wit spek zonder zwoerd.
● Snijd de plakjes spek in de grootte van de vorm bij en bekleed eerst de bodem en dan de zijkanten van de vorm ermee. De randen van de plakjes moeten elkaar goed overlappen, zodat een spekmantel ontstaat zonder kiertjes.
● Sla na het vullen het overhangende gedeelte van het spek

over de farce en bedek de bovenkant ook helemaal met el-kaar overlappende plakjes spek.

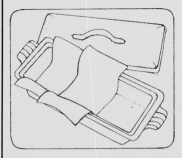 

● De goed ingevette vorm kan behalve met spek ook met aluminiumfolie worden bekleed. Wel ontbreekt dan de zo ty-perende smaak die het spek aan de farce geeft, ook al wordt dit niet meegegeven. Bij sommige recepten hoeft de vorm he-lemaal niet bekleed te worden; hij moet dan wel extra dik worden ingevet. De terrine kan in plaats van met een laag spek ook worden afgedekt met beboterd vetvrij papier.

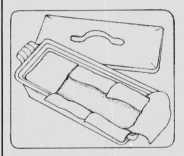 

● Leg de kruiden, afhankelijk van het recept, op het kapje van spek of direct op de farce. Sluit de terrine met het deksel en laat haar au bain-marie gaar worden.
● Verwarm de oven 30 minuten voor op 220 °C. Zet de terri-ne in een grote pan met kokend water; het water moet tot twee vingers onder de rand van de terrine komen. Zet de vorm op het rooster op de onderste richel van de oven, scha-kel de temperatuur terug naar 180 °C en laat de terrine gaar worden in de tijd die voor het recept is voorgeschreven.
Let op: het waterbad mag niet heter worden dan 80 °C. Con-troleer de temperatuur regelmatig met een kook- of vlees-thermometer en regel de oventemperatuur, als het nodig is.

Zoete extra's

Tot slot nog twee basisrecepten van de zoete koude keuken.

Chaudeau
Deze beroemde zoete schuimige saus past uitstekend bij fijne koude en warme desserts. Er wordt in de recepten voor vruchtensalades naar verwezen.

Ingrediënten:

4 eieren, 100 g suiker, 1 ^{1}/$_2$ theel. maïzena, ^{1}/$_4$ l witte wijn, sap van 1 citroen.

Werkwijze
● Splits de eieren.
● Klop de eiwitten stijf. Voeg vlak voor het eiwit helemaal stijf is 1 eetlepel suiker toe en klop het eiwit daarna helemaal stijf.
● Klop de eierdooiers los met de rest van de suiker. Roer de maïzena glad met een beetje koud water.
● Vermeng de witte wijn, het citroensap en de aangemengde maïzena door de schuimig geklopte eierdooiers en verhit de saus au bain-marie onder voortdurend roeren, tot de massa bindt.
● Schep het eiwitschuim door de warme saus en geef deze warm of koud.

Vanille-ijs
Hier nog een recept voor bijzonder eerzuchtige gastheren, die ook het vanille-ijs dat in vele desserts en vruchtensalades no-dig is zelf willen klaarmaken.

Ingrediënten:

^{1}/$_4$ l melk, 1 vanillestokje, 75 g suiker, 3 eierdooiers, ^{1}/$_4$ l slag-room.

Werkwijze
● Doe de melk in een hoge pan.
● Snijd het vanillestokje open en schraap er met de achter-kant van een mes het merg uit. Roer het vanillemerg, de sui-ker en de eierdooiers met een garde door de melk.
● Breng de vanillemelk onder voortdurend roeren met de garde of de elektrische mixer aan de kook. Neem de pan van het vuur als de melk heeft gekookt en laat hem afkoelen.
● Klop de slagroom stijf en schep hem door de vla. Schep de vla in een ijslaatje en laat hem 2–3 uur in de diepvries be-vriezen.
● Haal het vanille-ijs uit het schaaltje, laat het iets ontdooien en klop het met de mixer nog eens goed romig.
● Laat het ijs daarna nog 1 uur bevriezen in de diepvries.

De geurige gelei

Hoe exquiser de keuken, des te fijner de gelei! Velen zullen bij gelei eerst denken aan het zoete broodbeleg of aan een dessert. In de koude keuken worden er echter de glanzende laag die een koud gebraad bedekt, de goudgele blokjes aspic op feestelijk geschikte schotels en de glinsterende randen aan de pâté mee bedoeld. De gelei is in zo'n geval niet alleen de-cor, maar hij behoedt ook de gerechten tegen uitdrogen en hij voltooit vooral het kostelijk aroma van de gerechten. Het bereiden van gelei is wel moeilijk en vraagt veel tijd, maar het loont de moeite als hij dient om bijzondere gerech-ten mooi te serveren en eenvoudige gerechten als gerookte visfilet, koud vlees, schalen met vleeswaren, koude groente of hardgekookte eieren eens anders dan gewoon op te die-nen. Een zelf bereide gelei blijft in de koelkast 1 week goed; hij kan niet worden ingevroren. Basis voor een gelei kan een vlees-, een kippe-, een wild- of een visbouillon zijn. Maak de bouillon liefst niet alleen van het genoemde vlees of de genoemde vis, maar gebruik ook de botten en graten; trek liefst ook nog wat kalfsbenen mee, omdat deze de bouillon al geleiig maken.

Vleesbouillon als basis voor gelei

Ingrediënten:

500 g rundermergpijpjes of kalfsbenen, 500 g runderpoelet, 2¹/₂ theel. zout, 3–4 l water, 1 bos peterselie en selderie, 1 ui, 4 pimentkorrels, 1 laurierblad.

Werkwijze
- Laat de botten door de slager kleinhakken.
- Was de botten, voeg zoveel water toe dat ze helemaal bedekt zijn en breng ze aan de kook. Laat ze 5 minuten koken.
- Spoel de botten vervolgens in een zeef met koud water af; doe het kookvocht weg en was de pan goed af, zodat ook de kleinste botsplintertjes verdwijnen.
- Zet de botten daarna weer op met koud water, het vlees en het zout en breng ze aan de kook. Breng de temperatuur wat omlaag als de bouillon flink kookt en laat alles zo koken, dat de bovenkant steeds in beweging blijft. De bouillon moet gedurende de eerste 30–40 minuten telkens opnieuw worden afgeschuimd. Leg het deksel op de pan als geen schuim meer wordt gevormd en laat hem op een kiertje staan, zodat de damp kan ontsnappen.
- Was de peterselie en de selderie en snijd ze grof. Snijd het steeltje van de ui en verwijder de buitenste losse schil; laat de binnenste bruine schil zitten.
- Voeg na een kooktijd van 90 minuten de peterselie, de selderie, de ui, de piment en het laurierblad toe en laat de bouillon dan in de open pan nog 90 minuten zachtjes koken op een laag vuur. Een groot deel van de vloeistof verdampt in dat geval en de bouillon wordt heel geconcentreerd. Er blijft ongeveer 1 l over.
- De bouillon moet voor een gelei volledig ontvet worden. Schep de glanzende vetlaag op de bouillon er zorgvuldig met een lepel af en dep de fijne vetdruppeltjes op met keukenpapier. Ontvetten is eenvoudiger als u de bouillon helemaal laat afkoelen, de dikke vetlaag dan met een schuimspaan eraf schept en de bouillon daarna zeeft, waardoor ook de laatste vetbolletjes achterblijven.

Deze sterk ingekookte, krachtige bouillon is niet alleen een basis voor fijne gelei, maar ook voor fijne sauzen. In de vaktaal heet zo'n zorgvuldig bereide bouillon een fond. Als voor een recept een wildfond, een kippefond of een visfond nodig is, maak hem dan klaar op de hiervoor beschreven manier, gebruik afhankelijk van het recept wildvlees of wild gevogelte en wat botten, vlees en botten van gevogelte, kalfsvlees en kalfsbenen of vis en graten.

Een sterk ingekookte bouillon geleert bij het afkoelen ook zonder toegevoegd bindmiddel, zeker als kalfsbenen worden meegekookt. De gelerende bouillon kan zo worden gebruikt om vleeswaren, gebraden vlees of gevogelte te glaceren.

Basisrecept voor witte-wijngelei

Ingrediënten:

100 g eiwit, 1 kleine ui, 50 g prei, 50 g knolselderie, 2 takjes peterselie, 1¹/₂ theel. zout, 8 witte peperkorrels, 1 stukje laurierblad, 1 l heldere ontvette vleesbouillon, 1 dl witte wijn, 35 g poedergelatine of bladgelatine.

Werkwijze
- Klop het eiwit half stijf.
- Maak de groenten schoon, was ze en snijd ze heel fijn. Doe de groenten, het zout, de peperkorrels en het laurierblad bij het eiwit en roer alles flink door elkaar met een pollepel.
- Verhit de bouillon, roer er het eiwit-groentemengsel door en breng alles op een hoog vuur aan de kook. Klop flink met de garde en krab over de bodem van de pan, zodat het eiwit niet aan de bodem gaat vastzitten.
- Voeg de witte wijn toe als het eiwit goed gestold is en boven op de bouillon zwemt en laat de bouillon 40–50 minuten op een laag vuur trekken. Laat hem in geen geval koken.
- Zeef de geklaarde bouillon door een fijne zeef, maar liever nog door filtreerpapier.
- Week de gelatinepoeder in een beetje en de bladgelatine in een ruime hoeveelheid koud water. Roer de gelatinepoeder met het weekwater door de hete bouillon; knijp de bladgelatine goed uit en roer hem door de hete bouillon. Als de bouillon door het zeven niet heet genoeg meer is, moet hij voor de gelatine wordt toegevoegd nog even verhit worden; hij mag niet koken.
- Roer in de bouillon tot de gelatine helemaal is opgelost. Laat de bouillon vervolgens onder regelmatig roeren afkoelen en verwerk hem zoals in de recepten beschreven staat. Of doe hem in een schaal en laat hem in de koelkast opstijven.

Variaties
U krijgt port-, sherry-, muskadel- of maderagelei door de witte wijn in het hiervoor genoemde recept te vervangen door de genoemde dranken. Afhankelijk van het recept kan de gelei ook met een fond van gevogelte, vis of wild worden bereid en kan de samenstelling van de kruiden worden veranderd.

Chaudfroid
Deze ondoorzichtige, gelerende saus speelt in de koude keuken een even belangrijke rol als de heldere gelei, maar hij wordt niet zo vaak gebruikt. Ook deze saus beschermt tegen uitdrogen, dient als decoratie en is zeer geraffineerd van smaak. Gerechten van kalfsvlees en gevogelte worden met een lichte chaudfroid bedekt, rundvlees en wildgerechten met een donkere. Een chaudfroid blijft in de koelkast een week goed en kan voor verschillende gerechten worden gebruikt. Uit het volgende recept wordt 1 l saus bereid.

Ingrediënten voor een lichte chaudfroid:

1¹/₂ l heldere, vetloze kalfs-, kippe- of visbouillon, 6 dl slagroom, 20 g bladgelatine, 30 g maïzena, 1 eetl. droge witte wijn, een snufje zout, een snufje witte peper.

Werkwijze
- Laat de bouillon op een half hoog vuur tot 7 dl inkoken.
- Laat de room op een laag vuur tot de helft, dus tot 3 dl, inkoken. Schenk de room door een fijne zeef bij de bouillon.
- Week de gelatine in koud water.
- Roer de maïzena door de witte wijn, schenk hem bij de vleesbouillon, laat hem onder goed roeren even aan de kook komen en neem de pan van het vuur.
- Los de uitgeknepen gelatine op in de hete saus en schenk de saus dan door een fijne zeef.
- Maak de saus op smaak met zout en peper en eventueel met andere specerijen volgens het recept.

Ingrediënten voor een donkere chaudfroid:

2 eetl. boter, 1 kleine ui, 3 eetl. bloem, 1 eetl. tomatenpuree, $^1/_8$ l water, $^1/_8$ l rode wijn, 2 eetl. vleesextract, 1–2 mespunten zout en zwarte peper, $1^1/_2$ l ontvette wild- of vleesbouillon, 20 g bladgelatine, 30 g maïzena, 1 eetl. madera.

Werkwijze
- Smelt de boter in de braadpan. Snijd de ui fijn en fruit hem in de boter goudgeel. Voeg de bloem toe en laat deze al roerend bruin worden in de bruine boter. Roer er de tomatenpuree en daarna bij gedeelten het water door. Laat de saus op een laag vuur onder voortdurend roeren 10 minuten koken.
- Roer de rode wijn en het vleesextract door de saus en maak hem op smaak met wat zout en peper.
- Laat de bouillon op een middelhoog vuur inkoken tot 7 dl.
- Week de gelatine in koud water.
- Roer de maïzena door de madera.
- Schenk de bruine saus door de zeef bij de wild- of vleesbouillon. Roer er ook de aangemengde maïzena door en laat hem al roerend even flink koken.
- Neem de pan van het vuur en roer de uitgeknepen gelatine door de hete saus. Zeef de saus nog eens door de fijne zeef en maak hem af met zout en peper.

Praktische raad voor u begint

Soms zijn er bij de aankopen voor de koude keuken onaangename verassingen of kleine problemen. Daarom vindt u hier nog een paar van de belangrijkste punten, zodat u de meest voorkomende problemen al voor het inkopen kunt bedenken en uw programma dan nog kunt veranderen.
- In veel gerechten vindt u truffel als garnering. Koop alleen echte truffels als de gelegenheid waarbij u ze gebruikt de uitgave ook rechtvaardigt en als u zeker de inhoud van het blikje opmaakt. Is dat niet het geval, vervang de truffel dan door imitatietruffel, morieljes, echte of Deense kaviaar of kappertjes.
- Vaak staat in recepten een toevoeging als 'kant en klaar' bij hartige zandtaart-tartelettes of bij schuitjes. U kunt dit gebak zeker niet zo gemakkelijk kopen als een kilo suiker. Het is alleen in delicatessenzaken te koop. Daarom raden wij aan dit gebak zelf te maken volgens het recept op blz. 220.

U kunt het invriezen of wekenlang in een trommel bewaren.
- Let er bij de aankoop van levensmiddelen en vooral bij niet zo veelgevraagde delicatessen op – en zeker als het niet het seizoen is – dat u geen winkeldochters worden verkocht. De smaak van een gerecht dat met veel zorg is bereid kan verknoeid worden als u bijv. zomers inheemse maar al ranzige noten gebruikt, oude specerijen en mayonaise of gekruide sauzen, die niet vers meer zijn.
- Ook in uw eigen koelkast kunnen de levensmiddelen oud worden. Controleer voor het gebruik of mayonaise, ketchup, mosterd, mierikswortel en ansjovispasta echt nog wel goed en pittig van smaak zijn.

Rondom de koude keuken

Elektrische hulpen
Allessnijder: deze snijdt zonder veel inspanning brood, vlees, worst en groente in elke gewenste dikte.
Friteuse: de elektrische frituurpan is erg aan te bevelen, omdat de temperatuur exact kan worden ingesteld en het vet door een thermostaat ook steeds op deze temperatuur blijft. Bij de pan wordt een frituurmand geleverd; hierin kan het frituurgoed na het bakken gemakkelijk uit de pan worden gehaald en ook boven het hete vet uitlekken.

Onontbeerlijke snijapparatuur
Keukenmes: u heeft er 2–3 nodig van verschillende grootte om vruchten en groente schoon te maken, te schillen en te snijden. Harde ingrediënten kunnen gemakkelijk met een zaagmes worden gesneden.
Koksmes: het heeft een breed, lang en puntig uitlopend lemmet en een stevig heft. U kunt er groente mee snijden, maar ook kruiden mee fijnhakken en uien mee fijnsnijden.
Hakmes: dit bestaat uit twee heften waartussen een breed, rond gebogen lemmet is bevestigd. Met dit hakmes kan alles gelijkmatig fijn worden gehakt.
Canneleermesje: door de loodrechte inkepingen op het lemmet krijgen alle ingrediënten die u ermee in schijfjes snijdt een gekartelde zijkant.
Tomatenmes: het getande lemmet heeft een puntig uiteinde, waarmee tomaten met schil gemakkelijk in dunne plakjes kunnen worden gesneden.
Grapefruitmes: heeft een aan beide kanten getand lemmet dat aan het einde naar één kant licht gebogen is. Hiermee kunnen partjes van een halve grapefruit of sinaasappel gemakkelijk uit de vliesjes worden losgehaald en uit de schil worden geschept.
Schilmes: allerlei soorten messen zijn geschikt om ermee te schillen. Het is belangrijk dat ze gemakkelijk in de hand liggen.
Trancheerbestek: dit bestaat uit een vleesmes met een lang lemmet en een langstelige vork met twee tanden.
Kaasmes: het heeft een smal, naar boven toe iets gebogen

lemmet, dat in twee punten uitloopt. Hiermee kunnen gemakkelijk stukjes kaas worden opgepakt.

Wildschaar: heel sterke schaar met scherpe gebogen snijvlakken en een stevige springveer tussen de handgrepen. De wildschaar is vooral geschikt om er groot gevogelte met harde botten mee te trancheren.

Keukenschaar: deze is overal voor te gebruiken; men kan er bieslook en aluminiumfolie mee knippen, klein gevogelte mee trancheren, maar er ook verpakkingen mee openen of kroonkurken van flessen mee halen.

Groenteschaaf en groenterasp: onontbeerlijk om heel fijne schijfjes mee te maken respectievelijk rauwe groente of vruchten mee te raspen. Belangrijk: rasp en schaaf moeten heel scherp zijn en gemakkelijk te reinigen. De vierkante rasp waarin rasp en schaaf zijn verenigd staat wel stevig bij het werk, maar de werkvlakken zijn erg smal en bovendien laat de fijnheid van het schaafsel te wensen over. Handrauwkostmolens zijn wel praktisch maar geven meestal ook niet zo'n mooi resultaat. Voor grotere porties groente loont het gebruik van de keukenmachine.

Eiersnijder: de beste manier om hardgekookte eieren in gelijkmatige plakjes te snijden is met de eiersnijder. Afhankelijk van de richting waarin het ei op de snijder wordt gelegd, zijn de plakjes rond of ovaal. Ook kunnen er andere zachte dingen, bijv. champignons, gepelde en in de diepvries iets bevroren tomaat en stukjes komkommer mee gesneden worden.

Partjessnijder voor eieren en appels: eieren worden hierin in zes gelijke stukjes verdeeld, appels en peren in twaalf partjes; het klokhuis wordt er tegelijkertijd helemaal uitgesneden.

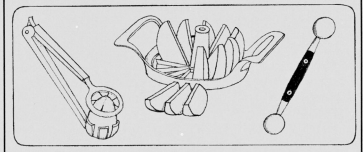

Appelboor: mes met een buisvormig lemmet, waarvan het uiteinde heel scherp is. Als u het midden in een appel of een peer steekt wordt het klokhuis er helemaal uitgesneden. U heeft hem nodig voor appelringen.

Aardappelboor of meloenlepel: halve bolletjes van metaal met een scherpe rand aan een houten steel, waarmee uit aardappelen, meloen en avocado bolletjes van dezelfde vorm en grootte worden gestoken.

Nuttige kleine apparaten

Knoflookpers: deze bespaart u het lastige kleinsnijden of pletten van teentjes knoflook. De fijne knoflookpulp die uit de pers komt, is gemakkelijk te verwerken. Als aan een gerecht maar een vleugje knoflook moet worden toegevoegd, houd dan de pulp achter en gebruik alleen een paar druppels rasp die bij het persen vrijkomen.

Vijzel: in de vijzel kunnen alle korrelige kruiden en ook zaad-

jes in de gewenste grofte worden fijngewreven. Kruiden die in de vijzel worden fijngemaakt geven de hoogste opbrengst aan geur en smaak. Van knoflook, kappertjes en groene peperkorrels kan in de vijzel pasta worden gemaakt. Als u verschillende kruiden tegelijkertijd in de vijzel fijnwrijft, worden ze meteen heel goed vermengd.

Kruidenmolens: specerijen die pas vlak voor het gebruik worden fijngemalen zijn veel geuriger dan indien ze gemalen worden gekocht. Maal daarom de specerijen die daarvoor geschikt zijn pas op het laatste moment. Wel moet voor elke specerij een aparte molen worden gebruikt, ook voor witte en zwarte peper. Een goede molen heeft een spanschroef om het maalsel te regelen.

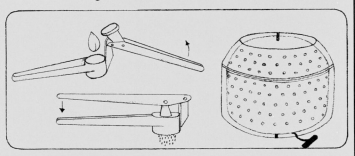

Slamand: dit praktische hulpmiddel van gevlochten metaaldraad kan plat worden bewaard en in een handomdraai tot een mandje worden omgetoverd. De gewassen sla kan in het mandje worden drooggeslagen; hang het mandje daarna liefst in een open keukenraam, zodat de blaadjes vlugger drogen. Als er geen plaats is om het mandje op te hangen, worden de handgrepen naar beneden gevouwen, zodat het mandje kan staan.

Slacentrifuge: fijnproevers vinden dat de sla altijd in dit apparaat gedroogd moet worden. Er zijn verschillende types op de markt die allemaal goed zijn.

Eierprikker: hiermee wordt aan de bolle kant van het rauwe ei een gat geprikt; hierdoor kan de lucht uit de luchtkamer ontsnappen, waardoor het ei bij het koken minder gauw barst.

Boterkruller: het lemmet is rond gebogen en net als het canneleermesje van loodrechte groeven voorzien. Schraap met de boterkruller over ijskoude, harde boter. Er ontstaan dan geribbelde boterkrullen.

Uitsteekvormpjes: in de koude keuken kunt u er niet genoeg van hebben. Buiten de gladde of gekartelde vormpjes in alle maten kunt u ook hartvormige, vierkante, ruitvormige, klaverblad- of stervormige vormpjes gebruiken. De doorsnee moet tussen de 1 en 4–5 cm liggen. De vormpjes worden gebruikt om er canapés, gevulde eieren, geglaceerd vlees of geglaceerde vis op koude schotels, salades, taarten en gebak mooi mee te garneren.

Spuitzakken: zij zijn er van verschillende materialen en in verschillende grootten. Linnen spuitzakken horen tot het gereedschap van de vakman; zij moeten na elk gebruik worden uitgekookt. Wegwerpspuitzakken van kunststof zijn hygiënischer dan linnen spuitzakken. Zij beantwoorden vooral aan hun doel, als kleine hoeveelheden worden gespoten. Bij de spuitzakken horen spuitmondjes van verschillend formaat en model, nl. gladde en gekartelde spuitmondjes. Afhankelijk van grootte en model geven zij gladde toefjes en slingers of rozetten en guirlandes.

Opdienen en garneren

In principe moet u alle koude gerechten zo opdienen en garneren als u zelf het mooist vindt. Toch zijn er een paar basisregels.

Over het opdienen
Wie de soep in de pan op tafel zet en de sla in de kom waarin hij wordt aangemaakt, kan eigenlijk niet van opdienen spreken; opdienen is het gezellig serveren van gerechten. Men serveert gebraden vlees op een vleesschotel, saus in een sauskom en alle andere gerechten in bijpassende schalen, of het nu warme of koude gerechten zijn. Als schalen en borden bij elkaar passen is er geen enkel probleem. Maar borden van grof aardewerk of hout passen niet bij zilveren dienschalen of fijne porseleinen schalen.
Let er daarom altijd goed op dat al het serviesgoed bij elkaar past.
● Wat u ook opdient, zorg er altijd voor dat schalen, schotels of borden groot genoeg zijn. U moet de schalen met opgediende gerechten kunnen vasthouden zonder dat u de gerechten met de handen aanraakt.
● Het kan zijn dat de kleur van de gerechten niet erg past in uw kleurige servies. Ham, worst, rosbief en rode sla zien er bijv. niet erg aantrekkelijk uit in een helder rode schaal. Ook groene kleuren moeten bij elkaar passen, wil het geheel er niet giftig uitzien. U kunt hiervoor het best houten borden, neutraal gekleurd porselein of metaal gebruiken. Heeft u geen passende vervanging, bekleed de schotels dan met blaadjes sla of sneetjes brood, en schalen van een moeilijke groene kleur met schijfjes tomaat of ei.
● In de koude keuken is vooral belangrijk hoe de gerechten in de schalen worden geschikt. Alles wat gesneden in een schaal wordt gelegd moet een ordelijke hand tonen: leg de plakjes dakpansgewijs op elkaar in rechte, schuine of dwarse rijen, maar altijd volgens een vast schema. Leg de verschillende soorten ingrediënten, bijv. allerlei soorten worst, kaas of vleeswaren, bonte sneetjes of canapés en broodjes, in groepjes bij elkaar of afwisselend in rijen.
● Leg, als op een schotel verschillende soorten salade worden geserveerd, elke sla apart in een bedje van slablaadjes. De vele kleurenfoto's in dit boek zullen u zeker aan ideeën helpen en als voorbeeld dienen.

Over het garneren
Zelfs vakmensen op culinair gebied weten niet precies het antwoord op de vraag wat nu versieren en wat garneren is. Velen zien eigenlijk geen onderscheid en hier sluiten wij ons ook bij aan. Maar volledigheidshalve moet worden opgemerkt dat de strikte definitie is: versieringen kunnen worden opgegeten met het gerecht waarvan zij ook de smaak in positieve zin beïnvloeden. Garneringen daarentegen zijn meestal wel een lust voor het oog, maar niet altijd ook een

streling voor de tong. Ons interesseert vooral hoe we met eenvoudige middelen hapjes, broodjes, koude schotels, opgemaakte bordjes en desserts kunnen versieren en dan ook gelijk oog en tong kunnen strelen. De hierna genoemde ingrediënten kunnen de in de recepten genoemde versieringen vervangen; zij moeten natuurlijk wel bij de gerechten passen. Deze lijst zal u vooral helpen als bepaalde ingrediënten niet te koop zijn, in sommige gevallen de versiering minder uitgebreid is of bijzondere ingrediënten niet kunnen worden aangeschaft.

Kruiden: zij zijn overal voor te gebruiken, passen bij alle hartige gerechten en kunnen in de vorm van toefjes of blaadjes maar ook fijngesneden worden gebruikt. Spoel de kruiden steeds goed af, sla ze droog op een theedoek of keukenpapier en laat ze nog even nadrogen. Leg of strooi de kruiden altijd pas vlak voor het serveren op de gerechten. Zet fijngesneden kruiden toegedekt op een koele plaats tot u ze gebruikt. Afhankelijk van het gerecht kunnen ook gemengde kruiden worden toegepast. Soms zijn fijngesneden kruiden in de diepvries te koop. Strooi ze vlak voor het serveren, terwijl ze nog bevroren zijn, over het gerecht; zij zijn in een paar tellen ontdooid.
Tuinkers: hij hoeft niet alleen gebruikt te worden als salade of als onderdeel van een salade; hij is ook heel decoratief als garnering. Gebruik toefjes of haal de blaadjes van de steeltjes. Behandel de tuinkers net als de hiervoor beschreven kruiden.
Blaadjes sla: bekleed grote schotels, een slabak of cocktailglazen met goed gewassen en gedroogde slabladen. Houd de bladen heel, verdeel ze al plukkend in stukjes of snijd ze in reepjes. Heel fijngesneden sla kan ook als garnering over een gerecht worden gestrooid of gelegd. Het is heel belangrijk dat de sla zo laat mogelijk wordt neergelegd, zodat hij er echt vers uitziet. Doe de gewassen en eventueel gesneden sla in een plastic zak en leg deze tot u er gebruik van gaat maken in de koelkast.
Radijs: als versiering zijn eigenlijk alleen verse, niet te grote radijsjes geschikt. Zij staan erg leuk op een schotel als u een stukje van het groen laat zitten; bovendien smaken ze ook lekker. U kunt het groen er ook afhalen en rozetjes van de radijs snijden. Snijd hiervoor de radijs vanuit de steelkant een paar keer loodrecht in tot op het midden (haal eventueel ook smalle reepjes radijs tussen de inkepingen weg) en buig de uiteinden iets uit. Ook kunt u halfronde inkepingen aanbrengen in de vorm van rozeblaadjes of de hele radijs met inkepingen versieren. Indien u de gesneden radijzen, voordat u ze serveert, dan nog 15 minuten in ijskoud water legt, zuigen ze zich helemaal vol, waardoor de garneringen extra goed uitkomen.
Komkommer: snijd in de lengte smalle reepjes schil uit de komkommer zodat afwisselend wit vruchtvlees en groene schil te zien zijn; de komkommer ziet er dan heel decoratief uit. Snijd de komkommer vervolgens in schijfjes en schik deze op broodjes of langs de rand van een koude schotel. De komkommerschijfjes kunnen ook dikker worden gesneden en vervolgens worden gevuld. Ook kan de komkommer in stukken van 5 cm worden gesneden. Snijd uit deze stukken

een blokje vruchtvlees, zodat er links en rechts een wandje van vruchtvlees is met daartussen een soort bankje. U kunt deze komkommerbankjes met zilveruitjes, vleessalade, haringsla of een kaascrème vullen. De komkommer kan ook in de lengte in vieren gesneden, uitgehold, in 5 cm lange stukken verdeeld en daarna gevuld worden.

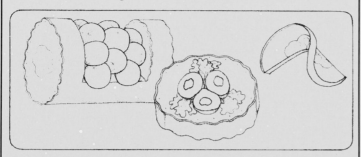

Tomaten: plakjes, partjes of kwarten tomaat staan kleurig op elke schotel en zijn lekker bij elk hartig gerecht. Bestrooi ze liefst met zout en peper, fijngehakte ui of bieslook of garneer ze met gekruide mayonaise. U kunt de tomaat ook insnijden en in de inkepingen dunne schijfjes groene komkommer steken. Vergeet deze komkommeregels niet te kruiden! Met blokjes tomaat kunnen salades, sneetjes, gekookte en gehalveerde eieren, mayonaise- of crèmegarneringen worden bestrooid. Pel de tomaten hiervoor, haal de pitten en de zachte kern eruit en snijd het vruchtvlees in blokjes.

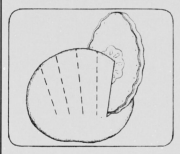
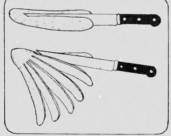

Paprika: ringen of reepjes rode, groene of gele paprika zijn een pittige garnering op worst, koud vlees, kaas- of kwarkmengsels. Maak schuitjes van bredere partjes paprika en vul ze met een vleessla, krabsla, worstsla, kaassla of kwarkcrème. Chilipepertjes die in hun geheel zijn ingemaakt, zijn heel geschikt als garnering voor gevulde eieren, belegde broodjes, toefjes mayonaise of kaascrème en op een sla.

Uien: fijngesnipperde ui staat leuk op plakjes tomaat, komkommer of tartaarbroodjes. Met uieringen garneert u grotere broodjes, salades, gemarineerde vis of kaas. Als de uieringen door mild paprikapoeder, fijngesneden kruiden of grofgemalen peper worden gewenteld, zijn ze kleuriger en lekkerder. Bij een tartaarmaaltijd of bij fondue kunnen de uieringen ook worden gebruikt als een 'schaaltje' voor de specerijen.

Aspergepunten: zij worden altijd gaar, vers gekookt of uit blik, gebruikt. Bedenk wel dat verse asperges asperges uit blik qua smaak veruit overtreffen. Voor het garneren hoeven niet altijd alleen witte aspergepunten te worden gebruikt; groene zijn ook geschikt. Met aspergepunten kunnen belegde broodjes, sneetjes, gevulde eieren, salades, schotels koud vlees en kleine gerechten op een bordje worden gegarneerd. U kunt ze ook net als sperziebonen in een bosje samenbinden met een reepje gare prei of een ringetje tomaat.

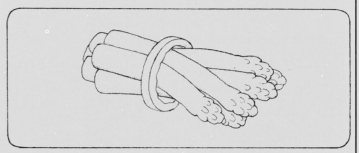

Prei: de donkergroene buitenste bladen van de prei worden geblancheerd en dan voor bloemgarneringen in reepjes, blaadjes of stengeltjes gesneden. Ook kunnen gerechten in aspic en broodjes worden gegarneerd met reepjes geblancheerde prei.

Wortel: deze wordt rauw of gaar als garnering gebruikt. Snijd met de dunschiller dunne reepjes van de rauwe wortel; deze krullen vanzelf om. Ook kan de rauwe wortel worden fijngeraspt. Strooi de geraspte wortel of de wortelkrullen over salades of kwarkcrème en op mayonaise of kaascrème. Of garneer er sneetjes of gevulde eieren mee. Snijd gekookte wortel in schijfjes of reepjes – steek de schijfjes eventueel nog uit met een gekarteld uitsteekvormpje – en garneer er broodjes, gevulde eieren en gerechten in aspic mee of gebruik ze in een bloemgarnering.

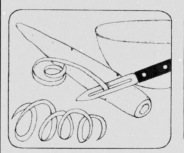
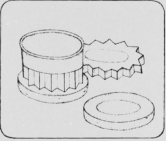

Champignons: kunnen rauw en gaar als garnering worden gebruikt. Grote paddestoelen worden in plakjes gesneden en kleine gehalveerd; heel kleine hoedjes kunnen in hun geheel worden gebruikt. Champignons passen goed bij broodjes met worst, schotels vleeswaren, gevulde eieren, wild en gevogelte, aspic en salades met heldere kleuren. Let erop, als u champignons als garnering gebruikt, dat de lichte kleur van de champignons goed afsteekt tegen de ondergrond. In plaats van champignons kunt u ook, afhankelijk van het gerecht, kleine cantharellen of andere paddestoelen in schijfjes of blokjes gebruiken. Deze paddestoelen moeten altijd gaar zijn.

Truffels: deze zijn te koop in heel kleine blikjes. Er worden altijd maar heel kleine, dunne schijfjes of reepjes toegepast, omdat truffel ontzettend duur is. Ook kan als garnering imitatietruffel worden gebruikt. De smaak is absoluut niet met die van echte truffel te vergelijken; wel is hij veel goedkoper. Een garnering van truffel is alleen geschikt voor zachte gerechten die niet sterk van smaak zijn, zoals gevulde eieren, sneetjes en canapés met een 'parfait' of pâté, fijne aspic-gerechten, gespoten zoute crèmes of mayonaisemengsels, visspecialiteiten, kalfsvlees of gevogelte.

Meloen: steek balletjes uit het vruchtvlees of snijd het in schijfjes of dunne partjes en gebruik het als garnering bij alles waarin ook ananas, aardbeien en bessen worden gebruikt.

Avocado: uit het vruchtvlees kunnen ook balletjes worden gestoken; of het wordt in schijfjes of partjes gesneden. Hij is lekker in alle gerechten met garnalen.

Druiven: deze zijn een goede garnering voor kaas, zachte ham, wild, donker gevogelte en hapjes met een fijne hartige crème, 'parfait' of kalfsvlees belegd. Afhankelijk van de kleur van het gerecht worden lichte of blauwe druiven gekozen. De druiven moeten altijd gepeld, gehalveerd en ontpit zijn.

Ananas: stukjes, reepjes of schijven ananas kunnen als garnering gebruikt worden op alle gerechten die men met vruchten kan garneren. Denk eraan dat de lichte ananas het best uitkomt op een donkere ondergrond. Gebruik liever verse ananas dan ananas uit blik.

Citrusvruchten: de bekendste zijn citroen, sinaasappel, grapefruit en limoen. In de koude keuken worden schijfjes of partjes citroen of limoen gegeven bij oesters, zalm, kaviaar, koude vis, salades, cocktails en 'drinks'. Bij salades, cocktails en 'drinks' kan in plaats van de zure citroen of limoen ook sinaasappel of grapefruit worden gebruikt.

Als de vruchten ongeschild worden gebruikt of de schil fijngesneden in een gerecht wordt verwerkt, was de vruchten dan eerst goed onder heet water en droog ze. Koop onbespoten en ongekleurde citrusvruchten. Ronde schijfjes citrusfruit met schil zien er erg leuk uit als u de schil voor het snijden op gelijke afstanden in de lengte inkerft; de schil vertoont dan afwisselend lichte en donkere strepen. Snijd de schijfjes eventueel tot op het midden in en steek ze op glazen of schaaltjes. Of draai de ingekerfde schijfjes een slag om tot een rozet en steek deze met een cocktailprikker vast. Gebruik hem als garnering.

Halve grapefruit-, sinaasappel- of citroenschillen waarvan de rand in zigzagvorm is afgewerkt zijn leuk als schaaltjes voor eenpersoonsslaatjes of -desserts. Snijd of knip een zigzagrand aan de schil, als hij is uitgehold. Met wat oefening en geduld kunt u de vruchten ook op de volgende manier snijden: steek een scherp, kort schuin geplaatst keukenmesje steeds tot aan het midden in de vrucht en draai het mesje telkens een kwart slag, zodat de inkepingen zigzagvormig zijn. Als de hele vrucht rondom in zigzagvorm is ingesneden, haalt u het geheel van elkaar en holt hem uit.

Noten: kleine noten kunnen in hun geheel op een toef crème of mayonaise worden gelegd; walnoten moeten worden gehalveerd. Hazelnoten kunnen in schijfjes worden gesneden en amandelen in reepjes. Alle noten kunnen ook goed grof- of fijngehakt of geraspt als garnering worden gebruikt. Bij amandelen kunt u er naar keuze ook het bruine vliesje om laten zitten, omdat het contrast tussen schil en witte noot er decoratief uitziet. Pistachenoten worden graag als garnering gebruikt vanwege hun mooie groene kleur.

Kokosmeel steekt leuk af tegen een donkere ondergrond. Noten passen goed als garnering op salades, cocktails, blokjes kaas, fijne sneetjes, canapés of hapjes.

Olijven: groene of zwarte olijven passen bij elke koude schotel en geven ook een heel bijzonder smaakaccent. Olijven met piment gevuld, die in schijfjes worden gesneden, zijn heel decoratief als garnering op worst, koud gevogelte, koud gebraden vlees of plakjes ei. Donkere olijven worden ongesneden op schotels met pittige worst of gebraden vlees gelegd.

Augurken: heel kleine augurkjes of cornichons worden of in schijfjes gesneden of als waaiertjes als garnering gebruikt op belegde broodjes, plakken koud vlees of worst. Snijd voor waaiertjes het dikste deel van de augurk in evenwijdige dunne plakjes tot bijna aan het steeltje en trek de schijfjes vervolgens tot een waaiertje uit elkaar. Augurkjes kunnen ook in hun geheel op een schotel worden gelegd; grote augurken worden in schijfjes of reepjes gesneden of in de lengte in vieren.

Worst en ham: elke grote schotel met ham of worst ziet er leuker uit als verschillende soorten worden opgerold tot hoorntjes of rolletjes; deze kunnen ook nog worden gevuld. Een rolletje of hoorntje worst of ham staat ook leuk als garnering op een sneetje. Het vlees kan bovendien in smalle reepjes gesneden worden en als garnering op een salade, kleine sneetjes of broodjes worden gebruikt.

Gelei: hiermee wordt de geurige gelei bedoeld, waarvan het recept op blz. 224 staat. Hapjes, plakjes, koude vis en koud vlees worden met een gelei bedekt om ze er smakelijk uit te laten zien, maar ook om ze vers te houden en lekkerder te maken. Blokjes gelei op een koude schotel geven deze koude maaltijd meer aanzien en geven er bovendien een speciale smaak aan. Bij bijzondere recepten wordt onder de geleilaag een bloemdecoratie aangebracht. Daarvoor worden bloemen gesneden van eiwit, tomaten, rode of gele paprika en blaadjes en steeltjes van kruiden of geblancheerde prei. Als u dit eens wilt proberen, denk er dan wel aan dat het koude gerecht niet volledig onder de bloem of de garnering mag verdwijnen.

Eieren: partjes, plakjes of blokjes hardgekookt ei zijn geschikt als garnering op broodjes worst, koud vlees, zalm en salades en eveneens om koude schotels te garneren. Hoe kleiner de eieren zijn, hoe mooier de garnering, want de plakjes en partjes breken dan minder gauw en de eierdooier zit steviger in het wit.

Hele of gehalveerde kwarteleieren staan erg mooi op fijne koude schotels, fijne salades, canapés en sneetjes. Als de eierdooier van een hardgekookt ei voor een saus wordt gebruikt, kan het eiwit worden fijngehakt en als garnering worden toegepast. Ook kunnen uit hardgekookt eiwit stipjes, reepjes, rondjes en kransjes worden gestoken, die in de fijne koude keuken voor bloemgarneringen worden gebruikt.

Garnalen: zij vormen een mooie garnering voor koude vis, eieren, kwark, roomkaas, gespoten crème of mayonaisemengsels.

Kaviaar: om te garneren wordt vooral Deense kaviaar gebruikt. Hij steekt goed af bij plakjes ei, kalfsleverworst, cervelaatworst, toefjes mayonaise of room. Hij past eveneens bij gehalveerde hardgekookte eieren, sneetjes geroosterd wittebrood, gekruide kwark of gekookte vis. De rode keta-kaviaar echter is qua smaak en kleur veruit de meerdere van deze Deense kaviaar.

Ansjovisfilets: rolletjes of reepjes ansjovisfilet zijn een mooie garnering op broodjes ei of hardgekookt ei, tartaar, kwark, boter of kruidenboter.

Kaas: Hoe leuk kaasblokjes waarop vruchten, noten, olijven, augurkjes, zilveruitjes, ansjovisrolletjes of kleingesneden mixed pickles zijn gestoken eruitzien, heeft u al kunnen constateren op de grote foto in dit boek. Maar kaas kan ook in smalle reepjes worden gesneden en als garnering op salades, cocktails en belegde broodjes worden gebruikt.

Mayonaise en crème: van mayonaise, mayonaisemengsels en kaascrème kunnen mooie garneringen worden gespoten. Afhankelijk van het formaat van de gewenste garnering doet u de mayonaise of kaascrème in een spuitzak met een glad of gekarteld spuitmondje en spuit u toefjes of guirlandes op sneetjes, hapjes, broodjes of een andere ondergrond. Rozetten worden meestal nog met een extra garnering afgewerkt.

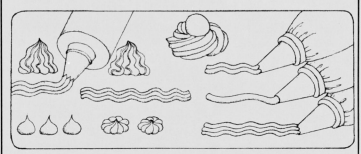

Specerijen: peper is grofgemalen het decoratiefst, groene peperkorrels uit een pot gehakt of heel en roze peperkorrels in hun geheel. Afhankelijk van smaak en kleur van het gerecht kan ook paprikapoeder, kerriepoeder, kummel, dillezaad of geplette rozemarijn worden gebruikt. Denk er wel aan, als u specerijen als garnering gebruikt, dat u ze spaarzaam toepast, omdat specerijen de smaak kunnen bederven.

Kappertjes: deze steken goed af tegen elke lichte kleur en zijn daardoor geschikt als garnering op ei, lichte worstsoorten, roomkaas, toefjes mayonaise en crème. Snijd grote kappertjes wat kleiner. Kappertjes zijn lekker op alle gerechten met een zachte smaak.

Lexicon van de koude keuken

Dit lexicon van de koude keuken bevat van a tot z de belangrijkste begrippen uit de koude keuken; zij stammen vaak uit het Frans. Bovendien vindt u een korte beschrijving van veel gebruikte ingrediënten die misschien nog niet iedereen kent.

Aïoli: knoflooksaus uit Zuid-Frankrijk. Roer de geplette tenen van een halve bol knoflook met zout, witte peper, eierdooier, olijfolie en citroensap tot een gebonden saus. Hij is lekker bij koud vlees, hardgekookte eieren en artisjokken en als dipsaus bij lof en bleekselderie.

Angelica (engelwortel): geneeskrachtige, geurige plant. In de koude keuken worden de gekonfijte bladstelen gebruikt om er vruchtensalades mee te garneren.

Angosturabitter: kruidenbitter uit de extracten van de schors van de *Cusparia trifoliata*, kininebast, gentiaanwortel en andere essences. Heel bitter, maar kruidig van smaak. Hij wordt druppelsgewijs aan alcoholische drankjes toegevoegd.

Ansjovis: een haringachtig visje dat met kruiden in olie wordt ingemaakt en in de Noordzee wordt gevangen. Het is vaak een onderdeel van hors d'oeuvres.

Appetitsild: filets van kleine haringen ingemaakt in suiker, zout en specerijen.

Armagnac: Frans destillaat, zwaarder van boeket dan cognac. Men kruidt er graag farces, pasteien en terrines mee.

Aspic (Frans: aspic = vleesgelei): gerechten van vis, vlees of gevogelte, in gelei opgediend. De gelei wordt gestort en met toefjes peterselie, kruiden, partjes citroen of mandarijn gegarneerd. Geef bij de gelei een remoulade, mayonaise, chantillysaus, tartaarsaus of een andere koude saus.

Augurken: kleine augurken worden ingemaakt in azijn en kruiden (dille), zout en specerijen. Ze worden gebruikt als garnering van allerlei gerechten of als onderdeel van verschillende salades in de koude keuken. Ook lekker als bijgerecht bij schotels vleeswaren.

Barderen (Frans: barder = met plakjes spek bedekken): mager vlees, wild en gevogelte worden voor het braden gebardeerd om te voorkomen dat ze uitdrogen. Het spek wordt 10 minuten voor het einde van de braadtijd verwijderd, zodat het gebraad nog kan kleuren.

Basilicum: keukenkruid met een kruidige, iets zoete, maar ook peperachtige smaak. Basilicum is het hele jaar gedroogd en zomers ook vers te koop. Het is veelzijdig in gebruik, is lekker in blad- en rauwkostsla, speciaal in tomaten- en komkommersla, maar geeft ook garnalen- en kreeftcocktails, kruidenkwark en mayonaisemengsels een speciale noot. Basilicum kan net als dragon worden gebruikt om er een geurige kruidenazijn of kruidenolie mee te bereiden. Gebruik basilicum met mate; het is heel sterk en kruidig van smaak.

Blancheren (Frans: blanchir = zacht maken): schoongemaakte groente of vruchten die in de gewenste grootte zijn gesneden – en soms ook vlees – worden in kokend water gedompeld en blijven er dan een paar minuten in staan. De blancheertijd wordt berekend vanaf het moment dat het water weer kookt. Door het blancheren worden enzymen gedood en bittere stoffen eruit gehaald voordat de ingrediënten op een andere manier verder worden verwerkt.

Bouillon: kookvocht waarin groente, vlees, vis of gevogelte wordt gaar gemaakt, waardoor waardevolle smaakstoffen uit dat wat gekookt wordt in de bouillon worden opgenomen.

Braadfond (bruin van jus): waardevol vleessap, dat tijdens het braden eruit komt en zich in braadpan of braadslee verzamelt.

Braadfond is altijd een basis voor een braadjus of in de koude keuken voor een gelei.

Canapés: dunne sneetjes witte-, grijs of bruinbrood zonder korst, die in vierkantjes, rechthoekjes, driehoekjes, rondjes of ovaaltjes worden gesneden. Canapés worden meestal geroosterd en met boter of een botermengsel besmeerd, pikant belegd en mooi gegarneerd. Het zijn geliefde hapjes voor een cocktailparty en een borrel, maar ze worden ook wel bij een 'tea' gegeven.

Cayennepeper (chilipeper): de gedroogde gemalen pepertjes van de *Capsicum frutescens,* een aan de paprika verwante plant; de pepertjes zijn veel kleiner dan de paprika. Cayennepeper is de scherpste specerij die wij kennen. De groene, nog onrijpe pepertjes zijn bekend onder de naam peperoni. Rijp en geel tot rood of bruin van kleur heten ze chillies. Peperoni's zijn in azijn ingemaakt in potten te koop. Chilipepertjes zijn de basis van de zeer scherpe sambal oelek en van tabasco. Cayennepeper is een onderdeel van veel kruidenmengsels, o.a. van kerrie. Hij wordt niet als zwarte of witte peper op een gerecht gestrooid, maar altijd in een saus gebruikt.

Chutney: Een zoete tot scherpe, licht zure gekruide saus die uit India komt. Er zijn verschillende chutney-soorten te koop, bijv. mango-, tomaten-, appel- of paddestoelen-chutney. Zij zijn lekker bij koud vlees en gevogelte.

Citroenmelisse: een tot 1 m hoge struik, waarvan de zachte, sterk naar citroen geurende blaadjes een van de geurigste slakruiden zijn. Zomers is citroenmelisse vers te koop; bij de gedroogde plant kan men alleen maar raden hoe heerlijk de verse plant geurt. Citroenmelisse is erg lekker in rauwe wortelsla, tomatensla, kruidenkwark, -mayonaise, -yoghurt en -boter. Een paar blaadjes ervan geven een heerlijk frisse smaak aan bowl en limonade.

Cocktails: behalve de bekende mix-drankjes worden ook voorgerechten van schaal- en schelpdieren of vis met deze naam aangeduid. Zij worden in cocktailglazen opgediend en met een cocktailsaus overgoten.

Cocktailsauzen: sauzen voor een cocktail-voorgerecht, in verschillende smaken te koop. Een recept voor een saus die lekker is bij kreeft en garnalen: roer fijngesneden dille met 2 eetlepels tomatenketchup, een snufje cayennepeper en 4 eetlepels armagnac door elkaar. Klop $^1/_4$ l slagroom stijf en schep het mengsel erdoor.

Cointreau: Franse likeur van sinaasappel en citroen; hij is een belangrijk onderdeel van mix-dranken (cocktails). Cointreau is erg lekker om vruchtensalades mee af te maken.

Cornichons: heel kleine pikante augurkjes die in azijn zijn ingemaakt. Zij worden in de koude keuken voornamelijk als garnering gebruikt.

Croquantstrooisel (op het pak staat meestal: crokantstrooisel): strooisel, gemaakt van een croquante massa. Het is te koop in zakjes en doosjes en wordt gebruikt om o.a. gebak te bestrooien en te garneren.

Cumberland-saus: als kant en klaar produkt te koop. Saus bij wild en koud vlees (rosbief). Volgens het hierna volgende recept kunt u de Cumberland-saus zelf bereiden: kook heel fijne, flinterdun gesneden reepjes sinaasappelschil en heel fijngesneden sjalotten in rode wijn. Roer rode-bessengelei, fijne mosterd, sinaasappel- en citroensap door elkaar en

meng er de rode wijn met de schilletjes en de ui door. Maak hem op smaak met cayennepeper en een beetje port.

Curaçao: vruchtenlikeur uit de schil van de pomerans, in de kleuren wit, blauw, groen, oranje en rood: het is een hoofdbestanddeel van vele cocktails.

Dille: geliefde kruiderij voor komkommersla, visgerechten en gerechten met zeebanket en voor veel gemengde salades en ingemaakte groente. Dille doet qua smaak iets aan anijs en kummel denken. Takjes dille zijn erg decoratief als garnering van koude gerechten.

Dragon: fijne kruiderij met een hoog gehalte aan etherische oliën. Verse, fijngehakte dragon wordt gebruikt voor pikante sauzen en mayonaise. Dragon past ook bij gevogelte, wild en pasteien. Gebruik verse dragon spaarzaam; van gedroogde dragon is het aroma niet meer zo sterk.

Dressing: een slasaus op basis van 2–3 delen olie en 1 deel azijn, die meestal wordt afgemaakt met mosterd, room of mayonaise en allerlei kruidige bestanddelen.

Farce (vulling): gemalen of gehakte ingrediënten, bijv. vlees, gevogelte, wild, vis, groente, paddestoelen of tamme kastanjes, die met een saus of room worden gebonden. De farce wordt gebruikt om er pasteien, terrines en vlees mee te vullen.

Fileren: vakkundig verdelen van rauwe of gare vis in filets, waarbij vel en graten worden verwijderd. Maar ook loshalen van partjes grapefruit, sinaasappel en mandarijn, waarbij het dunne vlies van de partjes wordt gehaald.

Fond: geconcentreerde bouillon van beenderen, specerijen, kruiderijen en een beetje water. Het is de basis voor fijne sauzen en soepen en een smaak gevend ingrediënt van farces voor terrines en pasteien. Een fond ontstaat ook tijdens het braden of smoren van vlees, vis of gevogelte door uitlopend vet, vleessap en toegevoegde vloeistof.

Frapperen (Frans: frapper = koelen): sterk afkoelen van spijs en drank door ze op ijsblokjes of in de koelkast te zetten.

Gaffelbitter: stukjes haring, ingemaakt in een saus van wijnazijn, olie, zout, kruiden en een beetje dessertwijn.

Ganzelever: lever van speciaal gefokte ganzen, die door een bepaalde voeding en manier van eten heel groot wordt. Hij is ook vers te koop en wordt meestal gebruikt als basis voor ganzelever-mousse of -pastei. Ganzelever-parfait is in kleine blikjes te koop; het is ganzelever met een farce van varkensvlees, truffels en gelei. Serveer hem altijd ijskoud. Ganzeleverpastei: de beste en bekendste is die uit Straatsburg, die in kleine terrines te koop is. Koel bewaard is hij lang houdbaar.

Garneren: het aankleden of beleggen van bereide gerechten met kruiden, partjes of plakjes ei, allerlei stukjes rauwe of gare groente, paddestoelen die in een aantrekkelijke vorm worden gesneden, schijfjes of partjes citroen en andere geschikte ingrediënten.

Gekonfijte gember: in suikerstroop ingemaakte stukjes jonge gemberwortel ter grootte van een pruim. De zoete scherpte van de gemberbolletjes is een uitstekende aanvulling van koud vlees en wildgerechten. Fijngesneden is hij ook lekker in vruchtensalade.

Gelatine: belangrijk basisingrediënt voor gelei. Gelatine moet worden geweekt in koud water voor hij in een vloeistof kan worden opgelost. Week bladgelatine in een ruime hoeveelheid koud water, knijp hem uit en los hem op in hete, maar niet kokende vloeistof. Week gelatinepoeder in een beetje koud water en los hem er dan al roerend op een laag vuur in op.

Gelei: in de koude keuken wordt vooral gelei van vlees, vis of gevogelte gebruikt om glans aan gerechten te geven, voor pasteien en ook als smakelijke garnering op verschillende gerechten (basisrecept voor gelei, zie blz. 224). Gelei van vruchtesap of wijn met gelatine wordt meestal als dessert gegeven.

Geleispiegel: bij de bereiding van aspic of gerechten in gelei wordt een dunne laag gelerende vloeistof in een vorm geschonken. Deze moet in de koelkast stijf worden; daarna worden op deze spiegel afhankelijk van het recept stukjes vlees, vis en gevogelte gelegd, die gegarneerd worden met stukjes groente of paddestoelen. Daarna wordt er voorzichtig nog meer gelei op geschonken, die dan weer helemaal moet opstijven.

Gember: wortelstok van de rietachtige gemberplant die in de tropen groeit. Bij ons is gember vers, gedroogd en in poedervorm te koop. Gember is iets zoet en heel scherp van smaak. In de koude keuken wordt gember in al zijn vormen gebruikt. De verse knollen zijn het geurigst. De draderige wortel wordt zorgvuldig geschild en fijngeraspt. Vlees, wild en gevogelte kunnen met gember worden gekruid. Kleine beetjes gemberpoeder zijn lekker in gehakt en deegfarces. Ook past gember uitstekend bij sommige salades en zeker in die met exotische vruchten.

Glaceren: in de koude keuken wordt hieronder verstaan het laten glanzen van een gerecht met gelei, met vleessap dat tijdens het braden vrijkomt of met vleesextract, of het bedekken van een gerecht met een laagje ijs.

Haringsla: Kant en klaar te koop, maar eenvoudig zelf te maken. Snijd zure haringen, gekookte aardappelen, rode biet, appel, zilveruitjes en augurken klein. Vermeng alle ingrediënten met mayonaise en breng de sla op smaak met peper en zout.

Huzarensla: Net als haringsla een typisch Nederlandse salade. Vervang de zure haring door kleingesneden koud vlees en eventueel de rode biet door paprika.

Hysop: struikachtige plant die in het wild groeit. De blaadjes smaken fris en licht bitter en lijken iets op mint. Gebruik hysop in heel kleine hoeveelheden in combinatie met andere kruiden in salades, kruidensauzen en kwark of in marinades voor wild. Gebruik hysop altijd rauw; gekookt verliest hij zijn smaak.

Jeneverbessen: zwartblauwe bessen, die zo groot zijn als een erwt; de vruchten van de altijdgroene jeneverbesstruik. Zij hebben een zware bitterzoete smaak en een sterke, iets harsachtige geur. Hele bessen worden toegevoegd aan marinades voor wild en vis. Gemalen of fijngewreven zijn ze een kruiderij voor gerechten van donker vlees, in het bijzonder wildgerechten.

Julienne: ingrediënten die in heel fijne reepjes worden gesneden. Groentejulienne staat mooi in soep. In de koude keuken speelt ook truffeljulienne een rol als bijgerecht of garnering en vleesjulienne speelt een rol bij salades.

Jus: is zuiver ontvet braadvocht dat bij afkoeling geleert; een natuurlijke gelei. De beste gelei is jus van kalfsvlees. In de koude keuken wordt jus voornamelijk als garnering van koud gebraad of wildgerechten gebruikt of als onderdeel van een chaudfroid. Jus is in een pot en in blik te koop.

Kappertjes: bloesemknoppen van de in Zuid-Europa groeiende kapper (een struik). Kappertjes worden ingemaakt in zout water, azijn of olie. Hoe kleiner de kappertjes, hoe geuriger de smaak. Zij worden gebruikt in verschillende koude sauzen, zoals remoulade en vinaigrette. Zij horen echt in tartaar en zijn ook lekker in aardappelsla of bij hardgekookte eieren. Zij geven een pikante noot aan roomkaas en zijn mooi als garnering van belegde broodjes en schotels koud vlees.

Kardemom: de zaden van de kardemomstruik, die tot de gemberachtigen behoort, worden gebruikt als specerij. Kardemom is een kostbare specerij. Hij is als zaad en in poedervorm te koop. Hij heeft een frisse, iets scherpe smaak, die aan kamfer doet denken. Kardemom wordt niet alleen toegepast in gebak. Gebruik hem spaarzaam in vleesgerechten, sauzen en salades.

Kaviaar: kuit van verschillende steursoorten. De echte kaviaar komt hoofdzakelijk uit de Kaspische en de Zwarte Zee. De kuit wordt ontvet en gewassen en ter conservering licht of zwaar gezouten. Meestal staat op het blik de aanduiding 'malassol'; dit geeft niets aan over de kaviaar, maar betekent 'licht gezouten'. 'Malassol'-kaviaar is kwetsbaar en niet lang houdbaar. Hij moet ook koel worden bewaard in een gesloten pot of blik. Beluga-kaviaar – kuit van de grootste steur – is 3–4 mm groot en heel licht gezouten; hij is heel bijzonder van smaak. Sevruga-kaviaar komt van een steur die maar 2 m lang wordt. Deze kaviaar is heel fijn van korrel en zacht. De rode, grootkorrelige keta-kaviaar komt van een zalm. Hij is flink gezouten en licht gerookt. Hij is aanzienlijk goedkoper dan alle steurkaviaar. Deense kaviaar wordt bereid uit de kuit van zalm, forel, karper of snoek. Hij wordt vaak kunstmatig zwart gekleurd en is aanzienlijk goedkoper maar ook veel minder fijn van smaak dan de echte kaviaar. Hij wordt meestal als garnering gebruikt. In een pot mag de kaviaar niet met een laagje vet zijn bedekt. Kaviaar kan in een pot of blik worden geserveerd, zet hem of het op een flinke laag ijsgruis en geef er een lepel bij die niet van metaal is; metaal en ook zilver beïnvloeden de smaak van kaviaar. Geef er toost of bruinbrood, boter, partjes citroen en natuurlijk wodka bij. U kunt er ook een droge witte wijn bij schenken.

Kerriepoeder: een uit India afkomstig kruidenmengsel van op z'n minst twaalf specerijen. In India is het gebruikelijk dat ieder zijn eigen kerrie naar behoefte en smaak samenstelt; hij is daar zeer scherp. Er is geen vast recept voor kerrie. Hier is het te koop in de aanduidingen mild, medium en scherp. Kerriepoeder mag royaal worden gebruikt. Het hoort tot de zgn. 'lepel-specerijen'. In de koude keuken wordt het vooral voor visgerechten en salade gebruikt als specerij in dipsauzen en mayonaise.

Kervel: geurige keukenkruiderij die aan peterselie verwant is. Deze wordt gebruikt in kruidenboters en salades.

Kruidnagel: de gedroogde bloemknop van de tropische kruidnagelboom. Kruidnagels geuren als anjers, maar zijn heel scherp van smaak. Zij zijn te koop als nagels en in poedervorm. Hele kruidnagels worden gebruikt in marinades of met andere specerijen in visbouillon. Kruidnagelpoeder wordt toegepast in vleesfarces voor pasteien. Gebruik het met mate, zodat de sterke smaak een gerecht niet overheerst. Kruidnagel is goed te combineren met nootmuskaat, peper, gember, laurier en kardemom.

Kwetsen: een soort pruimen, die een puntiger vorm hebben dan andere soorten en een stevig vruchtvlees. De kwets kan men beter voor compote en voor de inmaak toepassen dan dat men hem rauw eet.

Laurierblad: blaadjes van de altijdgroene laurierboom. De hoge kruidige waarde komt door de etherische oliën en bittere stoffen in het blad. Laurierblad is een belangrijk ingrediënt in marinades voor vlees, vis en wild. Gebruik het met mate en bewaar het droog.

Marasquinkersen: grote, roodgekleurde kersen die zijn ingemaakt in marasquin: een Joegoslavische likeur van de maraska-morel en brandewijn. Er worden echter zelden echte maraska-morellen voor gebruikt. Marasquinkersen worden gebruikt als garnering van zoete gerechten, vruchtensalades en mix-dranken (cocktails), maar ook bij vlees- of visgerechten. Voor sommige gerechten kunnen ook bigarreau's worden toegepast. Dit zijn gekonfijte kersen, die geel, rood of groen van kleur zijn.

Marinade: vloeistof van azijn, karnemelk, wijn of citroensap met specerijen en kruiden, waarin allerlei soorten vlees en ook vis voor het bereiden geuriger en zachter kunnen worden gemaakt. Ook slasauzen worden wel marinades genoemd.

Mirabellen: kleine, ronde, gele of witte pruimen die sappig en zoet van smaak zijn. Ze worden o.a. als tafelfruit gebruikt.

Mixed pickles: groente ingemaakt in azijn, in potjes te koop. Bloemkoolroosjes, zilveruitjes, kleine augurken, stukjes wortel, prinsessenboontjes en reepjes rode paprika ingemaakt in wijnazijn met specerijen. Lekker bij koud gebraden varkensvlees of worst of in dipsauzen.

Morielje: bijzonder fijne, geurige paddestoel. Hij wordt net als de truffel als kruiderij gebruikt. Morieljes zijn het hele jaar door gedroogd en in blik te koop. Week gedroogde morieljes voor gebruik in lauw water. Gebruik het weekwater ook bij de bereiding van een saus of een farce. Hak de morieljes fijn en voeg ze aan het gerecht toe.

Mosterd: de naam komt van de mosterdplant, waarvan de zaden – de mosterdkorrels – de basis zijn voor mosterd. Deze gele tot bruine pasta, die onontbeerlijk is in de keuken, bestaat uit gemalen mosterdzaad, veel verschillende specerijen, water en wijn of most. Er zijn bijna honderd verschillende mosterdsoorten te koop: van milde citroenmosterd tot heel scherpe mierikswortelmosterd. Heel zacht en geschikt voor de koude keuken is mosterd met groene kruiden. Dit is Dijon-mosterd (gemaakt van gepeld mosterdzaad en most van onrijpe druiven) met dragon en kervel. Mosterd bevordert de spijsvertering. Men geeft het bij vet vlees, doet het in vleesvullingen, bij hardgekookte eieren en vis en ook bij kleine beetjes in dressings en vinaigrettes.

Mosterdfruit: een tafelzuur, gemaakt van stukjes groente van één soort in azijn met mosterd en andere specerijen.

Olijven: vruchten van de olijfboom. Olijven waaruit olie wordt bereid zijn over het algemeen kleiner dan olijven voor consumptie. Zij worden meestal onrijp geoogst en in het land van herkomst in water of azijn ingemaakt. Heel grote olijven worden ontpit en gevuld met een reepje paprika, een amandel of ansjovis. De rijpe, zwarte vruchten worden eerst in zout water gelegd en daarna in olijfolie gemarineerd. Alle olijven zijn erg lekker op kaasschotels. De rood gevulde vruchten zien er heel decoratief uit als zij dwars in plakjes worden gesneden. Olijven gevuld met amandel of ansjovis zijn een pikant hapje bij de borrel. De olie uit de olijven helpt de alcohol verteren.

Pasteikruiden: een kant en klaar mengsel van gemalen witte peper, kaneel, foelie, gember, laurier en piment. Het is in delicatessenzaken te koop.

Piment (nagelgruis): de onrijpe zaden van de gedroogde vruchten van de altijdgroene pimentstruik. De korrels ruiken als kruidnagel en ze zijn geurig en scherp van smaak. Nagelgruis doet denken aan een combinatie van kruidnagel, kaneel, nootmuskaat en peper. De geur en de smaak van piment vervliegen vlug. Koop daarom liever korrels en maal of plet ze als ze nodig zijn. Pimentkorrels worden gebruikt in marinades voor wild en vis. Nagelgruis wordt in de koude keuken toegepast in vullingen voor pasteien en gerechten in gelei.

Piri-piri: heel kleine, ingemaakte rode pepertjes.

Pistachenoten: vruchten van de pistacheboom, die groeit in de landen rondom de Middellandse Zee. De lichtgroene, langwerpige vruchtjes met het bruine vliesje zijn iets zoet van smaak. Zij worden rauw of geroosterd fijngehakt verwerkt in vleesvullingen, salades, zoete gerechten en ijs.

Peper: peperkorrels zijn de besvruchten van de peperstruik, een klimplant die gedijt in tropische gebieden. Alle pepersoorten – groen, zwart en wit – komen van dezelfde plant. Groene peper is onrijp – groen – geoogst. Hij wordt ingemaakt in zout water, azijn of alcohol. Hij is milder van smaak dan de andere peperkorrels en heel geurig. Groene peperkorrels zijn ook gevriesdroogd te koop. Zwarte peper bestaat ook uit onrijp geoogste bessen, die in de lucht drogen tot bruinzwarte korrels. Zwarte peper is de scherpste. Witte peperkorrels zijn de rijpe bessen; na de oogst worden zij eerst in water geweekt, van het vruchtvlees ontdaan en vervolgens gedroogd. Witte peper is sterker van smaak dan zwarte. Zacht, licht vlees, vis en ook zachte groentesoorten worden met witte peper gekruid. Zwarte peper hoort bij wild en ander donker vlees en bij mosselgerechten. Van groene peper maakt men gebruik om er salades, kruidenboter en kwarkmengsels mee te kruiden.

Gedroogde groene peper wordt in de molen gemalen; ingemaakte peper wordt grofgehakt of geplet.

Roze peper komt niet van de peperplant, maar van een boom die in Peru groeit. De bessen doen denken aan kleine erwten. Zij worden met suiker behandeld en gevriesdroogd. Zij hebben een apart aroma, zijn licht zoet en smaken iets naar hars. Roze peper wordt net als groene peper gebruikt voor gerechten waarin geen behoefte is aan scherpte, maar wel aan het geurige peperaroma. Zelfs in vruchtensalades kan men een snufje roze peper doen. De etherische olie in gemalen peper vervliegt snel. Het is daarom aan te bevelen alleen korrels te kopen en deze pas vlak voor het gebruik naar behoefte te malen om een gerecht op smaak te brengen. Er zijn drie verschillende pepermolens nodig: één voor witte, één voor zwarte en één voor groene en roze peper.

Pocheren: ingrediënten gaar laten worden in een vloeistof die tegen de kook aan wordt gehouden, bijv. gepocheerde eieren.

Relish (Engels = kruiden): in verschillende smaken te koop. Gekruide saus bij koud vlees, ook geschikt als dipsaus. Hij bevat fijngesneden zoetzure ingrediënten. Hij doet denken aan chutney, maar is iets scherper.

Rietsuiker: niet geraffineerde gele tot bruine suiker van een grove korrel. Hij is niet zo zoet als de witte geraffineerde suiker, maar veel kruidiger.

Russische eieren: Typisch Nederlands lunchgerecht. Salade van koude gekookte groenten en aardappelen met olie en azijn. Zet hier halve gevulde eieren met de platte kant naar beneden op. Bedek het slaatje en de eieren met mayonaise. Garneer met ansjovisfilets en kappertjes.

Saffraan: de duurste specerij ter wereld. Hij werd al in de oudheid gebruikt om er spijzen geel mee te kleuren. Het is de gedroogde stempel van een aan de Middellandse Zee groeiende krokussoort. Hij is heel of gemalen te koop. Saffraan is iets bitter en kruidig van smaak. Kleine hoeveelheden zijn al voldoende om een gerecht de gewenste kleur te geven. Week een snufje saffraan in een beetje heet water of los een mespunt van het poeder op in heet water en doe de vloeistof bij het gerecht. In de koude keuken wordt saffraan slechts sporadisch gebruikt.

Schrikken: het overgieten of afspoelen van hete ingrediënten met koud water. Men doet dat in de eerste plaats om de temperatuur snel te verlagen; we laten gekookte eieren schrikken om ze gemakkelijk te kunnen pellen. Bovendien wordt door het schrikken het kookproces afgebroken. In de tweede plaats om uitgelopen zetmeel af te spoelen; deegwaren en rijst worden in een zeef afgespoeld om te voorkomen dat de deegwaren of rijstkorrels aan elkaar gaan plakken.

Smörgås-bord: het royale Zweedse buffet. Letterlijk vertaald betekent het 'maaltijd van brood en boter'. Hij bestaat uit haring en andere visgerechten – vooral ook de beroemde 'gravad laks' (rauwe gemarineerde zalm) – uit rauwkostsalades, vleespasteien en -balletjes, ham, rendierbout, kreeft, krab, vele belegde sandwiches, gevulde eieren, gevulde groenten, gemarineerde paddestoelen en verschillende soorten kaas en brood, om slechts een kleine keus te maken. Oorspronkelijk bestond dit buffet alleen uit koude gerechten, maar al sinds lang geeft men er ook warme gerechten bij.

Smørrebrød: Deense specialiteit. Met verschillende soorten gemarineerde of gerookte vis, waaronder zalm en paling, kreeft, kaviaar, gekookt rundvlees, gerookte ganzeborst, ham en ei, gegarneerde sneetjes brood met boter en ook kleine warme gerechten.

Snacks (Engels = hapjes): mooi gesneden stukjes brood zonder korst, die royaal en apart worden belegd. Meestal wordt lichtbruin of wittebrood gebruikt, maar crackers kunnen ook. Snacks moeten zo klein zijn dat ze in één hap kunnen worden gegeten.

Snufje: de hoeveelheid zout, peper of andere specerijen, die tussen duim en wijsvinger kan worden gehouden.

Tabasco: zeer scherpe saus van gepureerde chilipepers, azijn

en suiker. Gebruik hem druppelsgewijs.

Terrine: pastei zonder deegkorst in een vuurvaste schaal, die au bain-marie wordt gaar gemaakt in de oven. Een terrine moet zeker 1 dag in de koelkast blijven staan. Bedek de bovenkant voor het serveren met een chaudfroid. Snijd de terrine in vingerdikke plakken.

Tijm: een geurig keukenkruid, dat in het wild groeit maar ook wordt gekweekt. Tijm is in de zomermaanden vers op de markt en het hele jaar door gedroogd, in naald- of in poedervorm, te koop. In de koude keuken wordt tijm net als dragon gebruikt voor kruidenazijn of -olie en verse of gedroogde tijm in slasauzen, kruidenboter, -mayonaise of -kwark.

Vinaigrette: een slasaus van mosterd, 2–3 delen olie en 1 deel azijn, die met peper en worcestershiresaus wordt afgemaakt. De vinaigrette kan worden uitgebreid met fijngehakte ui, knoflook en allerlei kruiden.

Visfond: laat kop, staart, vinnen en graat (dus afval) van vis met specerijen, uien en wijn 30 minuten trekken; zeef het vocht. Deze fond dient als basis voor vissauzen en soepen. Visfond is ook het vocht dat vrijkomt bij het smoren van vis.

Vleesextract (glace de viande): pasta van zeer geconcentreerde vleesbouillon; het bevat ongeveer 60 % organische bestanddelen en 20 % mineralen. Het wordt ook in de koude keuken veelvuldig gebruikt om gelei en sauzen te kruiden en bouillon te bereiden. Vleesextract is bijna onbeperkt houdbaar.

Drankjes die erbij horen

Of het nu een eenvoudige, familie- of feestelijke maaltijd is, er hoort altijd wel een passend drankje bij. Het eenvoudigste gerecht lijkt al feestelijk als er een slokje bij gedronken wordt. En het hoeft niet altijd alcohol te zijn!
De koude keuken heeft ook op dit gebied kostelijke dingen te bieden. Denk hierbij aan uitgeperste sinaasappel of groentesap, dat ons 's morgens vaak beter in de stemming brengt dan alleen een kopje koffie of thee. De dranken die de gerechten van de koude keuken begeleiden worden niet alleen aangepast aan de tijd van de dag maar ook aan het gerecht waarbij zij worden geschonken. Champagne bij het ontbijt is niet altijd een uitspatting.

Tafelwater en sappen

Tafelwater is de aanduiding voor allerlei natuurlijke en kunstmatige mineraalwaters.
Mineraalwater, sodawater, bronwater en spuitwater zijn verschillende benamingen hiervoor.
Natuurlijk mineraalwater bevat per liter op z'n minst 1 g opgeloste zouten of $\frac{1}{4}$ g vrij koolzuur en wordt uit een bron gewonnen.
Kunstmatig mineraalwater wordt gemaakt van water en zou-

ten of zout water en koolzuur. Sodawater is bij voorbeeld een kunstmatig mineraalwater. Aan parelend mineraalwater wordt koolzuur toegevoegd; stil mineraalwater bevat weinig of geen koolzuur.

Geneeskrachtig bronwater is water waarvan de geneeskrachtige werking bewezen is.

Bitterwater heeft een hoog gehalte aan sulfaat of magnesiumsulfaat.

● Voor mix-dranken wordt koolzuurhoudend mineraalwater gebruikt dat neutraal van smaak is; geen bitterwater! Koolzuurhoudend mineraalwater kan ook puur geschonken worden als verfrissende tafeldrank. Niet alleen autobestuurders weten het te waarderen, ook gasten die gezond eten en calorieën tellen zijn dankbaar als er mineraalwater is als alternatief voor alcoholische dranken of vaak calorierijke sapjes. Mineraalwater moet net als bier goed gekoeld zijn. Sluit de flessen telkens zorgvuldig na het uitschenken. Het mineraalwater blijft dan ook na het openen van de fles nog een paar dagen goed.

Het aanbod van vruchten- en groentesappen die in de fabriek worden bereid, is groot. Alleen zuiver vruchtensap, dus zonder toevoeging van iets anders, ook geen suiker of water, mag vruchtensap heten. Dit is vanuit het oogpunt van smaak maar van enkele vruchten mogelijk. Zo is er bijv. zuiver appel-, peren-, druiven- en sinaasappelsap. Afhankelijk van het vruchtenaandeel in het sap wordt het nectar of vruchtensap genoemd.

Groentesappen zijn als zuivere sappen alleen in reformwinkels e.d. te koop. De overige groentesappen in de handel zijn verdund en gekruid.

● Gezonder en smakelijker zijn zelf geperste sappen. De aanschaf van een elektrische sapcentrifuge is zeker de moeite waard.

● Serveer verse groente- en vruchtensappen liefst direct na het uitpersen; ze moeten niet ijskoud zijn.

● Vers geperst sap is niet in de eerste plaats een dorstlesser maar een vitaminebron, dus opwekkend. Vruchtensap is een heel goed aperitief, omdat de vitamines en mineralen uit het sap eetlust opwekkend werken.

De volgende recepten voor cocktails van groentesap zijn steeds voor één glas.

Komkommercocktail

Ingrediënten:

6 cl komkommersap, 6 cl appelsap, 2 cl selderiesap, 1^1/$_2$ theel. citroensap, een snufje zout, een snufje vers gemalen zwarte peper, 1^1/$_2$ theel. fijngehakte peterselie.

Werkwijze
● Vermeng de drie sappen in een glas en maak ze op smaak met het citroensap, het zout en de peper. Strooi er peterselie over en serveer hem.

Wortel-appelsap

Ingrediënten:

6 cl wortelsap, 8 cl appelsap, 1^1/$_2$ theel. citroensap, een snufje zout, een snufje peper, 1^1/$_2$ theel. kleingesneden dille.

Werkwijze
● Vermeng het wortel- en appelsap in een glas, maak het op smaak met het citroensap, het zout en de peper en strooi er de dille over.

Zachte zuurkooldrank

Ingrediënten:

6 cl zuurkoolsap, 6 cl sinaasappelsap, 3 theel. honing, 1^1/$_2$ theel. fijngehakte ui.

Werkwijze
● Vermeng het zuurkoolsap met het sinaasappelsap, zoet het met de honing en strooi er de heel fijn gehakte ui over.

Tomaten-selderiesap

Ingrediënten:

6 cl tomatesap, 4 cl selderiesap, 1^1/$_2$ theel. citroensap, 2 eetl. zure room, een snufje van elk: zout, peper en mild paprikapoeder, 1^1/$_2$ theel. fijngehakte peterselie.

Werkwijze
● Roer het tomatesap, het selderiesap, het citroensap en de zure room goed door elkaar. Maak op smaak met het zout, de peper en het paprikapoeder en strooi er de peterselie over.

Register van recepten